LA MER ET LES PRISONS

i sur albert camus

par

Roger Quillio

nrf

GALLIMARD

LA MER ET LES PRISONS

Roger Quilliot

LA MER ET LES PRISONS
ESSAI SUR
ALBERT CAMUS

Gallimard

En mémoire de mon père.

A CLAIRE

BIOGRAPHIE

Il a paru indispensable, pour la compréhension de l'essai, que soient rappelées dans un tableau d'ensemble les dates marquantes de la vie d'Albert Camus, ainsi que les événements politiques et les œuvres littéraires face auxquels il lui a fallu se définir. Un tel tableau, dans sa secheresse même, interdit toute affabulation et toute sollicitation des faits.

7 novembre 1913 : Naissance d'Albert Camus à Mondovi, département de Constantine. Son père, ouvrier agricole, est d'origine alsacienne, sa mère d'ascendance espagnole.

1914, 2 août : Première guerre mondiale.

« J'ai grandi, avec tous les hommes de mon âge, aux tambours de la première guerre, et notre histoire, depuis, n'a pas cessé d'être meurtre, injustice ou violence. » (*L'Eté.*)

Son père est tué à la bataille de la Marne.

Sa mère rejoint Alger et s'installe dans le quartier populaire de Belcourt. A. Camus grandit pauvrement dans un appartement de deux pièces, entre sa mère qui fait des ménages, sa grand'mère, un oncle infirme, artisan tonnelier, et un frère aîné.

« ... je n'ai pas appris la liberté dans Marx. Il est vrai : je l'ai apprise dans la misère. » (*Actuelles.*)

1918-1923 : Ecole communale à Belcourt : un instituteur, Louis Germain, s'intéresse à l'enfant, le fait travailler en dehors des heures de classe et le présente au concours des bourses pour les lycées et collèges.

1923-1930 : Camus est élève boursier au lycée d'Alger. Il a pour condisciples André Belamich, qui depuis a traduit Lorca, et Claude de Fréminville, actuellement journaliste au *Populaire*.

1925 : *Les Faux-Monnayeurs*, de Gide.

1926 : *Les Bestiaires*, de Montherlant.

La Tentation de l'Occident, de Malraux.

1928 : *Les Conquérants*, de Malraux.

1928-1930 : Camus garde les buts de l'équipe de foot-ball du Racing-Universitaire d'Alger.

« Après tout, c'est pour cela que j'ai tant aimé mon équipe, pour la joie des victoires, si merveilleuse lorsqu'elle s'allie à la fatigue qui suit l'effort, mais aussi pour cette stupide envie de pleurer des soirs de défaite. » (Hebdomadaire du R. U. A.)

1930 : *La Voie Royale*, de Malraux.

Premières atteintes de la tuberculose ; il quitte la maison familiale, impropre aux soins qu'exige son état de santé, pour s'installer d'abord chez un oncle boucher, de tradition voltairienne. Par la suite, il mènera une vie fort indépendante, habitant successivement aux quatre coins d'Alger, tantôt seul, tantôt en communauté.

Camus poursuit ses études en Lettres Supérieures. Il a pour professeurs Paul Mathieu et Jean Grenier, le philosophe, qu'il retrouvera en Faculté et avec qui il se liera d'une amitié fidèle.

1931 : *La Douleur*, d'André de Richaud, dont la lecture déterminera pour une part sa vocation littéraire.

1933, 30 janvier : Hitler accède au pouvoir.

Premier mariage de Camus, rompu un an plus tard.

La condition humaine, de Malraux. — Lecture de Proust.

Les Iles, de Jean Grenier : cette série de courts essais, qui abordent les problèmes de l'existence sur un mode à la fois ironique et poétique et sur un ton de scepticisme grave, fait de Grenier un des maîtres à penser de Camus, qui n'a jamais manqué de reconnaître sa dette. *Les Iles* ont influencé *l'Envers et l'Endroit* et *Noces*.

Fin 1934 : Camus adhère au Parti communiste : on lui confie des fonctions de propagande dans les milieux musulmans. Il quittera le P.C. en 1935, quand le voyage de Pierre Laval à Moscou aura déterminé une modification de la ligne communiste à l'égard des revendications musulmanes.

1935 : *Le Temps du Mépris*, de Malraux. — *Service inutile*, de Montherlant.

Rédaction collective de *la Révolte dans les Asturies* pour le Théâtre du Travail, fondé par Camus.

Mise en chantier de *l'Envers et l'Endroit*.

Pendant toute cette période, Camus poursuit ses études de philosophie en Faculté d'Alger, grâce aux prêts d'honneur qui lui sont consentis. Toutefois, il lui faut encore effectuer toutes sortes de travaux pour vivre. Cette année-là il travaille régulièrement à l'Institut Météorologique et lui fournit un rapport sur *les Pressions dans les territoires du Sud*.

1936 : Rédaction d'un diplôme d'études supérieures de philosophie, qui traite des rapports de l'hellénisme et du christianisme à travers Plotin et Saint Augustin.

Lecture d'Epictète, Pascal, Kierkegaard, Malraux et Gide.

7 mars : réoccupation de la Rhénanie par l'Allemagne.

Mai : succès du Front Populaire en France.

17 juillet : Guerre civile en Espagne.

1936-1937 : Camus est engagé comme acteur par la troupe théâtrale de Radio-Alger, avec laquelle il parcourt quinze jours par mois villes et villages. Il fallait un jeune premier : il en avait le physique, sinon l'âme, estima le directeur. On lui fit jouer force classiques, Molière notamment. Un vieux comédien, dont le nom de scène était Max Hilaire, lui enseigna des « trucs » de théâtre.

1937-1938-1939 : Le *Théâtre du Travail* devient le *Théâtre de l'Equipe* : jeune troupe d'acteurs amateurs, dépourvus de formation et de soutiens financiers, mais pleins de foi. « Le centre, c'était ce jeune homme de haute taille, mince et pâle, infatigable bien que malade, passionné, possédé de l'amour du théâtre : A. Camus... Dès ce moment, il était l'homme du pari » (Souvenirs de Blanche Balain, l'un des membres de l'Equipe). Il y tint en particulier les rôles d'Ivan Karamazov, et de l'Enfant Prodigue, (dans une adaptation du *Retour de l'Enfant Prodigue*, de Gide).

1937 : Pour raisons de santé il lui est interdit de se présenter à l'agrégation de philosophie.

Août-septembre : Projet d'essai sur Malraux. Séjour en Savoie, où il lui faut se reposer. Puis visite de Florence, via Marseille, Gênes et Pise.

Période d'exaltation lucide et amère dont *Noces* sera le fruit.

Camus refuse un poste au collège de Sidi-Bel-Abbès par crainte de la routine et de l'enlisement.

Octobre-décembre : lecture de Sorel, Nietzsche, Spengler (*le déclin de l'Occident*).

1938 : Camus est journaliste à *Alger-Républicain* que dirige Pascal Pia. Il y occupera successivement toutes les fonctions, depuis la rédaction des faits divers jusqu'à l'éditorial, en passant par la rubrique des assemblées et la chronique littéraire.

L'Espoir, de Malraux.

La Nausée, de Sartre. Dès ce moment, Camus s'oppose à l'esthétique de Sartre et lui reproche d'insister sur la laideur humaine pour fonder le tragique de l'existence : « Sans la beauté, l'amour ou le danger, il serait facile de vivre » *Alger-Républicain*, 20-10-38.

Camus écrit *Caligula*, songe à un essai sur l'absurde et rassemble des notes qui serviront à *l'Etranger*. Il lit Nietzsche : *Humain, trop humain, le Crépuscule des Idoles* et Kierkegaard : le *Traité du Désespoir*.

30 septembre : Accords de Munich.

1939, mars : La Tchécoslovaquie est totalement annexée par le IIIe Reich.

Lecture d'Epicure et des stoïciens.

Rencontre d'André Malraux.

Le Mur, de Sartre. « Constater l'absurdité de la vie ne peut être une fin, mais seulement un commence-

ment ». *Alger-Républicain*, (12-3-39). Les œuvres de
Sartre, qui n'ont exercé sur Camus aucune influence,
ont été parfois pour lui l'occasion de se définir.

Juin : Enquête en Kabylie : « Il n'est pas de spectacle plus désespérant que cette misère au milieu du plus
beau pays du monde ».

La tension internationale l'oblige à renoncer à son
projet de voyage en Grèce : « L'année de la guerre, je
devais m'embarquer pour refaire le périple d'Ulysse.
A cette époque, même un jeune homme pauvre pouvait
former le projet somptueux de traverser la mer à la
rencontre de la lumière. » (*L'Eté*.)

3 septembre : Seconde guerre mondiale.

« La première chose est de ne pas désespérer.
N'écoutons pas trop ceux qui crient à la fin du
monde. » (*Les Amandiers*.)

« Jurer de n'accomplir dans la moins noble des
tâches que les plus nobles des gestes. » (Inédit.)

Camus tentera, par solidarité, de s'engager. Il est
ajourné pour raisons de santé.

Voyage à Oran. (*Le Minotaure*.)

1940 : Deuxième mariage dont Camus aura deux enfants.

Les positions qu'il a prises sur le problème nord-
africain lui valent l'hostilité du Gouvernement Général. Sous la pression des milieux officiels, il se voit
refuser un travail qui lui avait été promis. Toutes les
portes se ferment devant lui. C'est dans ces conditions
qu'il quitte l'Algérie et, sur la recommandation de
Pascal Pia, entre à la rédaction de *Paris-Soir*, « dans
cette Europe humide et noire... »

Mars : Voyage à Marseille, Paris : « Paris est souvent
un désert pour le cœur... » (*L'Eté*.)

Mai : l'*Etranger* est terminé.

10 mai : Invasion allemande. Camus se replie sur
Clermont, avec la rédaction de *Paris-Soir*, qu'il abandonne aussitôt après.

Septembre : il rédige la première partie du *Mythe de
Sisyphe*.

Octobre : il s'installe provisoirement à Lyon.

1941, janvier : Retour à Oran où il enseigne quelque
temps dans un établissement privé.

Février : il termine le *Mythe de Sisyphe.*

Il prépare *la Peste* sous l'influence de *Moby Dick* : « l'un des mythes les plus bouleversants qu'on ait jamais imaginés sur le combat de l'homme contre le mal et sur l'irrésistible logique qui finit par dresser l'homme juste contre la création et le créateur d'abord, puis contre ses semblables et contre lui-même » (préface à Herman Melville).

Lecture de Tolstoï, Marc Aurèle, *Grandeur et Servitude Militaires,* Sade, *les Esprits* de Pierre Larivey, qu'il adaptera.

19 décembre : Exécution de Gabriel Péri.

1942 : Lectures : — Melville, De Foe, Cervantès. Cf. *La Peste.*)

Balzac et Madame de La Fayette. (Cf. *L'Intelligence et l'Echafaud.*)

Kierkegaard et Spinoza.

Juillet : *L'Etranger.*

Camus entre dans le réseau de résistance *Combat,* du M. L. N., où il retrouvera Pia et Malraux et fera la connaissance de Claude Bourdet. Il se liera d'amitié avec René Leynaud, fusillé en 1944.

8 novembre : Débarquement allié en Afrique du Nord. Camus sera séparé de sa femme jusqu'à la Libération.

Janvier : nouvelle attaque de tuberculose. Camus gagne le Massif Central pour s'y soigner.

1943 : *Le Mythe de Sisyphe :* une partie de la critique accréditera la légende d'un Camus philosophe et désespéré.

Première rédaction du *Malentendu.*

Première *Lettre à un ami allemand.*

Depuis des mois, Camus a partagé son temps entre la région lyonnaise et la région stéphanoise : « A mon avis, si l'enfer existait, il devait ressembler à ces rues interminables et grises où tout le monde était habillé de noir. » (Préface aux poésies de René Leynaud.) « Ouvriers français, — les seuls auprès desquels je me sente bien, que j'aie envie de connaître et de « vivre ». Ils sont comme moi » (Inédit). Puis l'organisation

« Combat » le délègue à Paris ; il devient lecteur chez Gallimard ; il l'est encore aujourd'hui.

1944 : Rencontre avec Sartre.

Seconde *Lettre à un ami allemand*.

24 août : « Paris fait feu de toutes ses balles dans la nuit d'août. » (Premier numéro de *Combat*, ouvertement diffusé.)

Camus prend la direction de *Combat* avec Pascal Pia, Il a pour collaborateurs G. Altschuler, M. Gimond, Albert Ollivier.

Le Malentendu est créé aux Mathurins par Maria Casarès et Marcel Herrand. Accueil mitigé.

1945, 7 août : Bombardement atomique d'Hiroshima et Nagasaki.

« La civilisation mécanique vient de parvenir à son dernier degré de sauvagerie. Il va falloir choisir dans un avenir plus ou moins proche entre le suicide collectif et l'utilisation intelligente des conquêtes scientifiques. » (*Combat* 8 août.)

Représentation de *Caligula* au Théâtre Hébertot, qui révèle Gérard Philipe. R. Kemp voit dans la pièce « un manuel des désespérés ». Le succès est grand.

Remarque sur la Révolte, point de départ de *l'Homme révolté*.

En fin d'année, Camus se rend aux Etats-Unis. Mal accueilli par les services de sécurité, il est chaleureusement reçu par la jeunesse universitaire.

Pendant plusieurs mois, Camus abandonne la direction de *Combat*. Il se pose le problème de la violence : « Nous étions dans l'Enfer et nous n'en sommes jamais sortis ! Depuis six longues années nous essayons de nous en arranger. » (*L'Eté*.)

Il termine difficilement *La Peste*.

Feuillets d'Hypnos, de René Char, avec lequel il se lie d'une amitié profonde.

Découverte de l'œuvre de Simone Weil, dont il est aujourd'hui l'éditeur.

1947 : Révolte à Madagascar. Camus proteste énergiquement contre la répression collective : « ... Le fait est là, clair et hideux à la vérité : nous faisons dans ces cas-là ce que nous avons reproché aux Allemands de faire. » (*Combat.*)

Le Parti communiste quitte le gouvernement. Naissance du R. P. F. Les difficultés financières et politiques amènent la rupture de l'équipe de *Combat*. Ollivier, Pia et R. Aron vont au R. P. F. Jean Texcier rejoint la presse socialiste. Camus se retire et cède la direction à Claude Bourdet. Henri Smadja prend pied au journal.

Création du Rassemblement Démocratique et Révolutionnaire, auquel, il faut le noter, Camus n'a jamais appartenu.

Juin : *La Peste*. Succès immédiat. Nombre de critiques élaborent la légende de « la sainteté laïque » d'un Camus vertueux.

1948, février : Coup d'état de Prague.

Voyage en Algérie. (Cf. *l'Eté*.)

Juin : Tito est expulsé du Kominform.

Lecture d'Agrippa d'Aubigné. (Cf. *l'Etat de Siège*.)

27 octobre : *L'Etat de Siège*, créé par J.-L. Barrault, M. Renaud, M. Casarès, P. Brasseur.

Novembre : *Ni Victimes ni Bourreaux*.

1949, mars : Appel en faveur des communistes grecs condamnés à mort, appel renouvelé en décembre 1950.

Juin à août : Voyage en Amérique du Sud. (Cf. *La Mer au plus près*.) Lecture du *Journal* de Vigny.

Septembre : Procès Rajk, Kostov.

15 décembre : *Les Justes*, créés par M. Casarès et S. Reggiani.

Après son retour d'Amérique du Sud, Camus de nouveau malade pour deux ans ne pourra guère que poursuivre la rédaction de *L'Homme révolté*. Il consacrera cette période à une réflexion sur son œuvre.

1951 : Guerre de Corée.

Octobre : *L'Homme révolté*. La polémique qui s'ensuit dure plus d'un an.

Décembre : Camus dépose par écrit au procès du M. T. L. D. à Blida.

1952 : Voyage en Algérie. (Cf. *Retour à Tipasa*.)

Août : Rupture avec J.-P. Sartre.

Novembre : Démission de l'U. N. E. S. C. O. à la suite de l'admission de l'Espagne franquiste.

Projets : roman : *Le Premier Homme.*

Nouvelles de l'exil.

Théâtre : un Don Juan.

Adaptation des *Possédés.* (Cf. Interview *Gazette de Lausanne,* 1954.)

1953, 17 juin : Emeutes à Berlin-Est : « Quand un travailleur, quelque part au monde, dresse ses poings nus devant un tank et crie qu'il n'est pas un esclave, que sommes nous donc si nous restons indifférents ? » (Allocution à la Mutualité.)

Juin : Festival d'Angers où il remplace Marcel Herrand malade et assure la mise en scène de *La Dévotion à la Croix* et des *Esprits,* dans sa propre adaptation.

1954, mars : Camus semble retiré de toute activité politique (exception faite pour une intervention en faveur de sept Tunisiens condamnés à mort) et littéraire (il n'écrit rien pendant toute cette année.)

1955, mai : Voyage en Grèce.

Juin : retour au journalisme.

INTRODUCTION

> Mais dans sa recherche obstinée,
> seuls peuvent aider l'artiste ceux qui
> l'aiment.
>
> A. CAMUS

« Vous avez été pour nous... l'admirable conjonction d'une personne, d'une action et d'une œuvre... Vous résumiez en vous les conflits de l'époque et vous les dépassiez par votre ardeur à vivre. » Ces lignes [1], que Jean-Paul Sartre voulait faire sonner comme un glas, me paraissent aujourd'hui encore résumer le « phénomène Camus ».

Une époque, la nôtre, déchirée entre toutes, où Albert Camus prend place en novembre 1913, au seuil de la première guerre mondiale, en terre algérienne. Il a vingt ans quand le nazisme s'empare du pouvoir ; il en a vingt-trois, quand Franco déchaîne outre-Pyrénées une guerre civile que Camus, qui tient à l'Espagne de toute son ascendance maternelle, ne saurait lui pardonner. Trois ans plus tard éclate une nouvelle guerre mondiale où la France atteint aux limites du désespoir et le

---

1. Lettre à Albert Camus, dans les *Temps Modernes*, 1952.

monde à celle de l'horreur — et le dernier mot n'est sans doute pas dit.

Epoque déchirée qui impose une action : action sociale et volontiers anticolonialiste, à laquelle l'Algérien Camus, fils d'ouvriers pauvres et besogneux, se trouvera tôt mêlé ; action antifasciste qui le mènera droit à la Résistance, puis à la direction du journal *Combat* : effort de rénovation politique auquel il consacrera, des années durant, le meilleur de son temps et de ses forces, se gardant, dans des éditoriaux d'une rare noblesse, de toute illusion, de toute haine et de toute mesquinerie ; participation au mouvement « mondialiste », à divers meetings de défense des libertés, et, tout récemment encore, démission des organismes de l'U. N. E. S. C. O. par hostilité au régime franquiste.

Cet attachement passionné à la justice comme à la liberté dans un temps de violence et de barbarie, sans doute le doit-il autant à son dur et quotidien combat pour l'existence qu'à son amour de vivre. Dans le temps qu'il poursuit ses études de philosophie à la Faculté d'Alger, il multiplie les métiers : vente d'accessoires pour automobiles, secrétariat de préfecture, météorologie, courtage maritime. Aussi ardent à vivre de son corps que de son esprit, il unit à la manière antique la passion du sport à celle du théâtre. Cette activité débordante chez un jeune homme qui ne mange pas tous les jours à sa faim favorisera les premières attaques de la tuberculose.

Son œuvre ne saurait être coupée d'une expérience aussi riche et variée. C'est une manière d'être qui ramasse et fond toutes les autres. Albert Camus aime à dire qu'il n'écrit que d'expérience : les limites de son imagination sont bien connues, tout comme son mépris des subtilités dialectiques. Rien ne lui paraît plus impérieux que l'accord des paroles et

des actes : « Le meilleur moyen de lutter contre la
Peste, c'est l'honnêteté. »

Pareille hauteur de vue ne va pas sans orgueil,
— orgueil solitaire comme l'œuvre même. Peu de
livres sans doute sont plus attendus, plus épiés que
les siens. C'est à qui le guettera au tournant : probablement par impatience de le baptiser ou de le
brûler. Je ne connais pourtant guère d'œuvre aussi
droite, aussi constante que celle-là ; aussi profondément une. *L'Etranger* ne s'oppose pas à *la Peste*,
ni *le Mythe* à *l'Homme révolté*. De l'un à l'autre,
on ne saute pas du libertinage à la vertu ou de
l'égoïsme à la charité. Je ne vois là qu'une différence de dosage ou d'éclairage, et souvent, un
balancement intérieur à l'homme même. Chaque
livre n'est qu'un temps de cette description patiente
du monde dont Camus a fait le principe de son
œuvre et qu'il poursuit avec méthode et sincérité ;
description qui n'est pourtant qu'une manière de
tête-à-tête obstiné, exemplaire et tragique, où chaque
visage du monde nous révèle un nouveau visage de
l'homme sans qu'il s'agisse jamais, ni d'un autre
homme, ni d'un autre monde.

★

Pareille figure devait attirer tous ceux qui
entendent ne rien renier ni d'eux-mêmes ni de leur
temps et consentent à vivre dans de perpétuelles
contradictions. Avec les lendemains de la Libération, la renommée littéraire — et la critique —
s'emparent de ce nom encore neuf. C'est par cen-
taines que l'on compte les études qu'hebdomadaires
et quotidiens de toutes langues lui ont consacrées ;.
par dizaines, les articles de revue. Le plus souvent, il
prend place dans la galerie des six ou sept écrivains
notoires de notre temps.

Pourtant aucun essai d'ensemble [1] ne lui a jusqu'à présent été consacré. Il est vrai qu'une pareille entreprise se heurtait à l'ignorance dans laquelle nous demeurions des événements les plus importants de sa vie — et de la genèse de ses œuvres [2]. Je m'en tiendrai au seul exemple de *Caligula* : que d'erreurs de jugement eussent été évitées, si l'on avait connu la date de sa conception ! On se fût alors gardé d'y déceler l'influence de Sartre ou d'y voir l'épanouissement d'un talent dramatique dont *le Malentendu* serait la première manifestation.

Longtemps, *l'Etranger* avait constitué la limite au delà de laquelle le critique ne s'aventurait guère : il ne citait *Noces* et l'introuvable *Envers et l'Endroit* que pour mémoire. Aujourd'hui, l'œuvre entière, plongeant à nouveau ses racines jusque dans notre avant-guerre, a retrouvé son passé. Et l'on sait d'expérience que, si les premières œuvres pèchent souvent par la forme, elles n'en sont que plus significatives quant au fond.

Trop souvent aussi, une étude parcellaire de l'œuvre a faussé les perspectives. Il n'est pas indifférent en effet que l'auteur de *Noces* soit aussi, à moins d'un an de distance, celui d'un reportage passionné sur la Kabylie et ses misères; que le *Malentendu* ait vu le jour au moment où s'élaboraient les *Lettres à un ami allemand*; et qu'enfin *l'Eté* et le second tome d'*Actuelles* se répondent

---

1. Le clair travail de Robert de Luppé aux « Presses Universitaires » constitue un effort de vulgarisation dont A. Camus a loué l'objectivité.

2. Je dois à Albert Camus la plus vive reconnaissance pour la cordiale bienveillance avec laquelle il a consenti à répondre à mes questions et à soumettre à mon examen quelques textes mal connus — ou inédits — susceptibles d'éclairer ma recherche.

comme le poème à la prédication ou au pamphlet.
Il est vain, sinon dangereux, de couper le dramaturge de l'homme d'action et le journaliste du poète
et du romancier.

L'influence profonde qu'il exerce l'expose précisément à toutes les sollicitations. D'aucuns le verraient
avec soulagement prendre place dans ce carrousel littéraire dont, soit orgueil, soit dégoût, il s'est le
plus souvent écarté : veuille le chantre de la révolte
céder aux tentations du confort ! De plus purs et
de plus désintéressés lui font de grands signes de
la rive : ces bons samaritains n'en ont qu'à son
âme ; cependant qu'au grand large d'autres aventu-
riers de la mer méditent de le débarquer de force :
car l'âme était trop belle et la mer trop mauvaise.

★

Passé la quarantaine, l'on « s'échappe tous les
jours et se dérobe à soi-même », assurait Montaigne.
Il a suffisamment prouvé par l'exemple que c'était
là façon de parler et qu'il avait encore, et pour
longtemps, la saisie prompte. Du moins, entendait-il
par là, qu'une fois franchi le seuil de la pleine maturité — nous l'avons au reste repoussé de quelques
années — il convenait d'apprendre à vieillir. Et
c'est le paradoxe de l'écrivain célèbre qu'il lui soit
demandé tout à la fois d'avoir son âge — sinon
plus — et de garder pourtant une éternelle jeunesse. Il n'est jamais bon de grandir.

Il est donc plus nécessaire à l'écrivain qu'à personne de faire le point : ce n'est pas assez de
vivre, il lui faut encore se bien dire. A-t-il pleinement comblé le fossé qui sépare l'existence du langage ? Ne s'est-il pas laissé prendre aux formules
qu'il a lancées sur la place littéraire : rien de plus
personnel qu'un vocabulaire, mais rien non plus

qui se vulgarise et se vide aussi aisément de sa substance [1].

Je doute qu'Albert Camus prenne jamais un gîte d'étape pour le bout de la route. Le risque est ailleurs, qui guette les plus grands. Qu'un jour vienne où tous ceux, amis ou envieux, qui les suivent dans leur recherche ne leur accordent plus que l'admiration béate qu'on porte à quelque exercice de force, parfaitement au point, sans plus rien partager de leurs hésitations et de leurs angoisses, et l'œuvre prend, pour un temps au moins, figure acrobatique ou nostalgique. Pour qui prétend être autre chose qu'un littérateur, le difficile est de vivre son temps et de le dépasser tout à la fois.

Le public suivrait-il sans se lasser que d'autres questions n'en tourmenteraient pas moins l'écrivain exigeant. Les événements d'ordre extérieur ou intime ne l'auraient-ils pas détourné parfois de dire ce qu'il lui revenait de dire ? Et si son œuvre avait pu laisser perdre quelque chose de la chaleur de ses débuts ? Il advient qu'on gauchisse l'œuvre par fidélité à son temps — puis qu'on la gauchisse par fidélité à soi-même. Inconciliables et douloureuses fidélités !

Ecarter sans examen de telles inquiétudes reviendrait à se vouer, tôt ou tard, à l'enlisement et à la facilité. Il est bon qu'un écrivain de l'envergure d'Albert Camus se prenne à douter de ses chefs-d'œuvre et rêve de nouveaux départs [2]. Ce bouillonnement est signe de vitalité.

★

Aux dons du créateur, Albert Camus joint la luci-

---

1. Cf. *L'Enigme*, dans *l'Eté*.
2. Cf. la préface à la réédition limitée de *l'Envers et l'Endroit*.

dité du critique. Mais il en est de nos livres comme de nos enfants : si bien que nous les connaissions, ils demeurent nôtres.

C'est donc à la critique qu'il revient d'établir un bilan des ambitions de l'auteur et des résultats obtenus. Un double écueil menace pareille entreprise : ou elle n'est qu'un prétexte à variations personnelles sur un thème emprunté ou elle glisse subrepticement à l'interprétation des interlignes. Or, chez un auteur vivant, les jeux ne sont pas faits; le dernier mot n'est pas dit. Cette lecture à rebours des œuvres du passé, où la dernière ligne éclaire toute une vie, est ici impossible. Mais la tentation est grande de prêter à l'auteur un mot de la fin, qu'on le désire ou qu'on le redoute. Quelque prix que le critique attache à ses commentaires, il les tiendra du moins pour provisoires.

Quant à soulever les masques et sonder reins et cœurs, il y faut autant d'impudence que de perspicacité. L'étude d'un contemporain nous impose des limites. Si étroitement que Camus ait fait coïncider sa vie et son art, il n'en subsiste pas moins de l'homme à l'œuvre une de ces nuances qui font le mystère de la création et que le critique se doit de respecter. Dans ces conditions, peut-être n'est-il pas présomptueux de penser que son rôle est, par une description aussi objective que possible, de placer l'écrivain contemporain — et ses lecteurs — en présence des personnages qu'il a vécus, directement ou par procuration, et, ce faisant, de l'aider à choisir la voie de sa double fidélité. Rassemblant les témoignages présents ou passés, refusant toute polémique comme toute apologétique, un commentaire qui relèverait de l'esprit d'analyse plus que de l'esprit d'inquisition, pourrait alors se réclamer de « l'absurde ». Que la critique se persuade qu'elle n'est le plus souvent, sous le signe de l'unité, qu'un mime au second degré. Heureuse, trop heureuse, si, de l'évocation d'un univers, de ses couleurs et de ses personnages, se dégageait un sens que puissent avouer et l'auteur en cause et « ses suffisants lecteurs ».

Encore faudrait-il concilier l'indifférence nécessaire à la lucidité et la sympathie indispensable à toute compréhension. C'est à quoi je me suis efforcé avec la claire conscience de n'y être que trop rarement parvenu. Si j'avais eu la patience de Sisyphe, j'eusse cent nouvelles fois poussé mon rocher. Mais avec la patience, Sisyphe nous enseigne la modestie...

I

L'UNIVERS DE LA PAUVRETÉ

> Ces yeux sont des puits faits d'un
> million de larmes.
>
> BAUDELAIRE
> (*Les Petites Vieilles*)

Albert Camus peut sans doute contester amicale‑
ment l'intérêt admiratif que Brice-Parain porte à
sa première œuvre : il est vrai que le style en est
disparate et parfois maladroit. Pourtant, *l'Envers et
l'Endroit* nous apparaît à juste titre comme le livre
le plus directement émouvant qu'il ait écrit.

Ce disant, je n'entends nullement céder à ce sno‑
bisme de la première œuvre, qui, comme s'il s'agis‑
sait d'autant de vieilles pierres, accorde automati‑
quement aux inédits et écrits méconnus un lustre
qu'on chicane aux chefs-d'œuvre classés. Il est vrai
pourtant que telle esquisse de Rubens ou d'Holbein
est infiniment plus riche de mouvement et de vie
que le tableau parachevé. Mais ici, ce sont moins
les hésitations ou la spontanéité du geste qui
émeuvent, que la révélation d'une adolescence dans
un monde de pauvreté.

Il est peu d'œuvres où Camus se soit autant livré, et qui, aujourd'hui encore, le portent pareillement à la confidence. Aujourd'hui encore ? Je devrais écrire : aujourd'hui plus qu'hier ; puisque aussi bien l'avant-propos à *la Maison du Peuple* de Louis Guilloux[1] qu'une récente introduction à *l'Envers et l'Endroit*[2] reviennent curieusement sur ce passé. Entendons-nous : la confidence, toute relative, demeure généralement indirecte et n'accorde guère au détail. Mais, précisément, l'émotion doit beaucoup à un effacement qui coïncide avec une insistante et continuelle présence.

L'Envers et l'Endroit n'est, au plein sens du mot, qu'un essai. Le jeune Camus y fait l'épreuve de son talent littéraire mais plus encore l'épreuve de la solitude, de la pauvreté, de la mort. La chose n'est pas si banale. Il a quelque vingt-deux ans. On le croit tout entier au plaisir de vivre, ivre encore de ces luttes sportives livrées sous les couleurs du Racing Universitaire d'Alger ; on le sait passionné de théâtre, occupé à rédiger un solide diplôme d'études supérieures de philosophie où atticisme et christianisme s'affrontent à travers les rudes visages de Plotin et de Saint Augustin. Il n'est pas jusqu'au grand espoir de rénovation sociale que soulève l'apparition du Front Populaire, qui ne l'ait entraîné. Tout cela est vrai. Pourtant, au terme d'un repas amical, à l'heure de gagner une salle de cinéma et de se laisser emporter au jeu des images, il suffit d'une petite vieille, infirme, illettrée et crédule pour qu'une étrange peine l'envahisse. Plus tard, à Palma, devant une épaisse danseuse aux hanches dyonisiaques, dans un modeste cabaret où un public en transe crie son amour de vivre, c'est « l'image

---

1. 1953.
2. A paraître.

ignoble et exaltante de la vie » qu'il découvre dans les yeux vides de la pauvre idole [1].

« Parmi les dames et les jeux, tel me pensait empêché à digérer à part moi quelque jalousie ou l'incertitude de quelque espérance, cependant que je m'entretenais de je ne sais qui, surpris les jours précédents d'une fièvre chaude, et de sa fin, au partir d'une fête pareille, et la tête pleine d'oisiveté, d'amour et de bon temps et qu'autant m'en pendait à l'oreille [2]. » Chantre de la vie, Montaigne l'était aussi de la mort : l'homme du « tout est bien », le jouisseur nonchalant et subtil cachait dès sa jeunesse le tourment de vieillir. Doué comme lui pour la vie des sens et pour la plénitude, Camus, la maladie aidant [3], a très tôt découvert qu' « il n'y a pas d'amour de vivre sans désespoir de vivre [4] ».

Des années durant, l'enfance et la vieillesse se donnent la main, partageant les mêmes jeux ; l'une obsédée par le passé, l'autre tournée vers l'avenir, se rencontrent aux limites de l'existence, troquant quelques bribes de science contre quelques restes d'impatience à vivre. Vient le temps où les jeunes gens vont chercher leurs illusions ailleurs que dans les contes des vieillards. Pour ceux-ci, c'est l'heure de la solitude et du silence. « L'Ironie » nous conte admirablement ce drame de l'incompréhension. Il y aurait beaucoup à dire sur la finesse psychologique de ces récits : le désespoir de la vieille qui se réfugie en Dieu comme on boude ; la curiosité maladroite, sinon maladive, du narrateur pour cet être enfermé dans son corps, condamné au huis clos de ses souvenirs ; la pitié agacée qu'elle lui inspire ; la frater-

---

1. *L'Envers et l'Endroit* : l'Amour de vivre.
2. *Essais.*
3. Cf. la note biographique.
4. *L'Envers et l'Endroit* : l'Amour de vivre.

nité pleine de rancune qui pousse la vie, le mouvement et la fraîcheur vers l'immobilité, les rides et la déchéance ; le flux et le reflux de la reconnaissance, de l'espoir et du désespoir dans les yeux de l'infirme, et, pour finir, le pathétique silencieux de l'adieu que jette, non sans répugnance, l'adolescent happé par la vie à celle qui va retourner, vivante, à sa tombe. Tout cela nous est conté brièvement, en quelques gestes et quelques regards, sans que jamais le ton s'élève. A aucun moment, le trait n'est poussé au noir ; nous restons dans la grisaille qui fait, en dépit du soleil africain, l'unité de ce monde de la pauvreté.

Pauvreté du cadre : qu'il s'agisse du café de Palma, du restaurant de Prague, riche seulement en tristes prostituées, des appartements où nous entraîne le narrateur, des quelques pièces où Camus passa son enfance, dans le quartier pauvre d'Alger, entre une grand'mère comédienne pour le meilleur et pour le pire et une mère étrangement silencieuse, tout ici respire l'aigreur, la sueur et la peine. Chateaubriand, aristocrate jusqu'au bout des ongles, prenait un soin infini à masquer, sous des prétextes esthétiques, ses quelques mois de misère britannique ; Camus, lui, fait à la pauvreté toute sa place, sa place naturelle : aucun souci d'étalage, aucun appel à la pitié. Au reste, si ce monde est à plaindre, c'est moins de sa pauvreté que de son vide.

Qu'importent le balcon rouillé, les chaises usées et tous ces objets qui n'ont pas de nom ! Qu'importent le Saint Joseph en stuc et le Christ de plomb ! La pauvreté est aussi dans les cœurs et dans les pensées. Faut-il condamner ces hommes et ces femmes que le désespoir muet de leur mère infirme ne semble guère émouvoir et qui l'abandonnent paisiblement pour le cinéma ? Blâmer ces jeunes gens trop impatients pour prêter l'oreille

aux radotages d'un vieillard en mal de « lune » ?
Comme s'il était naturel aux adolescents de préférer
le souvenir à la vie ! Comme si les autres, au terme
d'une semaine de travail, n'éprouvaient pas l'impérieux besoin de se détendre ! A chacun ses misères.
La solidarité dans un malheur soudain, le coude à
coude, soit : cela, les pauvres l'entendent. Mais il
est des formes subtiles de la pitié qui sont un luxe :
les bonnes œuvres, c'est l'affaire des bourgeoises, et
la compréhension morale, celle des intellectuels. Ni
celle-ci ni celles-là n'engagent à rien et ne peuvent
rien, en définitive, contre la solitude.

Sans doute, si notre vieille avait su lire... mais
elle ne sait pas, et qui donc perdrait son temps à
la distraire ? Les intellectuels peuvent affronter
l'âge, pour autant qu'ils gardent l'esprit valide ;
les politiciens, si usés soient-ils, ont des réserves
d'influence : les industriels, de l'argent : ils vieil-
lissent dans le respect et la puissance. Mais tous
ceux qui n'avaient pour richesse que leurs bras
et leurs jambes, quand le corps s'est une fois
engourdi, il ne leur reste que la silencieuse rumi-
nation des humbles.

Ou la fuite — la fuite égarée du vieillard, certains soirs de spleen et de brume intérieure, ou la
fuite en avant, dans la foi. C'est une pauvre religion que Camus a connue dans son entourage, tout
entière liée à la peur de la mort. Les jeunes, les
adultes ne croient guère : ils vivent, ils ont le présent, l'avenir. Sans doute, la vieille infirme avait-
elle pensé de même : la foi, c'est l'affaire des
malades, des vieillards, des veuves ; on verra plus
tard. Le temps de croire est venu. A mesure que
le fossé qui sépare insensiblement les vivants et les
vieillards s'est creusé, elle s'est donnée à Dieu.
Camus sait tout ce qu'il y a de dérisoire et d'émouvant dans une pareille foi. Il y découvre un aveu

d'impuissance, une ultime tentative pour se préserver de la solitude, et le médiocre Christ en stuc
prend valeur magique. Dieu n'est ici que la
conscience angoissée de la mort prochaine, conscience douloureuse qui trouve tout ensemble son
apaisement et son aiguillon dans la foi. « Elle ne
voulait pas quitter les hommes [1] » mais les hommes
la quittent. S'ils y consentaient, si seulement ils y
prêtaient la main, elle leur reviendrait bien vite,
plantant là Saint Joseph, et le réservant pour de
futures angoisses.

C'est dans une pareille atmosphère de pauvreté
spirituelle que Camus découvre le caractère fondamental de la foi. Il en sait toute l'humanité, tout
le naturel. Aussi, n'aura-t-il jamais pour la religion
cette haine intellectuelle ou cet esprit d'âpre rivalité
qui hantent un Sartre. Mais, dans le même temps,
il éprouve une sorte de répulsion physique pour
une croyance chargée d'angoisse et liée au reflux
de la vie. Inversement proportionnelle à l'ardeur
de vivre, elle compense et console. En vain la
comprend-il : elle l'irrite et attire sa pitié. Elle n'est
qu'un temps de l'existence, après le sport ou la
coquetterie, après l'amour. On est chrétien par
impuissance ou par impatience : celui-ci se console
de perdre l'existence et tel autre de la subir ; de
toute manière, on tourne le dos au présent. Sans
doute est-ce le sens de l'apologue final, celui de la
femme qui passait ses dimanches au tombeau.

Camus ne se pose donc pas le problème de l'existence de Dieu : ce n'est pas un jeu pour les pauvres.
De son enfance et de la lecture de Nietzsche, il a
gardé le souvenir d'une religion d'infirmes, de
femmes et de vieillards. Qu'elle soit parfois autre
chose qu'un remède à la solitude, d'autres exemples

---

1. *Env. et End.*

le lui prouveront. La foi peut-elle nous aider à vivre plus pleinement cette vie de chair, voilà la seule question qui eût un sens pour lui : « A cette heure, tout mon royaume est de ce monde[1]. »

Pauvre royaume, que domine l'ombre grêle d'une mère ! C'est une femme comme les autres, plus desservie que d'autres par la nature ; une femme qui, toute la journée, « fait des ménages », et rentre lasse, le soir, dans un foyer sans âme. C'est une passive, longtemps modelée par une mère autoritaire. « Sa vie, ses intérêts, ses enfants, se bornent à être là, d'une présence trop naturelle pour être sentie[2]. » Cette manière d'absence, d'épaisse transparence qui fait toute l'étrangeté de Meursault, nous la trouvons déjà dans cette mère bizarrement silencieuse. Et pourtant, de cette pauvreté quasi animale se dégage un amour à la fois primitif et sûr.

On n'a pas assez remarqué combien la mère de Rieux avait les mêmes silences, la même présence discrète, légère, si légère qu'on l'oublierait aisément. Elle aussi comprend sans rien dire : à quoi bon d'ailleurs en dire davantage ? A quoi bon comprendre ? A ses côtés, dans l'orbe même de son silence, A. Camus a découvert — a vécu — ce langage discontinu qui a fait le succès de l'Etranger et où l'on a parfois voulu voir une sorte de géniale supercherie. « Elle ne pense à rien. Dehors, la lumière, le bruit : ici, le silence de la nuit. L'enfant grandira, apprendra... Sa mère aura toujours ses silences. Lui croîtra en douleur. Etre un homme, c'est ce qui compte. La grand'mère mourra, puis sa mère, lui. » Une existence entière, des chaînes d'existence bout à bout, se déroulent sur ce vide. Lorsque la mère et le fils échangent une parole,

---

1. *Env. et End.*
2. *Env. et End.*, « Entre oui et non ».

« c'est pour dire quelque chose [1] ». De toute façon,
le contenu n'a pas d'importance : l'essentiel est de
se toucher de la voix, de rendre au silence monotone son épaisseur et son prix.

Criailleries d'une grand'mère acariâtre ou mutisme
d'une mère résignée, c'est le langage même de la
pauvreté, celui des « pauvres blancs » du Sud de
Caldwell, des noirs de Faulkner, celui aussi de nos
mineurs accroupis contre le mur de leurs maisons
coronnières, par petits groupes silencieux (de brèves
et rares paroles, « pour dire »), dans l'attente du
prochain « poste ». Il n'y a place ni pour la distinction, ni pour la vulgarité. C'est la vie toute plate,
limitée au travail, à la fatigue, au sommeil. Le langage, ici, a repris ses véritables proportions : ins-
trument d'échanges vitaux ou murmure gratuit
échappé à la tendresse.

« Quinze mille francs par mois, et Tristan n'a
plus rien à dire à Iseult. L'amour aussi est un
luxe [2]... ». La pauvreté, le travail atténuent la distinction des sexes, et la féminité, ce hochet cher
au Tout-Paris, n'a rien à faire ici : paysannes et
ouvrières ont vite l'âge incertain de la mère. De
la femme, Albert Camus ne connaîtra donc longtemps que l'humble tendresse maternelle qui l'obsède — comme s'il avait le sentiment de ne l'avoir
découverte que pour la perdre — ou les lèvres au
goût de sel et la fragile splendeur des corps épa-
nouis. Marie Cardona [3] est une belle fille, assez
simple pour se laisser prendre aux majuscules de
la presse du cœur. Mais, en définitive, pour une
fille du peuple comme elle, l'amour n'est pas si

---

1. *L'Envers et l'Endroit :* « Entre oui et non ».
2. Avant-propos à *la Maison du Peuple*, de Louis
Guillou, 1953.
3. *L'Etranger.*

compliqué : le désir, un rien d'amitié, une indéfinissable tendresse. Un jour, Meursault s'abattra sur
l'échafaud, comme le père était tombé au front, et
Marie, reprise par le travail et la vie de tous les
jours, cessera de souffrir et oubliera, comme la
mère avait fini par oublier. La passion amoureuse
n'apparaîtra que bien plus tard dans cet univers
essentiellement viril.

Il n'est guère de sentiments que la pauvreté ne
tempère d'indifférence. De l'infirme, Camus est assez
proche, pour que, d'un coup, il saisisse toute la
profondeur de sa misère, mais assez détaché finalement d'une solitude qu'il sait impossible à briser.
En amitié, le jeune Camus exigerait beaucoup de
lui-même et des autres. Et pourtant... « J'avais un
ami, un velu, qui nageait au port avec moi... à
cette époque, le velu avait disparu de ma vie. Nous
n'étions pas fâchés. Seulement, il allait maintenant
nager à Padovani... Alors, le velu et moi, on s'est
seulement promis de se revoir [1] »... et l'on ne s'est
jamais revu. Sa propre mère, il l'aborde avec quelque
chose de « tendre et d'inhumain [2] ». Comme si,
en dépit de son désir d'entrer en un contact direct
avec les êtres, subsistait d'eux à lui une sorte
d'écran, « cette profonde indifférence qui est en
(moi) comme une infirmité de nature [3] » Sans doute
la doit-il autant à son ascendance maternelle qu'à
la pauvreté même : l'Espagne qui le hante est celle
du Nada, de la résignation au néant, aussi bien que
celle de la révolte dans les Asturies.

Simplicité des affections pareille à celle des objets
et des êtres : simplicité quasi linéaire des jours bor-

1. R. U. A. mensuel du Racing Universitaire d'Alger,
15-4-1953.
2. *Env. et End.*, « Entre oui et non ».
3. Inédit.

nés aux recommencements : dans ce quartier pauvre
aux rues étroites, dans cet appartement étriqué et
banal, est renfermée « toute l'absurde simplicité du
monde [1]». Du haut du balcon rouillé où, le regard
vague, rêve une mère étrange, la vie ne répond à
rien. Pourtant cette absurdité est familière : entre
l'auteur et le monde, comme entre l'auteur et sa
mère, s'établit une sorte de secrète correspondance :
après tout, cette pauvreté, ce vide, ce silence, n'est-
ce pas là toute son enfance ? L'imagination, la poésie du rêve seraient ici des formes du reniement. Le
renoncement à l'absurde, suicide ou foi, aurait un
parfum de trahison : on n'abandonne pas tant de
souvenirs dont la pauvreté fait toute la richesse.

Le drame n'est guère possible non plus avec le
ciel algérien par-dessus la tête. Le ciel du moins
ne peut être arraché aux humbles : « l'on y buvait
à même la nuit pure [2] ». Ce contraste entre la splendeur des soirs et le dénuement de Belcourt fait
précisément l'envers et l'endroit de l'œuvre d'Albert Camus. Le soleil et la pauvreté s'y valorisent
réciproquement. Le soleil brille d'autant plus inten-
sément que les existences sont plus ternes ; mais
l'existence est d'autant plus vide que le soleil la
décape et en souligne la vanité. Aussi la lumière
sera-t-elle à la fois profusion et aridité, promesse de
vie et signe de mort, chaleur vivifiante et cruelle
brûlure, caresse apaisante des soirs et violence
implacable des midis.

Midis du pauvre, dans la vérité des corps enfin
dépouillés des parures mensongères. Midis sur la
plage, où triomphent la force et l'adresse. Midis de
l'amour et de la beauté nue. Le ciel bascule ! Et
voici les soirs du pauvre, quand meurt le jour dans

1. *Env. et End.* : « Entre oui et non ».
2. *Env. et End.* : « La Mort dans l'âme ».

l'égalité de la nuit reconquise, quand le désir parvenu aux limites de lui-même s'efforce de se survivre par delà le sommeil. Les laideurs s'évanouis-
sent, le monde se referme et chacun dès lors y
rejoint sa solitude.

La pauvreté, la solitude, la mort — autant de
solitudes et de morts que de vivants — demain
pareil à aujourd'hui « puisque faire ses devoirs et
accepter d'être un homme, ça conduit à être
vieux [1] » — le soleil, la mer, la tendresse et le désir,
il faut tout cela pour faire un monde. Peut-on choisir contre sa mère, contre tant de vieillards émou-
vants, contre l'immense foule des humbles ? L'Envers et l'Endroit du monde, il faut tout accepter ;
entre oui et non, « je ne peux pas me résoudre à
choisir [1] ». Chez Camus, l'équilibre est au commencement.

★

« Entre oui et non », ce pourrait être aussi le
principe fondamental de son esthétique. Si la solidarité constitue l'une des vérités du pauvre, l'évasion
est une duperie. On ne coupe pas impunément l'art
de la vie quotidienne et l'on oppose en vain le caractère unique du premier à la banalité de la seconde.
Des raffinements d'Oscar Wilde [1] ou de l'esthétisme
distingué de Barrès au jardin de Bérénice [2], Camus
veut tout ignorer. La vie des humbles, qui renoncent
nécessairement à une certaine façade, lui paraît plus
pure dans son dénuement même.

Son premier souci est moins de se distinguer du
commun que de s'y retremper. « Il me faut écrire
comme il me faut nager, parce que mon corps

1. *L'Artiste en prison*, — préface à la ballade de *la
Geôle* de Reading.
2. *La Lumière*, 1939. — Article sur Barrès.

l'exige[1]. » Nager, c'est communier physiquement avec la mer, mais aussi, puisque la nage ne nous est pas absolument naturelle, la maîtriser. Confondu avec elle dans une sorte de possession, le nageur lui demeure étranger. Cette familiarité et cet exil sont le lot de l'artiste fidèle.

Camus ne peut donc — et d'une impossibilité également physique — se résoudre à copier. Un certain réalisme, accablant l'artiste sous le poids de son milieu, serait à ses yeux une trahison de l'homme. Sa lucidité est agissante, nullement passive. Elle ne reflète l'image du monde et des êtres que pour découvrir leur vérité profonde. J'imaginerais volontiers que, pareil au Baudelaire de *la Danse macabre*, Camus décèle d'un regard, derrière le rire d'une belle fille, le masque de ses dernières années ou sa grimace de défunte. « Les grands problèmes sont dans la rue. » Cette propension — qui se révèle parfois une sorte d'infirmité — à INTERROGER les apparences, cette lucidité corrosive qui s'attaque plus particulièrement aux faiblesses d'une chair que le temps marque insensiblement, donnent à l'œuvre son caractère « ironique[2] ».

L'ironie fait la chasse aux falsifications : mensonges mondains dénoncés par Pirandello ou « piperies » fondamentales chères à Pascal. Elle nous replace devant l'image de notre devenir. Qu'on songe aux « *Vieilles* » de Goya : ce serait cruauté gratuite, s'il n'y avait en regard « *les Jeunes* » ; bref si le premier tableau n'était le châtiment du second : la rancune du peintre se transfigure dans l'évocation d'un destin. Pareillement, Baudelaire, dans ses *Tableaux parisiens*, s'acharne tendrement sur ses vieillards, car il retrouve en eux son obsession de

----

1. Inédit.
2. « Toute mon œuvre est ironique », inédit.

l'avilissement des chairs et de l'inévitable mort.

L'intérêt que porte Camus à la vieillesse est AUSSI attention à la mort, et pour finir, il l'est ESSENTIEL-LEMENT. Le premier regard allait à l'infirme, dans un pur mouvement de curiosité et de générosité mêlées : d'homme à homme, si l'on peut dire. Si l'on en était resté là, la rencontre fût demeurée sans lendemain littéraire. Mais, tout comme Don Juan déshabille d'un regard l'objet de son désir, l'inquié-tude soudain réveillée, comme à quelque ressou-venir, décèle au cœur même de la vieille la misère fondamentale de l'homme.

Dès lors, le personnage s'efface derrière la situa-tion. Qu'on se garde ici d'une équivoque : nous sommes loin des situations existentielles, engluées dans l'historique. Le vieillard devant la mort, l'ado-lescent devant sa propre étrangeté, le pauvre face à la monotonie de l'existence, représentent autant de situations éternelles. Tout se passe comme s'il existait finalement un prototype — non pas de l'homme et de son univers — mais de la condition humaine dans son mouvement du berceau à la tombe. Dès ce moment, on peut prévoir que la notion de nature humaine prendra pour Camus une certaine consistance, dans la découverte des limites que le temps et la chair nous imposent.

A s'en tenir à ce schéma, Albert Camus a l'intui-tion et la curiosité métaphysiques. Il part d'un détail concret, d'une petite scène, d'une brève émotion, parfois sans conséquence apparente et bientôt ce détail laisse transparaître une réalité plus générale. Telle notation rejette au second plan les accessoires de la scène, ou, plus exactement, d'un rapide coup de sonde nous en fournit le sens. Perdu dans Prague, projeté hors de ses habitudes, ballotté dans l'exis-tence pure par un voyage en terre étrangère, A. Camus devient à lui-même un résumé de sa propre vie. Auprès de sa mère gravement souffrante, la peur et une sorte d'écœurement le libèrent de ses préoccupations habituelles. « Rien n'existait plus, études ou ambitions, préférences au restaurant ou couleurs favorites, rien que la maladie et la mort où il se sentait plongé[1]. » Le dépaysement et l'angoisse le portent à la surface de lui-même et « donnent à chaque objet sa valeur de miracle... chaque image devient un symbole[1] ». La vérité apparaît dans cet éclair qui précède l'habitude retrouvée.

« Il n'y a pas, écrit Oscar Wilde du fond de sa cellule, un seul malheureux être enfermé avec moi dans ce misérable endroit qui ne se trouve en rapport symbolique avec la vie[2]. » L'art des prisons, qu'elles soient matérielles ou morales, individuelles ou collectives, est un art du symbole. Prisonnier d'une certaine solitude, comme hier de la pauvreté et demain de la maladie, Camus s'efforce d'arracher à chacune des images que lui renvoie le monde, une signification qui la dépasse ; il exige une clef, ouvrît-elle sur le vide.

Mais il n'est guère de notion plus équivoque que celle de symbole. Vigny, qui se trompait sur son art, disait de l'imagination qu' « elle donne un corps aux idées et leur crée des types et des symboles vivants qui sont comme la forme palpable et la preuve d'une théorie abstraite[3] ». Pour Baudelaire, en revanche, il revient à l'artiste d'éclairer les paroles confuses de la nature et d'accéder, comme par magie, à la familiarité des symboles. Tantôt, donc, l'idée émerge de l'image ; tantôt, elle s'en couvre comme d'un vêtement. Les premiers essais qui composent *l'Envers et l'Endroit* relèvent de la

---

1. *L'Envers et l'Endroit* : « Amour de vivre ».
2. Cité par A. Camus dans *l'Artiste en Prison*.
3. *Journal d'un Poète.*

première formule. Au contraire, dans l'apologue de
la femme au tombeau, sur lequel se ferme l'ouvrage, l'histoire n'est plus qu'un cadre où s'organise
la méditation. La leçon se détache de la vie et ne
lui emprunte qu'une « preuve ».

Gauguin, parlant de Puvis de Chavannes qui,
selon lui, cherchait à vivifier une idée abstraite par
une représentation plastique, le qualifiait de grec [1].
Il est vrai que la Grèce des lumières réduisait le
monde en images claires. Le mythe lui servait à
expliquer comme à enseigner. C'était la seule poésie
dont un Platon consentît à parer sa métaphysique
et sa morale. Mais la Grèce de l'ombre avait aussi
ses symboles, où un Empédocle, par exemple,
condensait tout le mystère du monde. Ceux-là
disaient moins la découverte que la recherche
inquiète, moins la vérité que la trouble résistance
des choses. Selon qu'Albert Camus insiste sur l'une
ou sur l'autre, il passe de l'ombre à la lumière,
du mythe dyonisien au mythe socratique, et ce que
le symbole perd en épaisseur il le gagne [2] en efficacité. De toute façon, dès l'Envers et l'Endroit, A.
Camus s'est lancé · dans une impossible chasse à
l'homme : il referme la main sur les êtres, mais,
par la magie de son obsession et de son incurable
« ironie », il la rouvre sur l'existence.

★

On peut, arbitrairement, classer les écrivains en
deux groupes : ceux qui, comme Voltaire, s'adaptent
aisément à tous les genres et à toutes les époques,
usant sèchement de leur intelligence, réagissant aux

1. Lettres de Gauguin, pages 293 et 500.
2. Terminologie adoptée par Nietzsche dans les Origines de la Tragédie.

événements avec une inlassable curiosité ; ceux-là, chez qui les passions sont secondes, n'ont guère de passé. D'autres, comme Rousseau — et Camus est de ceux-là — viennent à la vie littéraire avec leurs admirations et leurs méfiances, lestés de « deux ou trois images simples et grandes, sur lesquelles le cœur pour la première fois s'est ouvert[1] ». Tout Rousseau — et la pauvre fable de Diderot ne peut rien contre le témoignage de toute une œuvre — est dans les premiers *Discours*. Camus n'a pas tout dit encore de ce que *l'Envers et l'Endroit* enferme en puissance, mais l'essentiel de son œuvre en dérive, selon la logique du cœur.

Les plus vivants de ses personnages — je ne dis pas les plus étoffés — les plus vivants et les plus effacés sortent tout droit de ces premières pages. Ce sont les petits vieillards desséchés, qui, assis en forme de tribunal, jugent, en marmonnant quelques prières, l'attitude de Meursault au cours de la veillée funèbre. Le jour de l'enterrement, nous retrouverons le vieux Perez, si pathétique dans son entêtement à suivre le corbillard solitaire ; plus loin, voici Salamano, lié à son chien d'une amitié haineuse, le vieillard qui - crachait - sur - les -chats, le vieil Espagnol asthmatique et maniaque, indifférent total : chacun a sa façon de ruser avec l'âge et de se survivre pauvrement. Avouerai-je que tel haut dialogue de Rieux et Tarrou m'en dit moins sur l'absurde et l'amour[2] que le vieux Salamano et la mère de Rieux. La mère de Rieux, la mère de Meursault, de Jan... Etrange source d'une vie sans retour, obscur foyer qui couve sous la cendre, la mère demeure

---

1. Préface inédite à *l'Envers et l'Endroit*.
2. « Il y a plus de vrai amour dans ces pages maladroites que dans tout ce que j'ai écrit par la suite. » *Idem*.

pour Camus plus qu'un souvenir, une conscience. D'une enfance abolie, elle est le signe inaltérable. Quoiqu'il advienne, elle nous garantit la fidélité au monde de la pauvreté.

Posées comme des îles en marge de la société, les cités ouvrières gardent le cœur de leurs enfants[1] : solitude et fraternité, deux inoubliables leçons. « Sur la vie elle-même, je n'en sais pas plus que ce qui est dit de façon informe dans *l'Envers et l'Endroit*[2]. » Cela suffirait à prouver que le sentiment de l'absurde est autre chose qu'une névrose romantique ou un spleen baudelairien, autre chose aussi que la traduction littéraire d'un mal physique. Que les événements ou la maladie aient aiguisé parfois l'inquiétude et l'appétit d'aimer, rien de moins contestable. Mais il est significatif que pareil point de vue sur le monde — s'en peut-il de moins littéraire en son principe ? — nous ait été présenté par un enfant du peuple, au matin de son âge, et sous le ciel d'Alger.

---

1. Préface à *l'Envers et l'Endroit* : « Je tiens au monde par tous mes gestes, aux hommes par toute ma pitié et ma reconnaissance. »

2. *Idem.*

MESURE ET DÉMESURE CHARNELLES

On a cru découvrir tout récemment chez Camus le thème de l'amour. On s'est même étonné qu'il songeât à lui consacrer un prochain essai. Il y a plus de quinze ans [1] pourtant que *Noces* a fait éclater le « sanglot de poésie » qu'annonçaient certaines pages de *l'Envers et l'Endroit*.

Ce petit livre n'est qu'un long cri d'amour : poème de l'ivresse et de « l'emportement d'aimer [2] ». Poème riche de couleurs et de sensations, portées par cette prose à la fois sensuelle, frémissante et comme désincarnée pourtant à force de maîtrise, qui annonce chez Camus le classique selon Gide : « L'œuvre d'art raconte le triomphe de l'ordre et de la mesure sur le romantisme intérieur. L'œuvre est d'autant plus belle que la chose soumise est plus révoltée [3]. »

Jusqu'ici, la révolte était latente. Une certaine tra-

---

1. Ecrit en 1936 et 1937 et probablement mis au point au début de 1938.
2. HUGO : *Mugitusque Boum*.
3. GIDE, *Incidences :* appendices.

dition de nonchalance l'inclinait au consentement. En dépit d'une sourde brûlure que le souvenir avivait par instants, Camus pouvait vivre dans l'admiration. Désormais, ce bonheur est menacé de l'intérieur et de l'extérieur. L'Allemagne hitlérienne, qui vient tout juste de réoccuper la Rhénanie, s'annexe l'Autriche, et la malheureuse Tchécoslovaquie est d'ores et déjà sa prochaine proie. La presse se fait plus ouvertement l'écho de l'interminable plainte qui monte des camps de concentration. L'Europe a pris, et pour longtemps, le visage de la peur. Dans le même temps, la tuberculose poursuit son lent et silencieux travail de sape — et peut-être Camus, avec les années, en prend-il une conscience plus amère.

On serait tenté, à propos d'un livre dont une moitié au moins fut écrite dans une pareille fièvre, d'évoquer le romantisme. Ni les conditions extérieures, ni l'état d'esprit de l'auteur n'autorisent semblable rapprochement. Chateaubriand analysait en ces termes le mal du siècle : « On est détrompé sans avoir joui : il reste encore des désirs, et l'on n'a plus d'illusions. L'imagination est riche, abondante, merveilleuse ; l'existence pauvre et désenchantée. On habite avec un cœur plein un monde vide; et sans avoir usé de rien, on est désabusé de tout[1]. » La nostalgie de l'Ancien régime, l'admiration terrorisée que les aristocrates romantiques vouaient à la Révolution et surtout à l'Empire, soulignaient à leurs yeux la banalité de l'époque. Le monde manquait de charme, de prestige et de panache : ces jeunes gens détestaient la prose.

On serait fondé à renverser les termes de cette analyse : chez Camus, nulle nostalgie d'une société brillante, nulle complaisance au rêve. Il mord à

---

1. CHATEAUBRIAND : Génie du Christianisme.

pleines dents le fruit savoureux de l'existence. Ceux-là se détournaient avec dégoût du présent ; lui, s'y accroche de toute sa puissance d'aimer. Là, tout n'était que déréliction et désenchantement ; ici, nous tenons au monde de toutes nos racines : mais la fleur doit se faner et l'enchantement s'évanouir.

A tout prendre, nous sommes infiniment plus près du xvie siècle français que du xixe. La Renaissance reprenait le vieil hymne à la vie, vie du corps et de l'esprit, qui gonflait les poitrines des pâtres de l'Hellade. Le bonheur avait reconquis droit de cité terrestre ; mais il s'y mêlait de la hâte, sinon de la démesure ; une sorte de fièvre, héritée des siècles chrétiens et des danses macabres du xve, exaspérait les désirs et avivait la jouissance par la conscience de leur fragilité. Jamais l'amour et la mort ne s'étaient aussi étroitement accouplés.

Rarement la France avait autant aimé le soleil et la vie qu'en 1936. Elle avait tort d'en trop attendre, on le lui fit bien voir. Mais la menace pouvait-elle autre chose qu'aiguiser le désir et ajouter au désordre ? Si nous pressions la vie, c'est que le dénouement risquait d'être proche et que nous n'avions pas la mémoire si courte... Plus que tout autre, Camus avait des raisons de redouter les lendemains amers et de protester de tout son être.

L'insurrection de la chair contre le destin a toujours été matière poétique. Etrangère à l'esprit d'affabulation et de divertissement, la poésie de *Noces* est toute spontanée. Dans son obstination à les ignorer, elle lance contre l'histoire et le temps une protestation passionnée. Il y a quelque chose d'un défi dans cette exaltation de la nature et de la sensualité, à laquelle les artistes contemporains ne nous avaient guère habitués.

Noces nous conte le fol amour de Camus pour

la terre algérienne, chaude, lourde de lumières,
ivre de parfums et de couleurs : « bougainvillées
rosats », hibiscus rouge pâle, « roses thé épaisses
comme la crème », longs iris bleus, sans compter
« la laine grise des absinthes ». Mais plus que les
nuances, c'est la fermentation du monde végétal,
le tumulte des lumières, la véhémence des parfums
et le cri des couleurs qu'il excelle à traduire : « les
ciels blancs... ou gorgés de lumière », « les cym-
bales du soleil », « le sang des géraniums », nous
giclent au visage. Le jaune, le bleu, le rouge et le
vert, appliqués par plaques épaisses, sans dégradé
ni fondu, s'entre-choquent. Et la mer impérieuse
et virile déchaîne inlassablement contre nous ses
« chiens blancs[1] ». En revanche, les lignes et les
bruits ont quelque chose d'humble et de familier
qui nous rassure par contraste. « Le son feutré de
la flûte à trois trous, un piétinement de chèvres,
des rumeurs venues du ciel[2] » ressuscitent la douceur des pastorales antiques. Le Chenoua massif,
sans grâce mais sans orgueil, oppose à tant de violence la patience de ses courbes amies ; la chair
lassée y prend racine ; heureux des limites enfin
reconquises, le regard saturé caresse la colline tranquille.

Le romantique, qui se fuit, recherche des terres
inconnues, des forêts vierges, des espaces infinis
— le dépaysement pour tout dire. Il aime les couleurs exotiques ; il se complaît aussi dans le diaphane
qui laisse entrevoir un coin des cieux. L'univers
sensuel de Camus, au contraire, est épais et charnu ;
il éclate de partout comme un fruit mûr. Là, il
n'est d'autre transparence que celle des perles d'eau
multicolores dans un rayon de soleil. L'aventure

---

1. *Noces à Tipasa.*
2. *Le vent à Djemila.*

est à rechercher dans la violence des sensations, dans l'ivresse plus que dans l'enchantement. Camus aborde le monde sensible avec une gourmandise insolente et naïve.

Pourtant, cet appétit des sens enveloppe un drame que laisse présager la gravité constante du ton. Pareille application à jouir, pareille tension dans le jeu révèlent une angoisse. Le jeune Camus se dédouble et suit ses propres ébats avec des attentions inquiètes ; il a pour sa jeunesse les regards avides et inquiets de Ronsard pour Cassandre. Jamais, la sensation n'est tout à fait pure d'une arrière-pensée d'éternité : l'orage est au cœur du désir.

« Si j'essaie de m'atteindre, c'est tout au fond de cette lumière. Et si je tente de comprendre et de savourer cette délicate saveur qui livre le secret du monde, c'est moi-même que je trouve au fond de l'univers[1]. » Le paysage est une manière d'être. A son contact, les plus secrètes passions se manifestent dans leur innocence. Ce que Baudelaire demandait à la chevelure ou au chat, Camus l'emprunte à des paysages divers. A chaque émerveillement des sens répond une prise de position sur l'existence. Au regard de Camus, les sites algériens apparaissent « comme ces personnages qu'on décrit pour signifier indirectement un point de vue sur le monde[2] ».

L'un des tous premiers, Rousseau avait conféré un sens au paysage : la montagne lui révélait la pureté, tout comme la mer et les plaines enseignaient l'infini à Chateaubriand. Chez eux, pourtant, la méditation commentait l'émotion et la réduisait en idées claires. Chez Camus, comme chez Grenier, la méditation recouvre étroitement la sen-

---

1. Inédit.
2. *Noces à Tipasa.*

sation et s'y imbrique ; elle enveloppe la passion
de vivre d'une sorte de halo tragique. Toute sa
technique est là, déjà. Faire témoigner les êtres,
la vie, l'univers entier ; les élever à la dignité du symbole — où plutôt, choisir un être, un lieu, un
instant qui représentent un sommet de vie ; s'abandonner à leur rythme, à leur logique ; « vivre
Tipasa », vivre l'Algérie, vivre l'Etranger et restituer
cette expérience exemplaire sans réserve comme sans
provocation.

★

La leçon de Tipasa est une leçon d'amour ; celle
que nous donnent un soleil étourdissant et la mer,
bel animal dévorant de désir « qui suce » les premiers rochers « avec un bruit de baiser ». A peine
Camus a-t-il abordé les ruines que de spectateur il
devient acteur du grand amour universel. Un vertige
saisit le pèlerin : « Les absinthes versent sur toute
l'étendue du monde un alcool généreux qui fait
vaciller le ciel. » A l'homme de s'ouvrir sans res-
triction à la passion de la vie et du bonheur. Passion
en effet — et c'est un maître-mot d'Albert Camus
— puisque cette démesure charnelle, cette fièvre de
vie qui animeront aussi bien le Don Juan que le
conquérant du *Mythe de Sisyphe* ne sont qu'une
ardente réplique du « grand libertinage de la nature
et de la mer ».
Camus n'est pas seul à connaître les leçons de
l'Algérie ; il partage cette science avec un peuple
entier, un peuple jeune et pauvre qui n'a pour tout
« trésor que la tiédeur de l'eau et le corps brun
des femmes ». Peuple sans horizon, tout entier voué
à la chair, terriblement doué, lui aussi, pour le
bonheur et la volupté. On l'a dit souvent, l'Africain

ne connaît pas le temps, il n'a pas d'avenir, à peine de passé : n'a-t-il pas lentement mais sûrement corrodé les empires' successivement édifiés sur son sol ? Il ignore tout de cette savante exaspération du désir où Gide se complaisait et ne goûte qu'une satiété [1] insolente et naïve comme celle des Grecs. La course des jeunes gens sur les plages de la Méditerranée rejoint « les gestes magnifiques des athlètes de Délos ». Comme le soleil de midi, comme la nature à Tipasa, l'Algérien ne « construit » pas sa vie, il la « brûle ». Ici, tout est munificence et profusion charnelle.

Innocence quasi animale : « Je crois que la vertu est un mot sans signification dans toute l'Algérie. » Ni morale, ni calcul d'aucune sorte : la nature a effacé le poli des civilisations et « les ruines sont redevenues pierres ». Cette pure spontanéité, cette absence de contraintes et de règles que le Genevois Rousseau demandait à la forêt de Montmorency ou au lac de Bienne, Camus l'attend de l'exubérance méditerranéenne, libre de toute réminiscence calviniste. Pourtant la liberté sans frein de Tipasa n'est pas celle des hommes, l'ubris meurtrière et nietzschéenne d'un Caligula ; la parenté de la chair et du monde nous a pour un temps délivrés de l'humain — mais une démesure naturelle, cosmique, soumise en définitive à l'ordre du monde, accordée à sa respiration et à ses soupirs. A Tipasa, l'on ne sort de soi-même que pour s'intégrer et s'accomplir dans l'éclat d'un jour de printemps.

Cette exaspération des sens connaît donc ses limites et ce libertinage sa morale. « Le soleil, cette mer, mon cœur bondissant de jeunesse, mon corps au goût de sel et l'immense décor où la tendresse

---

1. A cette époque, 1937, Camus songeait à écrire une « apologie de la satiété ».

et la gloire se rencontrent dans le jaune et le bleu, c'est à conquérir cela qu'il me faut appliquer ma force et mes ressources. Tout ici me laisse intact, je n'abandonne rien de moi-même, je ne revêts aucun masque : il me suffit d'apprendre patiemment la difficile science de vivre qui vaut mieux que tout leur savoir-vivre. » La conquête du monde sensible, telle est la première tâche de l'homme, non la seule ; il y faut deux vertus, la patience et l'honnêteté : celle-ci nous délivre des conventions, des mensonges et des fausses pudeurs ; celle-là provoque l'épanouissement sensuel et transforme la vocation du bonheur en une véritable révélation : « A Tipasa, je vois équivaut à je crois. » Foi simple, mais non vulgaire dans son paganisme foncier ; foi inébranlable dans les ressources de ce monde et dans le pouvoir des sens ; foi orgueilleuse aussi, et pleine d'un secret mépris pour ceux qui ne se reconnaissent pas « le devoir d'être heureux » et ne pensent « avoir meilleur compte de leur vie que de la couler et échapper, de la passer et gauchir [1] ».

Pourtant, cette joie, cette ardeur à vivre ne laissent pas d'être étranges ; comme si chacun, sur cette terre brûlante, jouait un rôle, comme s'il s'agissait d'un effort qui, nous portant aux limites de la communion solaire, dût nous laisser le sentiment de notre insuffisance. Par instants, les hommes ont la sensation « d'être entrés dans un destin fait d'avance qu'ils ont tout à coup fait vivre et battre avec leur propre cœur ». Mais ce destin n'est pas tout à fait le leur ; ils ne peuvent indéfiniment se modeler sur lui. La joie retombe, comme au soir d'une extase et la solitude reparaît. A Tipasa, les ruines ont beau se cacher sous les héliotropes, elles n'en restent pas moins des ruines. « Ici même,

---

1. Montaigne : *Essais*.

je sais que je ne m'approcherai jamais assez du monde. »

Après le jour vient la nuit : le soleil et la mer caressante vont glisser dans l'ombre et les dieux des ténèbres surgir ; « et pour être plus sombres leurs faces ravagées sont nées cependant dans le cœur de la terre ». Car la haine est humaine, comme la douleur et la mort ; aussi étranges que le bonheur et la joie de vivre, mais pas plus.

C'est la leçon des crépuscules d'Alger, si fugitifs ; la leçon de ses vies exaltées, brûlées dès vingt ou trente ans, puis silencieusement minées par l'horreur et l'ennui ; celle de Djemila encore, Djemila la romaine, ville morte, ville absurde, « ce n'est pas une ville où l'on s'arrête et que l'on dépasse, elle ne mène nulle part et n'ouvre sur aucun pays ». Elle est l'image même de la mort avec ses colonnes antiques burinées par le vent, rongées jusqu'au cœur de la pierre : « Comme le galet verni par les marées, j'étais poli, usé jusqu'à l'âme... Bientôt, répandu aux quatre coins du monde, oublieux, oublié de moi-même, je suis ce vent. » Vent d'étrangeté qui détache l'homme de lui-même, fibre par fibre et l'entraîne dans l'implacable tourbillon du monde.

Ce que Tipasa est à la vie, Djemila l'est à la mort. Ce sont pourtant le même soleil, les mêmes ruines romaines. Mais là, elles sont escamotées, annexées par la nature ; ici, dépouillées et mises à nu. Là, le soleil féconde et incendie ; ici, il dessèche et rien n'échappe à son impitoyable clarté : les fleurs ne repousseront pas, les ruines ne pourront rien contre le vent ; chaque jour, chaque heure y seront pareilles à toutes les autres.

Il semblerait que nous retrouvions désormais les voies traditionnelles de la méditation sur les ruines, frayées par les Du Bellay, Diderot et autres Chateaubriand. Mais l'orgueil humaniste, la mélancolie

patricienne, les nobles élévations de l'âme attendrie
sur elle-même ne sont plus de saison. Dans le désert
de pierres, Camus malade se découvre tout proche
de ce « ciel lourd et sans fêlure » qui lui figure un
destin ; l'immobilité des ruines l'invite au silence ;
les couleurs éteintes des montagnes, le tourbillon
desséchant du vent, la course stérile des ravins, lui
imposent une véritable présence du néant, auquel
il participe bientôt de toute sa force d'indifférence.
Aussi les mots se heurtent-ils durement — du même
choc que le soleil et les pierres — pour évoquer cette
« splendeur aride ».

Tout à Tipasa nous invitait à la communion
païenne et l'on pouvait évoquer Eleusis et les fastes
de Demeter. Tout, à Djemila, a le goût des cendres
et nous rejette dans la contemplation. Nous voici
auréolés de froide lucidité comme Lazare d'un halo
funèbre : nous sommes au monde, et pourtant nous
ne sommes pas du monde — ni végétal, ni animal,
mais homme — et conscients d'être mortels ; séparés du monde par la desséchante lumière de l'esprit
et capables seulement de nous en rapprocher si nous
assumons pleinement cette glorieuse tare.

Mais comment l'assumer quand tout en nous —
tout cela précisément que Tipasa exaltait, se révolte
contre l'évidence ! Quand, avec la Jeune Captive,
la chair rebelle, et qui se sait atteinte, répète inlassablement : « Je ne veux pas mourir encore » !
Faudra-t-il éluder cette peur, la dériver sur quelque
mythe ? Camus repousse pareille tentation de toutes
ses forces. Il a trop l'orgueil de son mal, pour ne
pas relever, avec une sorte de douloureuse raideur,
le défi du destin. Face à la mort — et quels que
soient les sursauts de la chair — il entend se garder
de toute illusion et, pour cela, tuer l'espoir. De
toute sa logique, il n'y veut voir qu'un jeu, un divertissement, pis, une malhonnêteté. Il reprend à son

compte l'amère et hautaine protestation du stoïcisme contre le mal. Il lui reste dès lors, à l'issue
de ce tête-à-tête avec Djemila, à recouvrer l'innocence qui luit dans le regard des hommes antiques
en face de leur destin. « Un jour, le calme recou-
vrira ce cœur vivant : voilà toute ma clairvoyance. »
Il n'est donc rien qui ne rencontre ses limites.
« Il n'y a pas d'amour qui ne soit à douleur [1]. »
En nous faisant un devoir de vivre dangereusement,
à l'extrême du désir, Tipasa nous l'a répété pourtant. La douleur aussi trouve sa limite dans le
consentement à la fatalité et la fascination du néant.
Dans ce mouvement qui porte une sensibilité désormais à vif de la révolte véhémente à une sorte d'engourdissement volontaire, Camus épuise avec fréné-
sie ses réserves d'espoir. « Toutes mes idoles ont
des pieds d'argile. » Il y a quelque chose d'amèrement triomphal dans cette irrévocable condamnation de tout absolu. Brûlant ses vaisseaux pour
atteindre au dénuement le plus total, Camus retrouve
alors les leçons de la pauvreté. Une modestie frémissante serait ainsi l'ultime enseignement de la
terre algérienne, s'il ne lui restait à nous dire un
mot de l'âme. C'est à l'intersection du vouloir vivre
et de la peur de mourir, à ce point précis où la
clairvoyance nous détache de l'un comme de l'autre
que Camus la découvre. Elle n'a rien à voir avec la
conscience d'un péché auquel il paraît absolument
réfractaire — il accuserait plutôt — non plus
qu'avec l'empreinte du créateur sur la créature.
L'âme, c'est cette faille dans le devenir universel,
cette parenté amère de l'homme et du monde, ce
désir impossible de se refaire une patrie : « Pour
ceux qui sont trop tourmentés d'eux-mêmes, le pays
natal est celui qui les nie. »

---

1. Aragon.

Négation de l'homme, en effet, que ce soleil implacable et indifférent ; négation encore que le tourment de vivre qui l'habite et le porte au bonheur — mais à un bonheur fragile et condamné. « Dans l'été d'Algérie, j'apprends qu'une seule chose est plus tragique que la souffrance, et c'est la vie d'un homme heureux. » Tendres adieux d'Hector à Andromaque parmi les rires de l'enfant Astyanax, joie naïve d'Euryale au casque étincelant, sans ces témoignages de la beauté, de l'amour et du risque, « il serait facile de vivre [1] » et de mourir.

L'esprit n'est rien d'autre que cette conscience de la tragédie du bonheur, de sa nécessité et de son impossibilité tout ensemble. « La grandeur de l'homme est grande en ce qu'il se connaît misérable » disait Pascal ; et il ajoutait aussitôt : « Toutes ces misères-là prouvent sa grandeur. » (Camus dirait volontiers : sa splendeur.) Aussi tient-il à préserver ses misères d'homme au même titre que sa révolte ; il entend maintenir une perpétuelle tension entre les forces de vie et les forces de mort, comme entre la « mesure » et le « dépassement ». L'esprit, c'est alors cette petite flamme de vie qui n'ignore rien de sa fragilité et pourtant ne se résigne pas — cette fermentation qui fait éclater le présent comme le bourgeon aspirant à la fleur éphémère — et proclame du même coup l'originalité profonde de l'amour humain « périssable et généreux ».

Mais l'Algérie ne nous parle de l'esprit que par antithèse et prétérition. C'est à l'Italie qu'il faut en demander l'histoire. En septembre 1937, après un séjour en Savoie, Camus découvre Gênes, Pise et retrouve Florence [2]. Certes, l'Italie se pare volon-

---

1. Article consacré à Sartre dans *Alger-Républicain*, 1938.
2. Déjà visitée à son retour de Prague.

tiers d'une grâce sensuelle et facile, celle « des lauriers roses et des soirs bleus de la côte ligurienne ». Musique légère, qui nous doit introduire à un chant plus intérieur. Et c'est un premier enseignement qu'il faille tant de patience pour accéder à des « illuminations plus hautes », à cet « amour vivant » dont Camus fait désormais sa pâture.

Le caractère mystique de ce vocabulaire de fièvre ne saurait nous tromper. Il n'est ici de mystique que charnelle ; mais, en Italie, le grand maître de vie, c'est moins la nature que l'homme — et, en tout premier lieu, le peintre. Les Africains aux destins parallèles dont Camus se sentait le frère, se contentaient de brûler passionnément leur chair : le peintre l'éternise — il saisit au vol la plus fugitive des matières vivantes : un geste, un mouvement, un sourire — et la restitue par la superposition de deux matières inertes : toile et couleur. Et pourtant, de ce silence, monte plus éloquente que bien des voix, « la flamme noire que de Cimabué à Francesca les peintres italiens ont élevée parmi les paysages toscans comme la protestation lucide de l'homme jeté sur une terre dont la splendeur et la lumière lui parlent sans relâche d'un Dieu qui n'existe pas ».

Camus trouve là la réplique émouvante de ses propres préoccupations. Attentive à la seule vie du corps périssable, la peinture est une école de gratuité. Elle ne prophétise ni n'offre d'elle-même de raison d'espérer. Comme la vie même qu'elle prétend sauver de la débâcle des corps, elle est une passion injustifiable. Sa pureté est d'autant plus grande que son échec est plus certain. « Je ne vois pas ce que l'inutilité ôte à ma révolte, mais je vois bien ce qu'elle y ajoute. » La peinture, comme la révolte, vole au secours des causes perdues.

Peindre, c'est encore unir l'ascèse à la jouissance.

Ne faut-il pas, pour peindre, contempler les choses et le monde, s'en imprégner, et, d'une certaine manière, « les jouir au double... car la mesure en la jouissance, aimait à dire Montaigne, dépend du plus ou moins d'application que nous y prêtons [1] ». Pareille application ne va pourtant pas sans méthode, ni maîtrise. Et l'art de peindre évoque un art de vivre, avec ses règles, ses contraintes et ses joies.

Cette réflexion que Camus conduit sur la peinture, n'est au fond qu'une réflexion indirecte sur lui-même. Devant la certitude de la mort et sa menace immédiate, il dresse à la hâte quelques barrages. Pour un temps au moins, la folle prodigalité de Tipasa lui est interdite. Restent la prudence, le calcul et le choix. Autant de mots empruntés à l'économie bourgeoise que sa jeunesse révoltée ne saurait accepter. Pour qu'il ne soit pas dit que sa véhémence est morte à jamais, Camus systématise le calcul, passionne la prudence et, faisant de vice vertu, choisit à la façon de Nietzsche l'ascétisme par amour de la jouissance.

C'est le même pari qu'il prête aux moines de Fiésole. A l'austérité des cellules répondent les cours embaumées et fleuries, comme les sens à l'esprit ; et la tête de mort posée sur chaque table trouve sa justification dans le petit arrosoir abandonné dans un coin : « Un point extrême de pauvreté rejoint toujours le luxe et la richesse du monde. » Le dénuement des moines de Fiésole traduit moins une application vertueuse qu'une profonde passion pour la vie, celle d'un Saint Augustin, d'un Père de Foucault, pour n'évoquer que ceux-là. A ces chrétiens d'Afrique ou d'Italie, Camus emprunte exigence et méthode. Il consent à canaliser ce qui lui reste de forces vives pour en accroître l'intensité ; sa prodi-

---

1. *Essais.*

galité est désormais concentrée, « pour une plus grande vie et non pour une autre vie ».

Ainsi se réconcilient l'amour et la révolte. On parle d'un monde à la mesure de l'homme ; il n'est en réalité sur les bords de la Méditerranée que des hommes à la mesure du monde et de leur condition ; des hommes capables de s'accorder « au chant de la terre entière » et d'accepter leurs limites « dans la double conscience de leur désir de durée et de leur destin de mort ». Face à l'univers qui les nie, ils font sortir de cette négation même toute « une floraison de oui », oui de l'amour, oui du bonheur, oui de la beauté. Mais ces eaux vives ne sauraient jaillir que pour ceux qui savent ne jamais tromper leur soif.

*
* *

Je ne me suis aussi longuement arrêté sur ce petit livre que pour mieux montrer qu'à son terme déjà se lève pour Camus l'aurore d'une sagesse — cette sagesse grecque sur laquelle se ferme *l'Homme révolté*. Le bonheur est au bout de la révolte et la richesse au cœur même de l'avide lucidité.

Dès *l'Envers et l'Endroit*, Camus avait pris la claire conscience de sa solitude et des liens qui l'amarraient à la pauvreté. Du moins, le soleil, la mer, les fleurs offraient-ils à ses sens un inépuisable trésor. C'est cela même qui, désormais, est en cause. Le mal indolore qui le ronge exalte sa passion charnelle, à mesure que se rétrécit le champ de son univers sensible. Un nouvel équilibre est à conquérir dans la fièvre, où se puisse compenser « la promptitude de la fuite par la promptitude de la saisie [1] ».

Avec *Noces* un très jeune homme nous conte

---

1. MONTAIGNE : *Essais*.

l'histoire d'un très vieux couple, les amours sans
cesse imparfaites et recommencées de la nature et
de l'homme. Sans doute, le ton a-t-il quelque chose
d'ostentatoire dans sa mesure et de cérémonieux
dans sa protestation qui évoque la grandiloquence
passionnée d'un Chateaubriand. Mais cet équilibre
de « l'évidence et du lyrisme » où la phrase s'efforce
d'atteindre, n'est-elle pas l'exacte expression d'une
pensée tout entière bornée aux limites de cette terre
— « Hors du monde point de salut » — et qui
s'essaie à y contenir, en dépit des progrès du mal,
deux forces contradictoires : l'ardeur à vivre et la
lucidité.

Et de la colline de San Miniato, jetant un dernier
regard sur la ville des Médicis, où, parmi les chefs-
d'œuvre séculaires « meurent quand même les
hommes[1] », Camus peut proclamer une dernière
fois l'étrangeté et la parenté de l'homme au monde,
sa grandeur et sa misère. « Florence ! un des seuls
lieux d'Europe où j'ai compris qu'au cœur de ma
révolte dormait un consentement[1]. »

---

1. *Noces.*

LA CHUTE D'UN ANGE

Caligula succède à *Noces* comme l'intelligence à la chair et la volonté de puissance à la jouissance. Car le corps est premier, et l'esprit plus tardive conquête.

Dès *l'Envers et l'Endroit* pourtant, les vieillards dans la nuit et les jeunes gens dans le soleil figuraient autant de personnages tragiques. Plus tard, la protestation instinctive de *Noces* amorçait l'insurrection métaphysique contre le destin. Que l'artiste cerne d'un trait noir la banalité des choses, qu'il concentre sur quelques purs visages le non-sens épars dans la vie quotidienne, qu'il les engage enfin, chargés d'une explosive passion de vivre, dans une droite et brève aventure, et, tout naturellement, nous accédons à la tragédie.

★

Sans doute, le critique pourra-t-il regretter que l'Algérienne revue *Rivages* [1] n'ait pu, comme prévu,

---

1. Elle ne connut que deux numéros, en 1939. A son

consacrer au théâtre un numéro spécial, et qu'un essai sur la Tragédie [1], conçu dès 1941, en soit resté à l'état de projet. Nous aurions alors appris de Camus lui-même sa conception de l'art tragique. Art majeur en vérité, car si la poésie est l'un de ses modes naturels d'expression, si le roman est son cher souci, le théâtre est pour lui — à tort ou à raison — un lieu de prédilection.

Ce n'est pas seulement parce que, de 1935 à 1938, il a joué au théâtre de Radio-Alger, pris une part prépondérante aux représentations du théâtre de l'Equipe [2] et découvert là le métier d'acteur et la technique de metteur en scène. Qu'il doive à la scène sa vision des choses ou qu'il doive son goût de la scène à sa vision des choses, il importe peu : quoi qu'il en soit, l'univers entier est à ses yeux un vaste théâtre, la vie une tragédie, — ou une comédie au sens large du terme — et l'homme un « personnage en quête d'auteur ». Le sentiment du tragique est l'un des fils conducteurs de sa pensée et de son art.

Rappellerai-je que le symbole, comme la tragédie, n'était pour lui qu'une manière de projeter dans le concret sa nostalgie et ses angoisses et de leur conférer valeur universelle : un visage, un geste nous restituaient son ambition d'éternité, un paysage le vide de l'existence sous les couleurs du ciel. Avec

----

sommaire, se retrouvaient, à côté de Camus, Roblès, Fréminville, Audisio, Vildrac, etc.

1. Il y eût traité de Prométhée, du théâtre élisabéthain et de Molière (*Don Juan* probablement).

2. L'Equipe a donné *le temps du Mépris*, d'après Malraux ; *Paquebot Tenacity*, de Vildrac ; *la Femme silencieuse*, de Ben Jonhson ; *le Prométhée*, d'Eschyle ; *les Karamazov*, d'après Dostoïevski ; *Don Juan*, de Pouchkine ; *le Retour de l'Enfant prodigue*, d'après Gide, et *Bas-Fonds*, d'après Gorki.

la tragédie, nous faisons simplement un pas de plus
dans la voie de l'art : des personnages empruntés
à l'histoire ou à la légende et vivant pour nous leurs
ultimes instants, reprennent à leur compte les tentations de l'auteur et les amplifient.

La tragédie revient ainsi à ses sources grecques.
Le théâtre d'Eschyle, et, à un degré moindre, celui
de Sophocle, nous offrent moins des caractères que
des passions métaphysiques.

Le mythe de Prométhée célèbre la volonté créatrice des hommes et leur rébellion contre les dieux,
dussent-elles être payées d'un éternel tourment.

L'Œdipe-Roi de Sophocle, si l'on en croit Nietzsche, nous enseigne que « celui-là même qui résout
l'énigme de la nature — ce sphinx hybride — doit
aussi, comme meurtrier de son père et époux de sa
mère renverser les plus saintes lois de la nature [1] ».

Caligula est probablement, de toutes les pièces
modernes, celle qui répond le plus exactement aux
canons de la tragédie tels qu'on les trouve définis
dans « *les Origines* » : culte dyonisien du vouloir-
vivre et de la liberté, passion d'être, portée jusqu'à
l'obsession totalitaire par la découverte du mal :
« S'il est vrai que la vraie culture ne se sépare pas
d'une certaine barbarie, rien de ce qui est barbare
ne peut nous être étranger [2]. » En regard, le respect
apollinien de la mesure ; et, pour finir, la consolation métaphysique qui nous « arrache momentanément à l'engrenage des migrations éphémères. Nous
sommes véritablement et *pour de courts instants*
l'essence primordiale elle-même et nous en ressen-
tons l'appétence et la joie effrénée à l'existence [2] ».

---

1. *Les Origines de la Tragédie*, Nietzsche. (C'est nous
qui soulignons).
2. Présentation de la revue *Rivages*.

★

La tragédie proteste donc contre un certain optimisme théorique et les diverses incarnations de la tiédeur humaniste. C'est pourquoi le héros tragique, tel que le conçoivent nos modernes de Pirandello à Anouilh, subit moins le destin qu'il ne le provoque. Un Henri IV, un Caligula, une Antigone ont ceci de commun qu'ils n'existent que pour briser la laideur, la sottise, le mensonge et la convention. Ce sont proprement des iconoclastes. A des degrés divers, ils nous apparaissent comme des fous, mais leur folie est faite de sincérité et de pureté trahies ; ils n'ont pour le scandale d'autre goût que celui même de la vérité.

Il y aurait beaucoup à dire sur l'utilisation des excentriques en littérature ; excentriques, le sont étymologiquement non seulement les fous, de Caligula à Henri IV, les monstres, comme le Nain de Pär Lagerkvist, les intransigeants, du Misanthrope à Antigone, les saints, comme Polyeucte, les élus, de Moïse à Lazare et mademoiselle Jaïre. Au regard de la sagesse des nations, ils ont en commun leur étrangeté. Si notre théâtre moderne en fait une si grande consommation, c'est que ces personnages en marge sont des démystificateurs commodes. Toute satire a ses paravents : le xviiiᵉ siècle utilisait les Persans, les Hurons ou les géants repris de Rabelais ; ils ne mettaient en accusation que les mœurs et les institutions. Anouilh, Pirandello, Camus — et bien d'autres — qui s'en prennent aux racines mêmes de la condition humaine, au mystère de la vie, usent de personnages plus inquiétants.

C'est qu'il faut compter avec l'autodéfense et le scepticisme du spectateur. On lui laisse les moyens d'esquiver une partie des responsabilités pour mieux lui faire endosser l'autre. Il n'est sans doute que deux façons d'attirer l'attention : l'étrangeté ou la mort. Lorsque Caligula s'écrie douloureusement « oui, je voulais la lune ! [1] », on se débarrasse de lui d'un haussement d'épaules ; mais il nous regarde de son œil inquiétant : « la lune ! » On frissonne ; on a beau se répéter que c'est absurde... pourtant, si c'était vrai, si c'était là le seul problème, si l'absurde était la vérité du monde. « Quand les fous se mettent à parler, ils cassent tout : les conventions volent en éclats... ils ébranlent jusque dans leurs assises toutes les choses que nous avons construites en nous, autour de nous, la logique, la logique de nos conventions [2]. » Ce n'est pas qu'ils manquent de logique : au contraire, ils vont jusqu'au bout de leurs raisonnements, comme Caligula. Alors que nous nous efforçons d'arrêter le temps par de menus artifices, ils prétendent le briser totalement ; ou, au contraire, ils acceptent sans réserve l'inconsistance et la mobilité et se laissent couler à pic. « Vous employez toutes vos forces à vous fixer et eux ils s'abandonnent [2]. »

Fort bien, dira-t-on, mais ils sont fous. Pas précisément. Toute l'habileté de l'auteur tragique, celle de Camus dans Caligula, consistera précisément à nous désarmer par le mélange de naturel et d'excentricité, de froide logique et d'humour macabre, de mystère et de banalité. Mauvais goût ? Inconscience ? Sadisme ? Caligula nous échappe sans cesse. Il saute de la brutalité au rire, de la cruauté à la tendresse. Qui trompe-t-il et quand nous trompe-t-il ?

---

1. *Caligula.* Toutes les citations qui ne font pas l'objet d'une note en sont tirées.
2. Pirandello : *Henri IV.*

★

Caligula, « c'était un empereur parfait », un adolescent comme tant d'autres : « Il disait que la vie n'était pas facile, mais qu'il y avait la religion, l'art, l'amour qu'on nous porte. » Idéaliste sans excès, il avait jusqu'ici sa place dans le monde, la place modeste du jeune homme bien élevé et respectueux de l'ordre et des valeurs établies : il vivotait. Soudain, au lendemain de la mort de sa sœur, il s'est enfui. Quelque chose s'était brusquement déchiré en lui. Au lever de rideau, on l'attend avec quelque inquiétude. C'est un fou qui revient, un fou qui va désormais tyranniser son entourage, organiser l'absurde, faire arbitrairement mourir les uns et les autres pour succomber sous les coups de ceux qu'il est enfin parvenu à révolter.

Caligula est une sorte d'Antigone mâle. Il en a l'amère lucidité et l'intransigeante pureté : « Tout autour de moi est mensonge, et moi, je veux qu'on vive dans la vérité. » Les hommes, il les fera périr parce qu'il les aime d'un amour impérieux. Il aime leur chaleur, leur héroïsme. Il ne renie d'eux que le calcul et la tiédeur. Il leur voue une farouche tendresse : « Les hommes pleurent parce que les choses ne sont pas ce qu'elles devraient être. » Mais il vomit leur résignation devant l'absence de toute vraie vie. A ce vide, il oppose la dure exigence de ceux qui consentent à brûler leur vie par goût de l'impossible : « J'ai besoin de la lune ou de l'immortalité, de quelque chose qui soit dément peut-être, mais qui ne soit pas de ce monde. »

Il flotte sur ses premières confidences une tendre amertume, celle qui marque le visage rêveur de Scipion. L'âme de Caligula, toute naïve et frémissante encore dans sa monstruosité naissante, est d'un poète révolté. Nous voici bien loin de Néron, adolescent sournois et douteux à la bouche mauvaise. De « l'archange blond » de Charleville et de sa descendance, Caligula a hérité une mélancolique ferveur toute chargée de secrète véhémence. La douceur un peu rauque et contrainte de la voix trahit un mélange de lassitude et d'héroïque orgueil, un même goût des cimes et des abîmes.

La mort de ses frères excitait chez Antigone la soif d'absolu. Caligula a trébuché sur le cadavre de Drusilla, sa sœur-amante. Pourtant, d'un côté comme de l'autre, ce ne fut qu'une occasion. « Cette mort n'est rien, je te jure, elle est seulement le signe d'une vérité qui me rend la lune nécessaire... les hommes meurent et ne sont pas heureux. » Caligula fût volontiers demeuré fidèle aux illusions de son enfance. « Qu'il est dur, qu'il est amer de devenir un homme. » Vains regrets ! On ne renonce pas à la conscience du mal. « J'ai pleuré, pourrait-il dire, et j'ai cessé de croire. » L'effondrement des valeurs relatives de la tradition ne laisse de place que pour le néant ou l'exaltation inconditionnelle de l'être.

Dans ces conditions, il lui reste à organiser le mal, à le tuer par son excès même : aller jusqu'au bout pour en toucher le fond. « C'est parce qu'on ne tient jamais jusqu'au bout que rien n'est obtenu. Mais il suffit peut-être de rester logique jusqu'à la fin. » Antigone dénonce l'absurde par sa passivité ; Caligula par une activité sans faille. Elle meurt, il fait mourir, avant de succomber à son tour, comme un juste. Elle abandonne un monde qu'elle ne reconnaît plus pour sien. Révolutionnaire — les grandes révolutions ne sont-elles pas d'une certaine façon métaphysiques ? — Caligula prétend le renouveler de fond en comble et le modeler à l'image de son désir. Il plonge dans le courant de

l'histoire pour la mieux éterniser : « Je ferai à ce
siècle le don de l'égalité. Et lorsque tout sera aplani,
l'impossible enfin sur la terre, la lune dans mes
mains, alors enfin les hommes ne mourront plus
et ils seront heureux. »

Pour en arriver là, les hommes ont besoin de
sévères leçons. Aussi l'entreprise de Caligula et ses
crimes mêmes sont-ils essentiellement pédagogiques.
Il prétend, à sa manière, évangéliser un monde
« privé de connaissance et (à qui) il manque un
professeur qui sache ce dont il parle[1] ». Ce maître
à penser et à vivre, c'est l'empereur lui-même. Aussi
paradoxal que ce puisse être — mais l'humanité
ne progresse qu'à force de paradoxe — « il est enfin
venu un empereur pour vous enseigner la liberté ».

Une implacable logique[2] et une expérimentation
décisive fondent cette curieuse pédagogie : logique
nihiliste, où triomphe dans sa rigueur la classique
démonstration par l'absurde. Si les hommes ne
peuvent avoir la lune, alors tout est indifférent.
« Tout est capital, te dis-je, la grandeur de Rome
et tes crises d'arthritisme. » Le monde n'est qu'un
chaos. Les coupables, on serait tenté de les chercher parmi les dieux ; mais les hommes n'ont-ils
pas la bonté de se charger des péchés du monde :
mourrait-on si l'on n'était coupable ? L'ironie meurtrière de Caligula dénonce ce sophisme dans le
fameux syllogisme : « On meurt parce qu'on est
coupable. On est coupable parce qu'on est sujet de
Caligula. Or tout le monde est sujet de Caligula.
Donc tout le monde est coupable. D'où il ressort

---

1. Le même souci pédagogique se trouvait déjà dans
Lorenzaccio. « Il faut que le monde sache un peu qui je
suis *et qui il est*. » Les personnages de Bindo et Tebaldeo
font respectivement pendant aux patriciens et à Scipion.

2. Cf. *L'Espoir et l'Absurde* : « L'effet absurde est lié à
un excès de logique. »

que tout le monde meurt. C'est une question de temps et de patience. »

Nous quittons ici le stade de la simple démonstration. Nous sommes en plein procès. Caligula démontre et Caligula accuse. Il nous accable sous le poids inhumain de la jurisprudence divine. Il emprunte aux dieux leur arbitraire et leur liberté : « On est toujours libre aux dépens de quelqu'un. » Les dieux le sont aux dépens des hommes et Caligula aux dépens de son peuple. Logique de la toute-puissance : les hommes se soumettent-ils, les dieux les écrasent pour se conformer au destin ; se révoltent-ils, comme Prométhée, c'est leur révolte qu'on châtie : dilemme meurtrier où Caligula enferme Merea. « On ne comprend pas le destin et c'est pourquoi je me suis fait destin. J'ai pris le visage bête et incompréhensible des dieux. » Antigone forçait les puissants de ce monde et de l'autre à accomplir leur volonté de mort : elle les accablait par son martyre. Caligula les parodie, se substitue à eux avec plus de rigueur, tel un dieu que les hommes n'auraient pas fait à leur image, un dieu doué d'un pouvoir sans limites, jusqu'à nier l'homme et le monde.

Ce mime de Caligula s'accompagne d'une série de ballets où l'empereur révèle son goût profond du déguisement et de la mystification. Caligula est un comédien né et un metteur en scène de talent. Il se joue du naïf Scipion, organise des bouffonneries blasphématoires ou sataniques — ici encore l'on songe à Rimbaud. Tout l'acte iv est rempli de ces diableries, volontairement grossières ou dérisoires comme le jeu des ombres chinoises.

Aux hommes de danser maintenant. A tout seigneur, tout honneur ; les patriciens en scène. Ceux-là, il va les faire tournoyer, jusqu'à les dégonfler littéralement, comme ballons de baudruche. Ces

capitalistes aiment l'argent : mais « si le trésor a
de l'importance, alors la vie humaine n'en a pas ».
Et pourtant ils dansent ! Ils sont attachés à leurs
biens, à leurs honneurs, à leurs femmes : Caligula
les forcera à tout trahir pour sauver leur vie .—
quelques jours de vie. C'est le fameux ballet de
la peur. « Honnêteté, respectabilité, qu'en dira-t-on,
sagesse des nations, rien ne veut plus rien dire. »
Tout disparaît devant la peur. A leur tour de s'avi-
lir, de ramper : ils adoreront Caligula-Vénus, ce
monstre ; ils psalmodieront ses litanies ; Mucius
livrera sa femme, Lépidus rira au lendemain même
de l'exécution de son fils. Ces fantoches prostitués
supporteront sans broncher d'être appelés « ma
jolie ». Et pas un qui se révolte !

Tout comme les poètes. Ceux-ci aussi vont danser,
ces bateleurs... il leur enseigne à ne parler que de
ce qu'ils connaissent, à garder aux mots leur vrai
sens, à mettre en accord leurs pensées et leurs actes.
A tous, Caligula arrache les masques, « il éprouve
les cœurs, comme la mort ». Il force tout le monde
à penser — « l'insécurité, voilà ce qui fait penser ».
Et l'on songe ici à ce fameux texte de *la République
du silence* où Sartre écrivait : « Jamais nous n'avons
été aussi libres que sous l'occupation allemande. —
Les circonstances, souvent atroces, de notre combat
nous mettaient à même de vivre, sans fard et sans
voile, cette situation déchirée, insoutenable, qui
s'appelle la condition humaine » ; Caligula, comme
l'occupation, comme la peste à laquelle il s'assi-
mile, comme la mort, oblige chacun à paraître dans
toute sa vérité. Chaque crime de Caligula répète
inlassablement « tous les hommes sont mortels » ;
et, à chacun de ses coups, tel homme se révèle lâche
ou tricheur, ou pharisien, tel autre, courageux,
capable de résistance, de révolte et d'amour ; le courage tranquille, c'est Chéréa ; l'amour désintéressé,

Caesonia ; l'honneur et la tendresse associés, Scipion, cet être transparent, « pur dans le bien » comme Caligula, son frère en esprit, l'est dans le mal.

Cette intrusion de la danse et du mime, bref, du théâtre sur la scène même, modifie profondément le caractère de la tragédie. Celle-ci suppose ordinairement que le spectateur coïncide partiellement avec le héros, souffre ou espère avec lui. La tragédie moderne, par les personnages volontiers étranges qu'elle nous propose, ne peut exiger de nous cet effort de communion. Au reste, la réapparition du chœur modifie notablement les perspectives. Nous ne suivons plus « en direct » les phases de l'action ; elles nous sont retransmises, répercutées par le chœur qui les scande et les commente.

Mais le chœur, s'il nous éloigne de la scène, nous y réintroduit dans le même temps. Si la tragédie est autre chose qu'un divertissement, si elle est un spectacle édifiant, dans le sens où l'on peut dire que Racine composa avec *Athalie* une œuvre édifiante, comment interdire au spectateur d'esquiver les coups qu'on lui veut porter ? Précisément en l'installant indirectement sur la scène, lui, ou du moins son image. Le chœur, dans *Antigone* ou ailleurs, c'est une délégation de spectateurs moyens, conviés à observer les choses de plus près. Cette présence du chœur sur la scène signifie que nous sommes concernés beaucoup plus que nous ne le voudrions : la représentation des mystères, par la foule même de ses figurants, nous rappelait de même que la Passion était notre affaire à tous. Bref, le chœur, en nous replaçant sous nos propres yeux comme spectateurs directs de la tragédie, nous impose une manière de dédoublement et installe le théâtre jusque dans notre propre conscience.

Ce n'est donc pas un hasard si la plupart des

pièces modernes ont réintroduit le chœur de façon
franche ou larvée. Toutefois, il ne suffit pas au
dramaturge de l'absurde de nous contraindre au
détachement, à la lucidité ; il lui faut encore nous
arracher nos masques, nous forcer à distinguer en
nous l'authentique du frelaté. Une Antigone ne
dénoncera les mensonges que de manière toute verbale — et c'est peut-être ce qui accentue la gratuité
de son geste ; elle prétend forcer Créon à penser ;
mais elle ne l'amène qu'à se souvenir ; tout au plus
à avouer un drame dont il a toujours eu conscience,
celui du roi scrupuleux déchiré entre ses sentiments
et les nécessités du maintien de l'ordre. Ce déchirement, Créon l'accepte, l'assume, il en fait son
personnage et on ne l'en tirera pas.

Caligula va plus loin. Là, le chœur, — on peut
y ranger les patriciens, Chéréa, Hélicon et Scipion
qui tous attendent l'empereur dans les trois premières scènes — le chœur qui croyait pouvoir
demeurer hors de cause et assister au drame,
comme celui d'Antigone, se voit entraîné dans la
ronde meurtrière de Caligula. Antigone se donnait
en spectacle aux hommes ; Caligula va se donner
les hommes en spectacle. Et le lâche patricien ou
le courageux Chéréa que nous sommes, nous les
voyons ballottés, moqués, dépouillés par le regard
de Caligula. De spectateur qu'il était, le chœur est
devenu acteur ; et non seulement acteur, mais le
jouet même du héros. Devant Antigone, nous étions
comme ce spectateur d'un match de football qui
se revoit, parmi la foule vibrante, sur un écran de
télévision. Avec Caligula nous voici comme ce même
spectateur, qui aurait reçu le ballon sur la figure
et qui se découvrirait alors ou lâche ou violent, ou
plein d'un sang-froid qu'il ne se connaissait pas
lui-même.

Et c'est ici que la technique du ballet et du mime

prend toute son importance. Chaque personnage est à la fois lui-même et un autre. Caligula, par exemple, est lui-même — un révolté — et d'autres — les dieux qu'il mime ; les patriciens, qui se croyaient tels, finissent à l'issue de ce qu'on pourrait appeler, en terme de music-hall, un strip-tease de la conscience, par apparaître dans toute leur veulerie. Racine — *Esther* et *Athalie* exceptées — c'était du théâtre au premier degré : des acteurs, incarnant les personnages nous donnaient la comédie. *Antigone*, c'est du théâtre au second degré : les personnages donnent la comédie au chœur qui la répercute jusqu'à nous. Avec *Caligula*, nous atteignons au troisième degré : les personnages se donnent les uns aux autres la comédie, quand ils ne se la donnent pas à eux-mêmes.

Ce jeu de glaces, que Pirandello avait porté à sa perfection et jusqu'à ce point où la tragédie se dissout dans un scepticisme halluciné, illustre étonnamment les célèbres remarques de Montaigne sur le caractère « farcesque » de notre condition. Le théâtre dans le théâtre est une méthode de démoralisation ou plus exactement de démystification qui ne laisse subsister qu'une valeur authentique, la vie.

★

Caligula, en effet, tout comme Lorenzaccio, n'est comédien que par excès de gravité, par dégoût du frivole. Son rire est une libération ou l'aveu d'un échec. S'il se laissait aller, son style serait d'un visionnaire : il y a en lui du prophète manqué. Il brûle de cette froide volonté de salut terrestre qui animait un Saint-Just. Pour que l'humanité puisse progresser, il se sacrifie jusqu'au crime. Il prend sur lui la haine du monde, comme Prométhée celle de Zeus. Du moins, Prométhée était-il parvenu à

ravir le·feu du ciel. Notre moderne Caligula mourra
pour rien, ou presque. La plus noble des exigences
se pervertit, un ange cède au péché, non plus de
connaissance, mais d'orgueil et d'excessive pitié [1].

En ce sens, la tragédie ressortit au mystère ; l'ultime scène suffirait à autoriser, par son mouvement,
qu'on parlât de Passion. Caligula sait toute l'inanité
de son entreprise. Envisage-t-il jamais clairement
l'hypothèse d'un succès ? Chacun des coups qu'il
porte est comme un clou qu'il enfonce dans son
propre cœur pour l'élever à l'indifférence divine ;
et, dans ceux qu'il torture, Caligula crucifie, pour
l'édification des hommes, l'impossible amour qu'il
leur porte. Pour finir, toute la pièce n'est que l'histoire d'un « suicide supérieur [2] ». En introduisant
en 1945 la scène VI dans l'acte III, Camus entendait
y insister. C'est en vain que le vieux patricien y
dénonce la conjuration : Caligula, qui pourtant n'est
pas dupe, refuse de lui faire crédit : « Non, on ne
revient pas en arrière et il faut aller jusqu'à la
consommation [3]. »

Ainsi mourra, sans rien faire qui pût écarter le
calice, celui qui se prenait pour un dieu et dont la
rage de liberté avait abouti aux pires crimes. Il
mourra dans la peur, par « une nuit lourde comme
la douleur humaine ». Jusqu'au bout, le miroir
s'obstinera à ne lui renvoyer qu'un visage d'homme.
Caligula n'est pas devenu un dieu. Mais les autres
sont devenus des hommes, et ceci compense cela.
Il a transmis à ses assassins, contraints par lui à

---

1. Cf. La première *Eloa*, de Vigny.
2. Présentation de *Caligula*.
3. Cf. *idem*, scène VII, acte III : « Continue, Chéréa,
pousse jusqu'au bout le magnifique raisonnement que
tu m'as tenu. Ton empereur attend son repos. » Egalement acte III scène III. « Je sais d'avance ce qui me
tuera. »

la révolte et au courage, la flamme qui le brûlait.
Aussi peut-il affirmer dans un dernier cri où la
douleur, le défi et le triomphe se confondent : « Je
suis encore vivant. » Par son sacrifice, il assure la
pérennité de cette folie de pureté, de justice et de
vérité qui dresse les hommes contre leur destin,
comme la pérennité du mal et de la mort, qui
seule, révèle la véritable qualité humaine.

★

Le pédagogue réussit mais le révolutionnaire
échoue. Cet échec est une autre leçon, « modeste
idéologie... et que j'ai l'impression de partager avec
Mr. de la Palice et l'humanité entière[1] » : L'excès
en tout est un défaut. Un goût démesuré de la
morale, un trop plein d'âme, une fidélité excessive
à ses propres exigences, autant d'éloquentes trahi-
sons de l'homme. Caligula a bien instauré un ordre,
l'ordre des cimetières. Les hommes ne cessent de
danser devant lui leur ridicule pantomime que pour
mourir. Il se trompait sur lui-même : il n'aimait
pas les vivants, mais les morts. « Quand vous êtes
tous là, vous me faites sentir un vide sans mesure
où je ne peux me regarder. Je ne suis bien que
parmi mes morts. » Aux yeux de cet inquisiteur,
eux du moins connaissent une éternité.

Caligula confesse son échec, avec l'accent triomphal d'un chevalier de l'abîme. « Je sais que rien
ne dure ! Savoir cela ! Nous sommes deux ou trois
à en avoir vraiment fait l'expérience, accompli ce
bonheur dément. » Lui-même disparaît, comme disparaît la peste, sans qu'on sache trop pourquoi,
parce que rien ne dure sans doute. Il n'a lui-même

---

1. Commentaire de *Caligula* pour sa présentation en
Suisse.

décidé sa propre mort qu'après avoir acquis la conviction que la mort ne pouvait être vaincue. Et, pour qu'il soit bien dit que plus rien n'a de sens, il y entraîne Caesonia, dans l'espoir de tuer « le seul sentiment pur » que la vie lui ait donné. Qu'elle résistât, et Caligula pouvait nier l'amour. Mais elle s'abandonne à son étreinte mortelle, « les mains un peu offertes en avant », dans une ultime offrande.

Caesonia témoigne de l'amour par sa mort. Mais sa fidélité à Caligula était trop grande pour compenser la haine et « balancer l'hostilité du monde ». Scipion le peut, qui aime la vie et le présent de toute sa chair, tout comme Caligula les méprisait de son âme insatisfaite. Leurs vérités étaient les mêmes. Mais l'orgueil de l'un ne connaissait pas de bornes, et l'autre, en revanche, cultivait la mesure hellénique. Caligula voulait la lune. Scipion consent à la pauvreté. Tout comme l'humaniste Chéréa qui « veut vivre et être heureux », il connaît cet heureux équilibre de l'âme et du corps qui seul mérite le nom de santé. C'est pourquoi d'eux seuls viendra la délivrance : sur les ruines de la morale conventionnelle, ils proclament la générosité d'un bonheur qui « ne vit pas de destruction ».

★

Si l'on veut bien admettre que la *Révolte aux Asturies*, œuvre collective, ne peut être comptée parmi les œuvres théâtrales de Camus, *Caligula* pour un coup d'essai fut un coup de maître.

Pièce métaphysique à la manière antique, *Caligula* n'en est pas pour autant une pièce à thèse. Serait-ce philosopher à la scène qu'y animer une passion de l'impossible, qui, à tout prendre, en vaut d'autres ? *Caligula* prend place en réalité parmi ces

nombreuses tragédies modernes, chrétiennes ou
non, qui traitent du mystère de l'homme et de ses
rapports avec l'absolu. En ce sens, *Caligula* relève
du théâtre religieux, je veux dire d'un théâtre
qui fait sa place à l'ambition d'éternité. Sans *les
Mouches*, sans *Antigone* et sans *Caligula*, la récente
floraison de pièces religieuses n'eût probablement
pas trouvé son public.

Dans cette perspective, qui est celle de *Don Juan*
aussi bien que de *Polyeucte*, il n'est pas de dénouement qui ne constitue, qu'on le veuille ou non,
une prise de position métaphysique. Mais Camus
a pris soin de brouiller les pistes, et l'on s'y est
souvent trompé. On a parlé d'un « manuel des
désespérés [1] » ; c'était assez mal entendre Camus
Car enfin, quel est le mot de la fin ? Est-ce le pro-
vocant : « Je suis encore vivant » ? ou plutôt cette
amère mais féconde constatation : « Ma liberté n'est
pas la bonne » ? ou encore cette sorte de consolation métaphysique pareille à celle d'Œdipe « la
peur non plus ne dure pas. Je vais retrouver ce
grand vide où le cœur s'apaise » ? Il faudrait peut-
être qu'on cessât de considérer nos tragédies
modernes d'un autre œil qu'on ne fait des classiques
ou des anciens. Il n'est pas de tragédie qui ne soit
catastrophique. Mais toujours par quelque côté, « la
Pharaonne qui se suicide me dit espoir, le maréchal
qui trahit me dit foi, le duc qui assassine me dit
tendresse [2] ».

Au reste, Camus s'est gardé de charger ses personnages de sa sympathie ou de son antipathie.
L'enseignement de Caligula n'est pas l'enseignement de Camus — si tant est qu'il s'en puisse dégager un. Il a insufflé à son héros sa tentation de

---

1. Robert Kemp.
2. GIRAUDOUX : *Electre*.

l'absolu, son « goût du difficile et du fatal [1] ». En
1938, Camus n'était-il pas concurremment attiré par
le communisme et le christianisme augustinien ?
Mais il a confié à Scipion son sens de la mesure,
à Chéréa son goût du bonheur. Caligula dit l'intelligence en délire, et Caesonia la chair épanouie ;
Caligula la logique dans l'action, et Scipion l'art
qui la conteste ; Caligula la fièvre, et Chéréa la santé.

La pièce reprend enfin la grande tradition grecque
des arrière-plans historiques. C'est tout l'orgueil
européen, celui que flétrira *l'Homme révolté*, qui
trouve son visage torturé dans ce héros digne de
notre siècle. Caligula atteint fréquemment à la prophétie politique. Le nazisme y est transfiguré dans
ce qu'il put avoir de grandiose, d'héroïque et de
sadique à la fois, et il n'est pas jusqu'à la mort de
Caesonia qui n'évoque un visage de femme victime
de sa fidélité au tyran. Combien de fois enfin ne
nous est-il pas arrivé de nous demander si la guerre
d'Hitler était bien terminée et si son esprit ne triom-
phait pas en nous ? C'est dans la coïncidence de
l'actualité et de la légende qu'une grande œuvre
fait la preuve de sa nécessité.

« A l'histoire, Caligula, à l'histoire. »

---

1. Inédit.

IV

NAISSANCE DE L'HOMME

L'essai poétique, le théâtre et le roman sont autant de cadres propres à l'expression d'une même prédication et à la représentation d'un même monde. La poésie cueillait la joie de vivre au creux de la sensation fugitive, la tragédie lançait le cri sauvage de la révolte humaine contre le destin ; le roman, qui a le temps pour lui, nous conte par le menu l'irruption de la conscience du mal dans une existence banale.

De l'un à l'autre genre, il n'y a donc, pour Camus comme pour Vigny qui, lui aussi, jouait de trois claviers, qu'une différence de portée : les ambitions du roman sont plus démesurées, plus faustiennes. Il ne se satisfait ni d'une floraison d'images, ni d'un personnage au paroxysme de la passion ; il refabrique un univers dans sa complexité et sa durée. S'il est vrai qu'une secrète complicité lie le tragique moderne au logique comme au quotidien [1],

---

1. Cf. *L'Espoir et l'Absurde*, où cette idée se trouve longuement développée. Camus — la chose vaut d'être notée, — a consacré aux problèmes du roman, qui visiblement le hantent, un chapitre du *Mythe de Sisyphe* : philosophie et roman, un chapitre de *l'Homme révolté* :

le roman se trouve paradoxalement mieux placé que le théâtre pour exprimer ce rapport et peindre la vie journalière, le comportement ordinaire de l'humanité et les mécanismes sociaux traditionnels. Les héros de la tragédie manquent de familiarité ; le roman seul est capable de faire d'un médiocre employé de bureau un personnage tragique à la mesure du monde moderne.

Aussi, le roman selon Camus se développe-t-il sur deux plans : le plan de la description où le comportement est étudié dans son détail à la manière dite « réaliste » de Steinbeck[1] ou de Caldwell : l'auteur aborde son personnage de l'extérieur et l'enracine dans son milieu quotidien ; le moraliste n'intervient qu'en arrière-plan : le particulier rejoint alors l'universel et chaque homme porte en lui « l'image de l'humaine condition[2] ».

Plus la réalité était banale et plus elle se révèle significative. Il a suffi pour cela que la logique s'insère dans le cadre journalier et le brise. Depuis Bergson, nul n'ignore plus ce que le rire doit à cette forme de l'absurde qu'est un « mécanisme plaqué sur du réel[3] ». Que le même mécanisme tue, et le rire se change en malaise. Victime de l'engrenage, un être jusque-là épars trouve son point de convergence en ce lieu privilégié du supplice. Une

---

roman et révolte, un article publié en juillet-août 1943 par *Confluences :* « l'Intelligence et l'Echafaud » et enfin sa préface aux *Maximes et Anecdotes* de Chamfort.

1. Dans une interview, publiée le 15 novembre 1945 par *les Nouvelles littéraires,* Camus reconnaît s'être inspiré de la technique de Steinbeck pour la première partie de *l'Etranger.* Mais la seconde partie ne lui doit plus rien et traduit au contraire le refus de s'en tenir à une technique « réaliste » du comportement, incapable de restituer au personnage son unité.

2. MONTAIGNE : *Essais.*

3. BERGSON : *le Rire.*

seconde lecture, aussi nécessaire pour *l'Etranger*
que pour *le Procès* de Kafka, nous vaudra de découvrir alors, jusque dans le détail, l'unité d'une vie
qui paraissait aller à la dérive.

Ainsi se réconcilient fatalité et liberté : « La fin
est là qui transforme tout, disait déjà J.-P. Sartre ;
pour nous, le type est déjà le héros de l'aventure...
les instants ont cessé de s'empiler au petit bonheur,
les uns sur les autres : ils sont happés par la fin
de l'histoire qui les attire et chacun d'eux attire
à son tour l'instant qui le précède[1]. » Par son mouvement même, le roman est à l'image de notre
existence où les mots de la fin ne nous sont livrés
qu'avec la mort. « Le roman fabrique du destin
sur mesure[2] ».

★

Compte tenu des multiples vocations d'A. Camus,
ferons-nous de *l'Etranger* le dernier volet d'un tryp-
tique dyonisien, qui comprendrait *Noces* et *Caligula* ? Ou, au contraire, allons-nous l'associer au
Mythe de Sisyphe et au *Malentendu* dans une tri-
logie absurde ? A s'en tenir aux apparences, la
seconde formule mériterait de l'emporter.

En fait, il n'est rien de plus arbitraire que ce
type de classifications. Elles supposent une absolue
conformité de l'ordre de conception et de l'ordre
de publication, et impliquent que l'œuvre exprime
d'une manière directe l'état d'esprit de l'auteur.
Or, les livres de Camus doivent assez peu aux
« éclairs de l'inspiration[3] » et sont le fruit d'une
lente maturation et d'une « fidélité quotidienne[3] ».

---

1. J.-P. SARTRE : *la Nausée*.
2. *L'Homme révolté*.
3. *L'Intelligence et l'Echafaud, op. cit.*

Tout n'est donc qu'une question d'éclairage, ou de dosage.

Ainsi de *l'Etranger*. La première formulation du thème est d'avril 1937. A ce moment, *Caligula* fait à peine ses premiers pas, et *Noces* n'en est qu'aux promesses. En réaction contre les contraintes sociales, les conventions et les préjugés qui blessent son impatiente jeunesse, Camus songe à créer un personnage de roman qui, prisonnier de l'opinion, refuse de se justifier devant elle. S'il s'était développé dans cette seule direction, le thème initial pouvait bel et bien aboutir au conte philosophique : Sartre eût été fondé à y découvrir une satire voltairienne de la justice et des mécanismes sociaux [1]. Tout au plus, reprenait-on sur nouveaux frais la critique pirandellienne de l'opinion.

Mais, avec l'expérience de la maladie, Camus soupçonne combien, en dépit de sa propre lucidité, il avait pu demeurer étranger à sa propre vie. La lecture d'un vieux catalogue de modes [2] faillit alors être pour le personnage l'occasion d'une prise de conscience aiguë. A ce point, l'œuvre s'intériorise et se charge d'une passion de vivre que Meursault fera brusquement éclater au visage du prêtre venu lui recommander la résignation. L'idée vint même à Camus, pour mieux traduire le combat désespéré de la vie contre toutes les formes de néant et d'engourdissement, de peindre en Meursault un dangereux exalté. Mais Caligula y suffisait.

Une fois la fièvre dyonisienne retombée, Camus est sensible à ce que *Noces* et *Caligula* comportaient de véhémence littéraire : or, la solitude lui apparaît désormais aussi peu littéraire que possible. Le retour à une santé relative ne va pas sans quelque acca-

---

1. *Situations I*, cf. infra.
2. Note de travail inédite.

blement. La fréquentation du monde ouvrier, les heures de présence au journal le replongent dans une pauvreté dont le vide est à peine conscient. Comme jadis dans *l'Envers et l'Endroit*, le tragique se concilie fort bien avec une absence totale de désespoir, sinon de tristesse. « La drôle de guerre » ne peut que confirmer cette impression. L'accent se déplace alors du dyonisien à l'absurde.

Meursault, c'est Caligula tel qu'il était avant la mort de Drusilla, anodin et insignifiant ; mais c'est aussi sa victime et son élève, non pas un de ces pantins, adorateurs du veau d'or, qui déshonoraient les grands noms de la République romaine, mais un homme simple qu'une logique d'acier et de sang révélera à lui-même. Caligula illustrait la perversion du désir d'éternité : avec lui, tombait un ange ; avec Meursault, un homme naît à la vie.

L'Etranger est donc une œuvre-pivot. Les circonstances intimes ou extérieures semblent avoir provoqué la mise entre parenthèses de l'amour et du bonheur au profit de l'étrangeté. L'ardeur à vivre, le désir demeurent vivaces, mais latents. Ils n'apparaissent plus guère qu'en sourdine ou par rares flambées. Le lyrisme de *Noces* fait place à un style volontaire, dépouillé, quasiment ascétique. Le mouvement heurté de *Caligula*, son rythme saccadé ou tourbillonnant s'effacent devant la monotonie continue d'un courant d'insignifiance.

Est-ce à dire qu'il s'agisse pour autant d'un ouvrage autobiographique ? ou même de l'histoire d'une âme ? Sûrement pas. Albert Camus est trop pudique pour cela : « Nos vrais moralistes... ont regardé et ils se sont regardés [1]. » L'expérience intérieure et les contacts extérieurs se renforcent. Aux souvenirs personnels se mêlent des visages fugi-

---

1. *L'Intelligence et l'Echafaud.*

tifs, des mots saisis au vol et des situations vécues.
L'Etranger s'est formé par apports réguliers et
imbrications successives[1]. Après quoi, il a fallu,
compte tenu des nécessités de forme, de stylisation
et de prédication, choisir de parti-pris, parmi les
données d'expérience. Loin donc de rechercher
dans *l'Etranger* la marque d'un individualisme exaspéré — que tout déjà dans l'attitude de Camus à
la même époque vient démentir —, j'y verrai plutôt
le contact amer et scandaleux d'une existence qui
se découvre contingente et d'une société en forme
de destin, nécessaire et logique jusqu'au meurtre
inclusivement.

★

Peut-être Camus s'est-il souvenu du premier des
poèmes en prose de Baudelaire : *l'Etranger* ?

« Qui aimes-tu le mieux, homme énigmatique, dis,
ton père, ta mère, ta sœur, ton frère ?
— Je n'ai ni père ni mère ni sœur ni frère.
— Tes amis ?
— Vous vous servez là d'une parole dont le sens m'est
resté jusqu'à ce jour inconnu.
— Ta patrie ?
— J'ignore sous quelle latitude elle est située.
— La beauté ?
— Je l'aimerais volontiers déesse et immortelle.
— L'or ?
— Je le hais comme vous haïssez Dieu.
— Et qu'aimes-tu donc, extraordinaire étranger ?
— J'aime les nuages — les nuages qui passent là-bas,
les merveilleux nuages. »

Si Meursault aimait quelque chose, ce serait plutôt le soleil. Petit employé algérois, il enterre sa

---

1. Ainsi Meursault fut fait de trois modèles : deux
hommes et une femme.

mère, retrouve au port une dactylo de ses connaissances, Marie Cardona, et la prend pour maîtresse.
Il se fait un « copain », vaguement souteneur, lui
rend quelques menus services : une lettre qu'il
écrit pour lui, un témoignage qu'il apporte en sa
faveur. Un dimanche, Marie, Sintès, Meursault et
un couple ami partent pour un paisible pique-nique
sur une plage de banlieue. Des Arabes, qui ont un
compte à régler avec Sintès, les épient : bagarre,
blessures, retraite générale — Meursault, qui a soif
de fraîcheur, retourne sur la plage vers la source.
L'un des Arabes y sommeille : peur réciproque,
soleil, lassitude ; un couteau brille, Meursault tire,
une balle, puis quatre autres.

Tous ces événements se sont empilés au hasard,
vécus par Meursault dans leur contingence et leur
neutralité. Ils illustrent ce que Sartre écrivait de
la vie, dans *la Nausée* : « Quand on vit, il n'arrive
rien, les décors changent, les gens entrent et sortent,
voilà tout. Il n'y a jamais de commencements. Les
jours s'ajoutent aux jours, sans rime ni raison ;
c'est une addition interminable et monotone. »

Ce qui nous est donné dans cette première partie,
c'est de l'existence pure, enregistrée par le héros
dans une sorte de journal. Pourtant, dans un journal, on fait le point, on se définit, au moral, sinon
au physique. Meursault n'en fait rien. Nous igno-
rons tout de sa démarche et de son visage. Précisément, Meursault est sans visage. Aucune vie intérieure ne restitue au personnage son unité. Il semble
ne connaître que deux temps : l'imparfait pour la
description et le passé composé, temps de la discontinuité, de l'action achevée ; il n'utilise en général
ni coordination, ni liaison[1]. « J'ai eu de la peine

---

[1]. Cf. L'excellente étude de J.-P. Sartre dans *Situations III*.

à me lever... Pendant que je me rasais, je me suis demandé ce que j'allais faire et j'ai décidé de me baigner. J'ai pris le tram pour aller à l'établissement de bains du port. Là, j'ai plongé dans la passe — j'ai retrouvé dans l'eau Marie Cardona. » Les détails s'accumulent, sans le moindre relief, sans la moindre nuance d'antériorité ou de postériorité qui trahisse la conscience de la durée; de l'un à l'autre se forme comme un courant incolore et inodore qui charrie tous ces gestes à la fois identiquement ternes et hétéroclites. Les dialogues sont savamment [1] brisés, vidés de cette puissance de communication qui les définit par l'insertion d'isolants « J'ai dit, il a parlé, il a ajouté ». Le contact n'est jamais direct.

Avec le coup de feu, nous entrons en pleine aventure. Meursault est arrêté et condamné à mort. Les quatre premiers chapitres de la seconde partie ne sont plus faits de notations au jour le jour; ils constituent un récit commandé par la condamnation. Le passage du passé composé à l'imparfait, temps du récit, traduit exactement ce renversement. Sans doute le mouvement du livre demeure-t-il lent, — mais d'une lenteur calculée, de cette lenteur savante qui mène les tragédies à leur dénouement. Le lecteur accélère de lui-même, comme happé par la fin. Au pied de l'échafaud qui déjà se dresse, toute monotonie a disparu ; nous et notre héros savons désormais où nous allons : le juge, l'avocat, le procureur, qui ont le sens du discours et de la logique à revendre, nous l'ont appris.

Le soleil aussi nous l'eût dit, si nous l'en avions prié. C'est lui qui rythme l'ouvrage. Le soleil était haut dans le ciel, pesant comme un destin, le jour

---

1. Camus a longuement réfléchi à tous ces problèmes de forme, notamment de temps.

où Meursault enterra sa mère. C'est le même soleil
qui présidera au meurtre, la même brûlure sur le
front, le même étourdissement. Il reparaîtra plus
étouffant que jamais, implacable, le jour du jugement. Et qui sait... ! Cette lumière déchirante où
baigne tout le livre découpe en ombre chinoise chacune des démarches de Meursault : pour un peu,
le monde où il évolue nous paraîtrait désertique
et abstrait. Pourtant, les tamaris, les iris de roche
et la mer tantôt immobile et tantôt haletante « de
toute la respiration étouffée de ses petites vagues »,
sont les mêmes que *Noces* nous avait fait connaître.
Nous retrouvons « la campagne... gorgée de soleil »,
l'éclat insoutenable du ciel, et la douceur mélancolique des soirs algériens.

Meursault lui-même est-il si différent de ces jeunes
Algériens un instant aperçus dans « l'Eté à Alger » ?
Comme eux, il est tout entier au présent. « J'étais
toujours pris par ce qui allait arriver, par aujour-
d'hui ou par demain. » Seule compte, tout naturellement, la sensation immédiate et la satisfaction du
désir. « Mon camarade Vincent qui est tonnelier
et champion de brasse junior a une vue des choses
encore plus claire : il boit quand il a soif, s'il désire
une femme, cherche à coucher avec et l'épouserait
s'il l'aimait (ça n'est pas encore arrivé). Ensuite,
il dit toujours, ça va mieux [1]. » Meursault ressemble
à Vincent comme un frère. Quand il a sommeil,
il dort, que sa mère soit morte ou non. Sa liaison
avec Marie est d'une animale simplicité. Il ne voit
aucune raison de l'épouser : il n'en voit pas davantage de ne pas l'épouser. Que cette liaison ait commencé le lendemain de la mort de sa mère est un
pur hasard ; si Marie n'avait pas quitté le bureau,
c'eût été fait depuis longtemps. Marie elle-même

---

1. *Noces.*

est à peine plus compliquée. Sans doute la cravate
noire de Meursault provoque-t-elle un petit recul —
mais sans autre conséquence. Leurs jeux à tous
deux, dans le port ou sur la plage, ont la même
santé et la même indécence naïve que nous connaissions à leurs frères algérois.

Il n'est pas jusqu'au silence et à l'ennui que
Meursault ne partage avec Alger ; silences de la
veillée funèbre, silences de Marie, de Sintès (« je
n'aime pas parler pour ne rien dire »), silences de
la foule au tribunal, de l'ultime nuit du condamné.
Ces silences, nous les connaissions : à Belcourt déjà,
la mère se taisait ainsi. Et de même l'ennui des
dimanches : « J'ai pensé que c'était dimanche et
cela m'a ennuyé ; je n'aime pas le dimanche...
après le déjeuner je me suis ennuyé un peu et j'ai
erré dans l'appartement. » Dimanche, jour compassé,
artificiel et bourgeois.

Jour de l'âme aussi — et Meursault ne connaît
rien à l'âme ni à la morale. « Il n'y a rien ici pour
qui voudrait apprendre à s'éduquer ou devenir meilleur [1]. » Les gens, les choses lui plaisent ou non ;
un point c'est tout. Les livres, la religion ne tiennent
aucune place dans son existence. Engourdissement
ou détachement, Meursault est sans ambition spirituelle ou matérielle : son patron lui propose-t-il la
direction d'un bureau d'affaires à Paris, il ne fait
montre d'aucun enthousiasme. Sa morale se résume
en un code élémentaire : ne rien refuser quand on
n'a pas de « raison » de le faire. Meursault répond
à qui lui parle, rend service à qui le lui demande.
Quant à lui, il ne demande rien à personne ; l'initiative lui échappe. C'est « un copain », un « brave
homme » disent ses amis, et Sintès, le souteneur,
qui s'y connaît, constate tout simplement que c'est

---

1. *Noces.*

un homme. Mais le procureur, imperméable à cette innocence, ne manquera pas de lui en faire grief : « Il disait qu'à la vérité, je n'en avais point d'âme, et que rien d'humain et pas un des principes moraux qui guident le cœur des hommes ne m'était accessible. »

Meursault est une sorte d'homme naturel, fruste et primitif. Non pas le bon sauvage, paysan de rêve, que Rousseau nous a légué, mais l'homme du peuple, de Belcourt ou d'ailleurs. Il en a la simplicité et la frugalité : « Je ne vis plus que dans cette pièce entre les chaises de paille un peu creusées, l'armoire dont la glace est jaunie, la table de toilette et le lit de cuivre. » Vin et boudin lui composent un repas acceptable. Il a les divertissements de ses « quarante heures[1] » et de sa condition sociale. Ses passions aussi sont à la mesure de sa pauvreté et de ses loisirs. Ses mœurs et son langage témoignent d'un absolu mépris de la forme : l'usage constant du discours semi-indirect (« j'ai dit, il a répondu ») sont à mettre au compte d'un art réfléchi chez l'auteur et d'une totale indifférence à l'art chez le personnage.

En dehors de Marie et Sintès, il ne fréquente guère que des gens simples : le vieux Salamano qui, à la mort de sa femme « s'était senti très seul. Alors, il avait demandé un chien à un camarade d'atelier ». Et quand le chien disparaît, Salamano pleure silencieusement. Il y a Céleste aussi, le bistrot-restaurateur, et ses habitués. A la mort de sa mère, « ils avaient tous beaucoup de peine » et Céleste a dit : « on n'a qu'une mère. » Cette banalité et les quelques pas silencieux qu'ils ont faits avec lui, en disaient beaucoup plus long que bien des consolations funèbres.

---

1. En 1938, A. Camus songea un moment à écrire un roman ouvrier sur les quarante-heures.

Intelligent, mais rien moins qu'intellectuel, Meursault est un être rudimentaire, une conscience brute, libre de toute hiérarchie de valeurs. Le choix de Camus est significatif. Tandis que Sartre découvrait l'existence à travers Roquentin, personnage cosmopolite, cultivé et formé de longue date à l'introspection, Camus l'exprime au travers d'une condition nue et quasiment prolétarienne : « Ce pays, je ne l'aime jamais plus qu'au milieu de ses hommes les plus pauvres [1]. » Ceux-là sont sans artifices, sans masques, tout proches de la matière, mais nullement ses esclaves, et capables de dénuement. Pour terre-à-terre qu'elle soit, leur manière d'être n'en est pas moins pure.

Ces humbles, proies faciles de la mécanique sociale, se défient instinctivement de ses représentants. « J'ai toujours vu autour de moi les visages s'apitoyer sur le passage d'un homme encadré d'un agent. » Devant le gigantesque appareil social dont ils saisissent mal le fonctionnement, ils se découvrent maladroits. Ces personnages fonctionnarisés, — je veux dire prisonniers de leur fonction et de leur dignité sociale — qu'ils rencontrent, ne laissent pas de les inquiéter. Partout ils flairent la contrainte et la mécanisation. « J'ai reçu un télégramme de l'asile — « Mère décédée — enterrement demain — sentiments distingués. » Cela ne veut rien dire. » Le formalisme télégraphique l'étonne au même titre que la mécanique de l'enterrement. « Tout est allé très vite. » L'ordonnateur fixe à chacun sa place et le cortège, avec ses quatre personnes, s'ébranle. L'accélération constante du corbillard, la chaleur étouffante enlèvent à la cérémonie toute signification humaine, — le directeur n'en reste pas moins digne — mais le vieux Pérez, le seul pour qui elle

---

1. *Noces.*

ait sans doute un sens, se débat comme un pantin, coupant au plus court pour rejoindre le cortège, le perdant de nouveau et ainsi de suite jusqu'à l'évanouissement final. Ultime et pathétique hommage que la mécanique funèbre ridiculise impitoyablement[1].

Le procès dénonce avec plus de rigueur encore les artifices de la vie sociale. Quand Meursault pénètre dans la salle des séances, il se heurte au public : pas un visage connu, et il éprouve la bizarre impression « d'être de trop, un peu comme un intrus ». Pourquoi cette foule ? Les journaux ont grossi son affaire : « L'été c'est la saison creuse... et il n'y avait que votre affaire et celle du parricide qui vaillent quelque chose. » Meursault découvre avec malaise qu'il n'est qu'un objet : un thème à sensations pour envoyés spéciaux, indifférents et narquois, une tête à trancher pour le procureur (cf. l'acte I de *la Tête des Autres*), un cas pour le juge d'instruction et une « sale affaire » pour son avocat. De lui-même, de Meursault le petit employé algérois, avec ses amours grossières, son ennui, il ne reste plus rien. Tel le Huron de Voltaire ou les Persans de Montesquieu, il voit entrer non sans curiosité « un grand homme mince vêtu de rouge, trois juges, deux en noir, le troisième en rouge » ; il assiste sans très bien en saisir l'intérêt au tirage au sort, à l'appel des témoins, à un nouvel interrogatoire d'identité ; dès lors, et bien que sa tête seule soit en jeu, tout se passe en dehors de lui : son avocat le dessaisit de toute initiative, allant jusqu'à parler en son nom, à la première personne. Les témoins ne déforment en rien la vérité, et pourtant, lui, Meursault ne saurait se reconnaître dans les

---

1. Cf. dans le genre burlesque et surréaliste, le court-métrage de René Clair : *Entr'acte*.

dépositions interprétantes dont le procureur se ser-
vira pour lui fabriquer une existence logique, une
personnalité cohérente tout entière vouée au crime.
Ce meurtre que Meursault avait vécu comme un
hasard, le procureur y voit un aboutissement, une
révélation. Peu à peu, par l'effet d'une sorte de
responsabilité objective et extensive, chère à tous
les chasseurs de sorcières, Meursault se voit moins
jugé pour son geste criminel que pour son indifférence monstrueuse « aux règles les plus essen-
tielles » de la société. Son acte éclaire toute son
attitude passée, et la cigarette fumée dans l'innocence devant le cercueil de sa mère, les pleurs qu'il
n'a pas versés, les quelques instants de somnolence
auxquels il a succombé, sont autant de crimes im-
pardonnables. De tout temps Meursault était criminel ; le coup de feu a seulement révélé une vocation profonde. Et le couperet auquel il est promis,
s'abattra de toute sa perfection mécanique, non pas
sur un meurtrier mais sur un asocial, sur un primitif dont le plus grand péché est précisément de
ne pas croire au péché.

Le procureur reprend à son compte la logique
terroriste dont Caligula s'était fait le héraut passionné. A ce stade, *l'Etranger* peut bien apparaître
comme une sorte de conte voltairien, dénonçant
l'arbitraire de la mécanique judiciaire — ou l'un
des premiers témoins de ces œuvres littéraires ou
cinématographiques, aujourd'hui nombreuses, qui
s'interrogent sur la place démesurée prise dans notre
univers par le rite sacrificateur du procès. Il s'en
prend à la prétention de juger, et rejoint ici Pirandello. Devant les petits vieux de l'hospice rangés
en demi-cercle durant la veillée funèbre, Meursault
déjà se sent accusé — de quoi ? il n'en sait rien.
« De toute façon, on est toujours un peu fautif. »
Il sait seulement qu'on le juge ; que son patron,

que le concierge, le directeur de l'hospice le jugent ;
que les voyageurs de l'autobus guettent ses ridi-
cules.

« Le matérialisme le plus répugnant n'est pas
celui qu'on croit mais bien celui qui veut nous faire
passer des idées mortes pour des réalités vivantes [1]. »
Tous les adversaires de Meursault s'acharnent à éluder la vie. C'est le patron qui attend le surlende-
main du deuil pour trouver un mot de sympathie.
« Pour le moment, c'est un peu comme si maman
n'était pas morte. Après l'enterrement, au contraire,
ce sera une affaire classée et tout aura revêtu une
allure plus officielle. » Pour lui, comme pour les
autres, la douleur commence avec la cravate noire,
les larmes et tout ce qu'on attend ordinairement de
l'orphelin. Marie elle-même, voudrait voir leur liaison consacrée par un mot « elle m'a demandé si
je l'aimais ; je lui ai répondu que cela ne voulait
rien dire mais qu'il me semblait que non » — par
un lien officiel et visible : « elle m'a demandé si
je voulais me marier avec elle — j'ai dit que cela
m'était égal... » Mais Marie est simple et son affec-
tion n'en est pas changée pour autant. Le juge
d'instruction, qui est plus compliqué, ne se satisfait pas d'apprendre que Meursault aimait sa mère
« comme tout le monde ». Ce « patricien » en robe
rouge attendait du lyrisme, de grandes protestations
d'amour filial ; il se heurte à un esprit elliptique.
Il attendait du remords, il ne rencontre qu'un vague
regret, de l' « ennui ». Le crucifix au poing, il se
lance dans une tirade emphatique sur la nécessité
du repentir. Il joue la comédie de l'émotion pour
en obtenir l'aveu. Si Meursault ne s'émeut pas, c'est
tout un monde qui s'écroule. « Voulez-vous que ma
vie n'ait pas de sens ? A mon avis cela ne me regar-

---

[1]. *Noces*

dait pas et je le lui ai dit. » L'univers du juge, celui du procureur, celui du prêtre même — pourtant si profondément ému par ailleurs — reposent sur un réseau de conventions, d'attitudes préfabriquées et d'idées reçues qui leur assurent un confort matériel, intellectuel et moral. Ne pas s'y conformer, c'est trahir — l'avocat le sent bien, qui plaide l'égarement ; la société, mieux encore, qui tue par légitime défense.

Qu'on ne croie pas pourtant qu'il s'agisse seulement ici d'un publicain livré à quelques pharisiens. Il y a bien des degrés dans le pharisaïsme — mais en définitive nul n'y échappe ; nous avons tous besoin de mythes : l'excitation vertueuse du juge d'instruction n'est qu'une forme raffinée du conformisme et du divertissement. Par sa passivité même, Meursault apparaît comme un iconoclaste, un trouble-fête. A la manie de juger qui trahit la peur et le besoin de justification, il oppose implicitement l'évangélique « tu ne jugeras point » : car « tout est vrai et rien n'est vrai », comme le constate l'avocat. Aux artifices verbaux, aux formules toutes faites, il répond par un silence et une absolue sincérité [1], dont l'efficacité pédagogique vaut bien les fureurs de Caligula.

Sa pureté échappe totalement aux catégories traditionnelles de la morale — Meursault est un homme de verre. Sa conscience enregistre objectivement les faits, comme une feuille vierge ; elle les restitue de même, sans plus leur faire de toilette. Tantôt le « je » et le « moi » sont radicalement coupés l'un de l'autre, et le « je » constate de manière imper-

---

1. « On aura cependant une idée plus exacte des intentions de son auteur, si l'on se demande en quoi Meursault ne joue pas le jeu. La réponse est simple, il refuse de mentir. » Préface à l'édition scolaire américaine.

sonnelle ce que le « moi » a vécu ; tantôt ils ne
font qu'un, et toute réaction intime est automati-
quement reproduite pour l'usage externe. Plus que
lucide, Meursault se révèle translucide. Les hommes
semblent danser pour lui sans qu'il entende jamais
leur musique et sans qu'il lui soit possible d'entrer
dans la danse. Il ne le peut pas plus que la fille
de Jaïre, ressuscitée, ne saurait passer pour vivante,
pas plus que l'Idiot de Dostoïevski, maintes fois
évoqué à son propos, ne saurait passer pour normal
ou Baudelaire pour un bourgeois sérieux. Et c'est
précisément la tragédie de *l'Etranger*, que s'éver-
tuant à échapper à l'empire glacé des mots et des
clichés, il finisse par être grossièrement étiqueté :
« monstre », ou, comme le dit le juge, « Anté-
christ ».

Car Meursault dépasse infiniment le rôle de victime innocente où se résume la personnalité d'un
Johann Moritz [1] et de tant d'autres « symboles de
ce monde désespérant où des automates malheureux vivent la plus machinale des expériences [2] ».
Il est, au plein sens du mot, l'innocent. Meursault
adhère absolument à l'univers où il respire. A la
différence du fou ou de l'illuminé, il ne provoque
aucun scandale et jamais il ne se donne en spectacle : le comble de la perfidie — ou de l'innocence,
est d'avoir jusqu'ici vécu sans que quiconque se fût
douté de rien. Le coup de feu seul a dessillé les
yeux.

De cette innocence équivoque, Meursault, par la
grâce de l'emprisonnement, s'est fait un destin
exemplaire. Dès la lecture du verdict, la foule l'a
compris. Elle a eu pour lui une soudaine considération. Il est redevenu quelqu'un, « ce qu'il y a

---

1. *La Vingt-cinquième heure*, de Gheorghiu.
2. *L'Homme révolté.*

de plus humain dans une salle d'audience [1] »; davantage même, un symbole. Ce personnage très ordinaire, pauvre parmi les pauvres, est venu, malgré lui, pour nous révéler notre misère en prenant conscience de la sienne. Sa vie médiocre nous le rappelle : « misérables vers de terre », nous ne savons que ramper ; la solitude est notre lot et nous sommes coupés les uns des autres par la double barrière de nos habitudes et de notre langage, comme Marie et Meursault par les grilles du parloir ; chacun demeure étranger à lui-même, étonné du son de sa propre voix, impuissant devant sa propre image : « J'ai souri et elle a gardé le même air triste. »

Emprisonné, condamné à l'ascèse et au dénuement, Meursault, comme Oscar Wilde à Reading, échappe à son individualité ; son journal de condamné à mort n'est au fond que l'illustration des remarques de Pascal sur l'homme en prison — le journal de tous les condamnés à mort que nous sommes. La seconde partie du livre tout entière est à double sens : s'insurgeant contre la mécanique des condamnations capitales et l'impitoyable précision de l'échafaud, qui constituent son destin personnel et immédiat, il s'en prend en définitive au destin même de l'humanité souffrante.

L'expérience de la prison bouleverse les notions de Meursault. La discontinuité des instants s'estompe. Les jours débordent les uns sur les autres. Le souvenir fait irruption dans une conscience jusque-là livrée au présent : « J'ai fini par ne plus m'ennuyer du tout à partir du moment où j'ai appris à me souvenir. » Son indifférence prend un tout autre sens. Meursault va mourir et rien de ce qui justifie l'agitation humaine n'a désormais de

---

1. ROGER GRENIER : l'Accusé.

valeur à ses yeux. Il a pour les hommes le regard
de La Bruyère devant les chats qui joueraient à la
guerre ; celui de Pascal « considérant les diverses
agitations des hommes et les peines où ils s'ex-
posent » ; celui des moines de Fiésole penchés sur
Florence.

Une seule chose échappe à son indifférence : la
mort. « Comment n'avais-je pas vu que rien n'est
plus important qu'une exécution capitale et que
dans un sens c'était même la seule chose vraiment
intéressante pour un homme. » Son attention jadis
si volontiers dispersée, il la concentre sur cet unique
objet, cette impasse. A l'enterrement de sa mère,
l'infirmière lui avait dit : « Si on va doucement on
risque d'attraper une insolation. Mais si on va vite,
on est en transpiration et dans l'église, on attrape
un chaud et froid. » C'était déjà une image gros-
sière de l'existence. Charybde et Scylla : chaud ou
froid ; chaud et froid. De toute façon, on n'en sort
pas, on ne se rejoint jamais — il n'y a pas d'issue.

Si seulement on pouvait espérer un miracle. Si
« le hasard et la chance, une fois seulement avaient
changé quelque chose ! Une fois ! » Meursault bute
sur cette « certitude insolente », mathématique —
et découvre l'absurde. Du même coup, il découvre
la joie : « Ce bond terrible que je sentais en moi à
la pensée de vingt ans de vie à venir. »

Vingt ans de vie terrestre... qu'importe en effet
une autre vie : tout au plus pourrait-il s'y souvenir
de celle-ci.

D'ailleurs, souhaiter une autre vie, « cela n'avait
pas plus d'importance que de souhaiter d'être riche,
de nager très vite ou d'avoir une bouche mieux
faite ». La vie menacée, la vie qui fuit de toute
part, le ciel, la terre retiennent seuls son attention.
Il les chérit avec angoisse, comme une mère ferait
de son enfant condamné ; il n'en veut rien perdre ;

toute consolation est pour lui vide de sens. Son attitude trahit le ressentiment, la rancune. Contre qui ? contre cette condition pénitentiaire où il faut payer sans comprendre.

Peur, protestation pathétique, apaisement et acceptation mélancolique enfin : on n'a sans doute pas assez remarqué combien le dernier chapitre reproduisait, tout comme la dernière scène de *Caligula*, le mouvement du « Christ aux Oliviers ». Certes, la révolte est véhémente ; elle crève sur l'aumônier comme un orage ; elle se déverse en imprécations qui marquent la limite du désespoir. Mais leur sincérité est telle qu'elles arrachent des larmes à l'aumônier impuissant et bouleversé — les mêmes larmes que le père Paneloux versera sur l'enfant mort entre ses bras. Alors vient la paix — non pas la paix divine — mais la paix du monde, tendre dans son indifférence et fraternel dans sa pérennité. Une certaine continuité du désespoir a engendré un bonheur qu'avait connu Œdipe : « J'ai senti que j'avais été heureux et que je l'étais encore. » Au seuil de l'exécution, une dernière pensée le ramène à sa mère, qu'on l'avait accusé de ne pas aimer — et aux hommes, parmi lesquels il souhaite mourir, debout comme Caligula, pour leur édification : « le seul Christ que nous méritions », a dit depuis Camus.

★

Que Meursault incarne par certains côtés cette tentation d'un néant actif et de l'impersonnalité, qui constitue, parmi d'autres, un des traits permanents de l'œuvre de Camus, rien de moins contestable. Pourtant, ici, l'impersonnalité est une conquête. Pour ne parler que du style, sa nudité est un effet d'art. Depuis *l'Envers et l'Endroit*, d'une pauvreté de langage spontanée, nous avons connu

Noces et sa luxuriance passionnelle. Le style de Camus s'est dépouillé au plein sens du mot. Et le néant qui auréole Meursault procède, non pas d'un abandon, comme le voudrait une certaine critique moralisante, mais d'un choix.

Meursault est un pauvre — et cela suffirait à dérouter de purs intellectuels — mais un pauvre mutilé de parti-pris ; un protoplasme de pauvre, un négatif. Il reprend pour son compte, de l'innocence à la conscience, l'itinéraire de la Jeune Parque ; mais, au contact de cette indécente nudité d' « écorché », un malaise gagne le lecteur et réveille en lui ce qui sommeille d'orgueil de vivre. « M. Sartre, écrivait Camus, convertit au néant, *mais aussi* à la lucidité [1]. » *L'Etranger* convertit au néant pour mieux atteindre à la lucidité, sinon à quelque vérité [2].

Tout comme il avait fait sortir de l'aridité de Djemila les plus hautes leçons de clairvoyance, Camus a fait témoigner l'existence morne et stérile de Meursault dans le procès, repris des romantiques, qu'il intente au Destin. Témoignage polyvalent et ambigu où les silences de la victime sont autant d'accusations, où l'humiliation touche à la grandeur, où l'étrangeté du héros rejoint en fin de compte notre humanité pour l'assumer tout entière dans la révolte et dans le consentement. Avant même que ne paraisse *le Mythe de Sisyphe*, laconiquement, sans élever la voix, Camus s'est déjà répondu : il est possible de vivre sans appel ; il suffit d'un peu d'amour et de beaucoup de clairvoyance.

---

1. Analyse du *Mur* dans *Alger-Républicain*, 12-3-1939.
2. « Il s'agit d'une vérité encore négative, la vérité d'être et de sentir, mais sans laquelle nulle conquête sur soi et sur le monde, ne sera jamais possible. » Préface à l'édition scolaire américaine.

V

SISYPHE ET LE MYTHE DU SALUT

Il n'est sans doute pas indifférent que *l'Etranger* ait précédé d'un an *le Mythe de Sisyphe* : l'essai succède au roman comme le commentaire à la donnée immédiate de la conscience. Il développe et dessèche en définitive les découvertes globales et confusément vivantes du héros. Cette antériorité de l'œuvre littéraire sur l'essai témoigne de la primauté de l'image et du mot sur l'idée.

Camus lui-même a pu s'y tromper un moment : « Un roman, écrivait-il, n'est jamais qu'une philosophie mise en image[1]. » Mais il n'a pas tardé à revenir à une plus juste conception de son art : il se veut romancier plutôt que philosophe, dans la mesure où le roman repousse l'abstraction et les raisonnements pour ne s'attacher qu'à la représentation du monde et vibrer tout entier du frottement continu de la pensée et des choses. Ne s'est-il pas « convaincu de l'inutilité de tout principe d'explication et... du message enseignant de l'apparence sensible[2] » ?

---

1. *Alger-Républicain*, 20-10-1938.
2. *Mythe de Sisyphe*.

A quoi bon, dans ces conditions, *le Mythe de
Sisyphe* ? L'objet en est double : faire le point et
rompre une solitude. L'œuvre d'art appelle, en
général, l'admiration plutôt que le dialogue et la
confiance. Elle s'impose au lecteur de tout son prestige esthétique mais n'entraîne pas nécessairement
son adhésion à une commune vision des choses.
Par contre, l'essai sollicite un accord, ou sinon,
un échange de vues. C'est dans cet esprit que Camus
s'est toujours abstenu de défendre ses œuvres littéraires mais a soutenu très volontiers la polémique
ouverte sur ses essais.

D'une autre part, si l'œuvre d'art libère l'artiste
de quelques-unes de ses hantises, elle n'apporte
aucune satisfaction au besoin de cohérence et
d'unité, si vivace chez Camus. Comment concilier
en effet ces divers témoignages que sont *Caligula*,
l'Etranger, l'enquête sur la Kabylie [1], et cette préface
à *Rivages* qui exalte « mer, soleil et femmes dans
la lumière » ? Comment accorder cette odeur de
néant que dégage Meursault et le refus du nihilisme
qui pointe au moment même où la guerre pourrit
toutes les espérances ? Comment enfin venir à bout
de ce décalage de la pensée aux actes qui trouble
une honnêteté sensible à toutes les formes de la
mauvaise foi ?

Le Mythe de Sisyphe traduit donc un effort d'organisation et de définition rendu nécessaire par
l'inévitable dispersion de toute activité littéraire ou
humaine. Celle-ci magnifie la force, l'amour, la
mort et lance ici ou là des pointes avancées dont
les effets sont parfois contradictoires ; celui-là
occupe le terrain, le déblaie avec logique et le fortifie pour de nouveaux départs. Pratiquement,
Camus prend d'abord position et se justifie ensuite.

---

1. *Alger-Républicain*, 4 juin 1939 et jours suivants.

La pensée de Camus s'est très tôt développée sous le double signe de la mesure hellénique et de la démesure chrétienne [1]. De la fréquentation d'Epicure et de Lucrèce, de Marc-Aurèle et d'Epictète, Camus retenait l'image d'un monde sans rédemption ni péché où l'orgueil de vivre s'alliât à l'esprit de compréhension. Né « sous un ciel heureux, dans une nature avec laquelle on se sent un accord, non une hostilité », il avait naturellement « le cœur grec ».

Epicuriens et stoïciens n'ignoraient rien pourtant de la mort et de la souffrance. Et la Grèce de l'ombre, celle d'Héraclite ou d'Empédocle, conférait aux mystères de la connaissance et de la vie une insondable profondeur. Mais avec Job, l'Ecclesiaste, Saint Augustin et Pascal, l'inquiétude grandit et les fondements de l'existence sont attaqués à la racine. Le désir d'éternité ronge les cœurs et la chair blessée frissonne. Le christianisme exaspère l'orgueil de vivre pour mieux l'humilier en ce monde ; il accorde droit de cité à l'irrationnel comme au scandale et creuse le fossé qui sépare l'infini de nos désirs de la relativité des choses d'ici-bas.

« Grec par besoin de cohérence, chrétien par les inquiétudes de sa sensibilité [2] », Camus s'est vainement efforcé de concilier le goût de l'équilibre et du bonheur d'une part, la tentation de l'absolu et du chevaleresque de l'autre. « Dieu est mort », mais il a laissé dans les cœurs une empreinte ineffaçable. Coupé de son ascendance divine, le Christ devient

---

1. En 1935, il consacre à Plotin et Saint Augustin son diplôme d'Etudes Supérieures. En 1939 et 1940, il revient à l'étude de la pensée grecque.

2. C'est à Saint Augustin que Camus appliquait cette formule significative.

pour Camus ce qu'il fut pour Vigny, la plus haute
incarnation de la solitude et de la grandeur humaine
dans le désert des cieux.

Voici venir le règne tragique de l'homme dans
l'histoire : pendant ce temps, l'humanisme se
dégrade dans un optimisme illusoire et facile, l'esprit démocratique pourrit derrière le formalisme
pharisien des discours dominicaux et la science succombe au fétichisme qu'entretiennent concurremment les naïfs et les technocrates. Au contact de
Spengler, de Sorel et de Malraux, Camus a fortifié
cette conviction que notre époque n'en est qu'à
l'aube de ses déchirements.

Au lendemain de la capitulation de 1940, les plus
hautes autorités civiles et religieuses ont amorcé
une critique du siècle qui pouvait faire illusion par
la similitude apparente de ses thèmes. En fait,
Camus a moins de goût encore pour l'eschatologie
chrétienne et pour l'ordre moral que pour l'optimisme humaniste. *Le Mythe de Sisyphe* est un défi
aux exploiteurs de la misère nationale ; contre tant
de faux ascètes, au milieu de tant de ruines, il fait
retentir l'appel désespéré d'un bonheur qu'on
égorge. Les raisons de vivre, il les demande à la
terre seule. L'Europe se meurt, non pas d'avoir
trop aimé la vie, mais de l'avoir mal aimée. Contre
les tièdes, *le Mythe de Sisyphe* revendique le droit
à la véhémence, contre les nostalgiques le droit à
la solidarité, contre les pudibonds le droit au
cynisme, contre les totalitaires enfin le droit à l'indifférence ou simplement à la modestie. Car tous
ceux-là qui nient l'absurde, qui l'édulcorent ou qui
l'habillent sont en définitive ses meilleurs fourriers.

★

Des années durant, les manifestations de l'absurde

avaient pu apparaître sporadiques et partielles :
c'étaient les horizons bornés de Belcourt, la lassitude silencieuse des travailleurs, les frontières de
la pauvreté, les deuils — bref tout ce qui ne répondait pas, ou ne répondait plus. La maladie devait
boucher les dernières issues et la guerre rompre
les derniers dialogues. Toutefois, de l'expérience
sensible à la conscience claire, l'absurde change de
caractère : de plaie ouverte à notre flanc, d'élément subjectif de notre existence, il s'élargit en
une relation objective de l'homme à sa propre vie
ou au monde qui l'entoure. L'homme pascalien était
à la fois objet du monde qui le comprenait physiquement et sujet du monde qu'il était seul à con-
cevoir intellectuellement : l'homme, selon Camus,
subit l'absurde dans le même temps qu'il le cons
tate et le combat.

C'est pourquoi les premières lignes du *Mythe de
Sisyphe* en précisent l'ambition et les limites : « Il
y a du provisoire dans mon commentaire... L'absurde est ici considéré comme un point de
départ[1]. » Attitude modeste, dont l'auteur, au seuil
de *l'Homme révolté*, saisira mieux l'exacte signification. L'ouvrage, qui combine la passion douloureuse, la froide analyse et l'esprit de lutte, représente une sorte de critique de l'existence, préalable
à toute définition vivante et féconde de cette existence ; il la débarrasse d'un certain nombre de
mythes qui l'encombrent et la falsifient.

Pour l'heure, il s'agit de la « description à l'état
pur d'un mal de l'esprit ». Plus prudent que Chateaubriand, contraint un jour à renier les délecta-
tions moroses de *René*, A. Camus nous précise que

---

1. Dans *Alger-Républicain* du 12-3-1939, Camus écrivait déjà : « constater l'absurdité de la vie ne peut être
une fin mais seulement un commencement ».

sa description est en quelque sorte clinique et suppose la volonté de guérir. Précision d'autant plus
nécessaire que les premières observations semblent
confirmer le caractère définitif et, pour tout dire,
inguérissable du mal. Mais il convient de s'entendre : si l'on ne peut guérir d'être homme, si
les données de l'absurde sont incontestables, du
moins doit-on échapper aux multiples tentations de
la peur et du désespoir.

Tout ceci fait à la fois la richesse du livre et sa
difficulté. Il est tentant d'y découvrir une confidence
et, en un sens, rien n'est plus vrai : le mal de
l'absurde, Camus ne le décrit aussi bien que parce
qu'il l'a profondément éprouvé. Peut-être même,
comme il est naturel, a-t-il attaché à certains états
de sa pensée d'alors une importance qu'il leur con-
testerait aujourd'hui. Sa tentative n'en reste pas
moins un effort pour décoller de ce mal, se retourner sur lui et lui emprunter un style de vie et
d'écriture.

★

« Les dernières pages d'un livre sont déjà dans
les premières [1]. » L'exposé des motifs, dans sa
réserve, confesse non pas une certitude conquise à
force de raisonnement, mais « le sentiment que
toute vraie connaissance est impossible ». Ainsi se
trouve affirmée, dans une première expérience intui-
tive, moins une certaine relativité historique de la
pensée, que son impuissance fondamentale à connaître. Mais, une fois établies les limites de la connaissance, la réflexion se développe, sous le prétexte
valable de description, en un exercice de purification et de délivrance : dans quelle mesure l'auteur

---

1. *L'Homme révolté.*

et son livre, comme il advint à Montaigne, ne se transforment-ils pas l'un par l'autre, puisque aussi bien l'observation du mal est une manière de s'en délivrer partiellement, sans que pourtant soit jamais définitivement rompu le lien qui unit l'homme à son rocher ?

A. Camus n'a rien à démontrer. Dans ce livre d'allure philosophique, rigoureux et apparemment détaché, il entreprend une critique de la philosophie au nom même de l'existence[1]. Il part d'un sentiment, d'une réaction élémentaire, la plus simple et la plus couramment exprimée : la nausée du voyageur perdu dans une ville totalement étrangère, la fatigue, le dégoût de l'existence tels que les ressentent la ménagère lasse de frotter jour après jour les mêmes meubles, l'ouvrier fatigué de répéter indéfiniment le même geste devant le même établi, la mère impuissante à sauver son enfant. « Que faisons-nous en ce monde ? » non pas ce que nous sommes, en essence, d'où nous venons ; non pas un problème de destinée ou de réalité, mais d'existence et de signification : « au fond, on se demande pourquoi on vit »..., c'est-à-dire, pourquoi l'on ne se suicide pas, malgré tout, ou à cause de tout. « Il n'y a qu'un problème sérieux, c'est le suicide. »

Camus se refuse à poser de pures questions métaphysiques. D'abord, parce qu'il les croit insolubles ; parce qu'elles relèvent du jeu, aussi, du moins tant qu'elles ne menacent pas l'existence. D'où son mépris pour certains philosophes ou poètes, chantres du suicide ou du meurtre, mais trop distingués pour passer aux actes. A quoi bon traiter du destin,

---

1. Une thèse de doctorat sur « la Pensée existentielle d'A. Camus » a été soutenue en Faculté de Grenoble par N. Nicolas (Mai 1955).

si notre existence n'en est pas modifiée : la foi, soit, mais non pas sans les œuvres (et ceci s'adresse à tant de fidèles de toute obédience). Les hommes se jugent sur les actes, parce que les actes nous sont seuls connus de manière certaine ; des intentions, que savons-nous ? L'Etranger l'apprit à ses dépens, écartelé entre ses actes et les intentions qu'on lui prêtait ; ce n'est pas qu'on l'avait mal jugé ; simplement, on l'avait jugé ; or, toute vraie connaissance est impossible, de l'homme comme de l'univers.

S'il se garde des problèmes métaphysiques, Camus ne s'intéresse pas davantage à ceux que d'autres ont posés et résolus, prétendûment. On lui a reproché de ne pas toujours comprendre à fond les livres qu'il utilise. Cela se peut ; mais qu'importe. Il ne se pose ni en commentateur ni en exégète. Il emprunte moins des idées que des attitudes, significatives d'une manière d'être. Il ne tient guère pour valable que l'expérience vécue (il est des expériences physiques, morales ou spirituelles), et non l'expérience livresque : « Les lignes douces de ces collines et la main du soir sur ce cœur agité m'en apprennent bien plus. » Son livre s'ouvre à Djémila et Florence plus qu'à Husserl ou Kierkegaard. Il entend n'avoir d'autre maître que la nature, certain d'en retirer de pures leçons. Pardessus tout, c'est le cri de la chair et des sens qu'il écoute, toujours recommencé et chaque fois unique.

Longtemps on a vécu sans l'entendre, par une sorte de vitesse acquise : « Nous prenons l'habitude de vivre avant d'acquérir celle de penser. » Ainsi vivait Meursault avant de se heurter aux grilles de la prison, ainsi vivait Marie de tout son corps bruni. Somnambules, de ce sommeil nécessaire à la vie, qui estompe les pires souffrances, secrète d'impossibles espoirs, berce nos oublis et nos renoncements.

Un jour surgit la lumière déchirante de la conscience : « Commencer à penser, c'est commencer à être miné. » Valéry a tiré de cette douloureuse naissance quelques-uns des vers inoubliables de *la Jeune Parque*. La pensée divise, détruit ; ou plutôt, penser, c'est devenir sensible aux forces contradictoires de l'univers qui nous comprend — et, pour cela, il n'est nul besoin de livres.

En ce sens, *Noces* marquait l'adieu au « sommeil nécessaire à la vie », le passage de la vie du corps à celle de l'esprit, du végétal à l'humain : le corps a perdu « son avance » en découvrant la mort. L'esprit, qui, nous le savions, est toute autre chose que l'intelligence raisonneuse, naît de cette rencontre ; la mort en est le sûr ferment et le christianisme médiéval l'avait bien compris. Dès lors, chacun porte en lui son paradis perdu, celui de l'innocence et des amours enfantines, que l'imagination collective incarne dans l'Eve et l'Adam d'avant la chute, dans l'homme naturel selon Rousseau, et peut-être aussi dans l'homme grec cher aux humanistes. Mais une fois l'esprit éveillé — cet esprit qui, pour être exact, est moins une mécanique que le grain de sable glissé dans la mécanique de l'instinct — les témoignages de l'absurde se multiplient et la « passion » commence.

C'est d'abord la découverte fondamentale du temps. « Demain, il souhaitait demain, quand tout lui-même devrait s'y refuser — cette révolte de la chair, c'est l'absurde » ; le même élan qui nous porte à désirer de nouvelles moissons et de nouveaux soleils nous entraîne à la mort, et nos vœux s'empoisonnent d'eux-mêmes. Nul mieux que Bossuet n'a évoqué cette marche au supplice, ardente et angoissée.

Prisonnier du désir d'éternité, l'homme l'est tout aussi bien du désir d'unité. En vain se maquillet-il, il n'en est pas moins changeant, multiple, insaisissable. Portraits et photographies portent condamnation du visage qu'ils éternisent. C'est pourquoi Caligula s'acharne à briser les glaces qui lui renvoient sa pauvre et fuyante image d'homme. Durant le bref temps de notre existence, il nous est refusé de persévérer dans l'être.

Du moins l'homme répond-il à l'homme, à ce désir de solidarité qui le hante ? Pas davantage, ou plutôt, assez mal. A l'esclavage, succède le servage ; au servage, le prolétariat ; et d'autres formes de servitude se substituent au prolétariat ou coexistent avec lui, dont *l'Homme révolté* nous contera l'étrange naissance : que, parti d'un désir de liberté et d'unité, on en vienne logiquement aux camps de travail et aux épurations périodiques, voilà qui témoigne encore de l'absurde ou, si l'on veut, de la Peste.

Communier avec le monde ? Impossible désormais. Jusque dans l'exaltation quasi mystique de Tipasa, subsistait une faille. On ne coïncide jamais totalement avec un monde opaque et primitif dans son hostilité. En vain pèle-t-on un oignon, jamais le cœur n'en est atteint : une peau après l'autre, et les choses gardent leur mystère.

Certes, l'homme a domestiqué la nature ; le minerai, arraché au sol, devient métal, puis machine. Mais quelle image de l'homme nous renvoie la machine ? Qui sert l'autre ? Simone Weil métallurgiste ne partageait pas sur ce point l'optimisme du technicien. Dans son désir de possession des choses, l'homme, comme le craignait Rousseau, s'est soumis à l'argent, ce fétiche ; et quand même il ne servirait plus la machine, il lui faudrait encore trembler devant elle. La science a ses limites au delà desquelles l'homme même se trouve en question.

Ainsi, de point en point, de conquête en défaite,

nous nous heurtons à l'absurde, jusque dans cette
raison qui fait notre orgueil : « Ce qui est absurde,
c'est la confrontation de cet irrationnel et de ce désir
éperdu de clarté dont l'appel résonne au plus profond
de l'homme. » Face au ciel étoilé, Pascal s'était
porté déjà aux deux infinis d'un « univers sans
mesure » où rebondit follement une « raison
aveugle » ; il assignait à celle-ci « son ordre dans
lequel elle est efficace ; (c'est) justement celui de
l'expérience humaine », qu'elle soit scientifique ou
quotidienne et pratique. Qui veut aller plus avant,
entre dans le grand jeu des cercles vicieux et des
faux problèmes, ou atteint acrobatiquement les sommets de la démesure, celle d'un Hégel par exemple
et de ses rejetons totalitaires ; et l'on étouffe un
souffle de vie qu'on prétendait amplifier ou purifier.

Rien de bien nouveau jusqu'ici ; rien qui n'ait
été dit encore d'Epicure à Montaigne et de Pascal
à Vigny. L'absurde, c'est pour l'homme la preuve
qu'il est du monde et qu'il n'en est pas tout à la
fois, le sentiment de son altérité, avec ce que cela
comporte d'amour et de haine ; ou plus exactement, de haine à cause d'un amour sans écho.
Ainsi Caligula, par excès d'amour, en vient au
mépris, à la folie, au meurtre ; ainsi encore, selon
Sartre, le prolétariat, jeté dans les faubourgs d'une
cité qui l'utilise et le repousse tout à la fois, déteste-
t-il ceux qui l'obsèdent. L'absurde naît donc du
désir de trouver un sens au monde et de lui donner
forme. A la limite, il réside dans l'absolu d'une
exigence qui se brise sur la réalité chaotique de
l'univers ; la solution pourrait alors consister à ne
point trop aimer pour ne point trop haïr.

De là, la situation tragique — autrement dit sans
issue réelle — de l'homme dans le monde, déchiré
entre une lucidité qui lui présente des réalités inac-
ceptables et l'indéfini de ses désirs (la lucidité n'est, à

tout prendre, que l'envers de ce désir insatisfait),
« entre son appel vers l'unité et la vision claire qu'il
peut avoir des murs qui l'enserrent ». A ce point,
l'essence de l'homme est la passion, la croix, ou plus
exactement le rocher auquel adhère Prométhée,
l'arbre des tentations où succombait Tantale et
l'inlassable couple que composent Sisyphe et son
rocher. Passion interminable où la colère répond
à la résignation, et le refus au consentement.

Car la victime ne souffre pas sans se débattre.
Elle proteste, clame son innocence. Déjà, le désir
se charge de révolte. La révolte maintient haut cette
exigence d'unité, cette soif d'absolu qui fait les
chercheurs, les artistes, les conquérants et les insa-
tisfaits (et qui ne l'est quelquefois ?). Mais comment oublierait-elle le silence où meurt cet appel ?
Le révolté proteste, s'insurge, mais sans espoir. Prométhée, qui condamne Jupiter, se sait faible et livré
à son caprice. Et le même mouvement qui nous
porte à revendiquer l'unité, nous impose par avance
de renoncer à l'espoir d'un plein succès.

L'homme vivant n'est qu'un paradoxe, et c'est
à cause de ce paradoxe que Camus tient à ce que
vive l'homme. Pascal concluait du caractère indé-
montrable et secret de la divinité à son existence,
de l'absurde à la vérité ; Camus infère la nécessité
de vivre du caractère insoutenable de l'existence.
En dépit des apparences (« si je juge qu'une chose
est vraie, je dois la préserver »), il n'y a pas là de
raisonnement. D'où viendrait cette évidence ? A supposer même que la nature humaine fût « en vérité »
pareillement déchirée, d'où viendrait qu'il la fallût
préserver, non pas malgré, mais à cause de son
déchirement ? J'y verrai plutôt une sorte de défi
juvénile, de goût du risque ; une autre manière de
revendiquer l'impossible et de proclamer sa révolte,
son désir de vivre malgré tout — comme le confir-

merait cette définition de la vérité : « j'appelle
vérité tout ce qui continue [1] » — malgré l'insécurité, la souffrance, les inévitables défaillances, ou
plutôt à cause de tout cela, par fidélité à son enfance
comme à sa mère. Sans doute, cette audace s'allie-
t-elle à une sorte d'inconsciente foi méditerranéenne
en l'ordre du monde, au sentiment aigu de la nécessité de l'homme dans le monde, et, pour tout dire,
de sa primauté, fût-elle contestée. Montaigne estimait que la vie sans la mort ne serait pas la vie ;
Camus, de même, pose implicitement que l'absurde
parfait l'existence : « Elle sera d'autant mieux vécue
qu'elle n'aura pas de sens. »

Si l'absurde n'est guère autre chose qu'une relation négative (comme celle de deux aimants qui se
repoussent) entre l'exigence humaine et la réalité
des choses, il vient à l'esprit que cette relation peut
être aisément modifiée par la transformation de l'un
des termes. Qu'on supprime l'homme par le suicide, et l'absurde disparaît — du moins en ce qui
concerne le suicidé : une telle solution, nous l'avons
vu, méconnaîtrait profondément le tragique de l'humanité. Qu'on détruise l'exigence humaine, qu'on
la dérive ou qu'on la maîtrise : et c'est aussi bien
le renoncement humaniste de Montaigne que la soumission religieuse ; l'un, qui apaise la fringale de
vie, ou cherche à l'étendre en profondeur à mesure
qu'elle perd en durée, l'autre qui la bride ou la
canalise à des fins spirituelles. On peut encore,
jouant sur l'autre terme de la relation, détruire
l'univers (*l'Homme révolté* traitera du nihilisme),
le déclarer rationnel, comme certains existentialistes
de descendance hégélienne, ou enfin, le transformer
selon les voies marxistes, autre objet de méditation
pour *l'Homme révolté*.

---

1. *Noces.*

C'est au consentement existentiel que s'en prend d'abord Camus. Là encore, il est moins question d'établir un commentaire ou d'ébaucher une exégèse que de tirer des textes quelque chose qui ressemble à une attitude de vie exemplaire. Quelque profonde estime qu'ait Camus pour Saint Augustin ou Pascal, le saut existentiel qu'ils inaugurent, lui paraît une jonglerie : « L'absurde devient Dieu. » La foi est désormais la forme la plus émouvante du divertissement. L'incompréhensible fournit l'accès à une compréhension plus haute ; plus le scandale est grand, l'antinomie radicale, le paradoxe exaspéré, bref, plus l'absurde est total et plus le salut est proche ; la nuit la plus noire présage les plus radieuses journées. Ce jeu de « qui-perd-gagne », avec « le sacrifice de l'intellect » qu'il comporte, est contestable : le malheur est en effet que l'irrationnel n'est pas total ni l'absurde absolu ; sinon quel lien subsisterait de l'homme au monde ? Les déchets de l'expérience de ce monde ne constituent pas forcément la clef de l'autre. Au fond, et c'est ici que les textes perdent leur importance, Pascal comme Chestov, Kierkegaard ou Jaspers veulent guérir. Camus aussi le voudrait. Mais, ils postulent une guérison certaine pour mieux échapper au mal : procédé d'une efficacité réelle, mais relative : la volonté de vivre n'empêche pas indéfiniment de mourir ; en tout cas, rien de tel ne nous est montré. Tout le reste est littérature ou « lyrisme exaspéré » !

Une autre réduction peut être tentée, dont Husserl fournit le modèle, celle de l'univers à la raison éternelle. La phénoménologie fait un bout de chemin en compagnie des tenants de l'absurde ; elle décrit le monde sans l'expliquer et proclame l'équivalence de toute expérience ; puis, par une de ces acrobaties dont les philosophes ont le secret, la modestie se fait assurance, et les essences, camouflées derrière l'apparence sensible, se dévoilent dans leur majesté. L'univers, dont nous n'apercevions que la surface, retrouve une troisième dimension ; sous le dessin grossier de la raison humaine se précise le filigrane de la raison divine, et l'absurde s'évanouit.

La nostalgie de la totalité triomphe donc de l'évidence sensible et crée l'illusion : le désir de réconciliation lève bien des difficultés qui reparaîtront à la longue. C'est pourquoi rien n'est plus tragique que le bonheur des convaincus, pétri d'irrationnel. Toutefois, par contre-épreuve, se dégagent les véritables traits de la raison humaine. En son premier temps, elle est ambitieuse et motrice : elle veut comprendre, tout comprendre, et se grise de logique. Le contact de l'irrationnel, de la mort et du mal la contraignent au repli et à une réserve amère. Pas pour longtemps : à peine a-t-elle pris conscience de ses faiblesses qu'elle lance le cri de révolte et le ranime inlassablement pour mieux le mesurer ensuite par la conscience de ses limites. Dans ce mouvement de va-et-vient, la raison est à la fois moteur et frein : « l'absurde, c'est la raison lucide qui découvre ses limites ». La formule est digne de Montaigne, tout comme cette autre : « Je ne puis comprendre qu'en termes humains. » L'univers surréel ou le monde surnaturel n'auront donc pour Camus que valeur psychologique ou poétique.

Semblablement, le seul présent est objet d'expérience : l'avenir échappe à l'humain, et du coup toute prédication, religieuse ou politique, est impossible. A l'enfer des autres, qui obsède Sartre, répond « l'enfer du présent ». Bref, dans le même temps où la raison exige inlassablement que le monde ait un sens, elle récuse tout ce qui s'est paré, abusivement à son gré, d'une signification supra humaine.

Contre l'avenir, elle choisit le présent ; contre l'âme
insaisissable et hypothétique, les certitudes de la
terre et de la chair ; contre l'impénétrable amour
divin, la tendresse humaine ; contre l'abstraction et
la métaphysique, la poésie, sensuelle par excellence,
celle du moins qui se limite au « lyrisme des formes
et des couleurs » ; contre la contemplation, la création, qui, refusant l'obscurité du monde, la réin-
vente à sa manière, sans illusions ; contre la sainteté, la noblesse du cœur et d'esprit, forme encore
imprécise de la révolte, dont Meursault mourant et
Rieux vivant nous peuvent fournir des exemples plus
certains ; au péché enfin, elle oppose une liberté
faite d'innocence, d'ignorance ou de disponibilité,
qu'illustre encore Meursault au seuil de l'échafaud,
libre au moins de l'espoir et du remords, comme
Épicure l'était de la peur.

C'est alors que, d'un monde privé de sens et
auquel il refuse obstinément un sens, Sisyphe voit
renaître des valeurs. Où paraissaient régner l'indifférence et la fatalité, surgit la grandeur : grandeur
du rôle à jouer dans l'indéfinie multiplication des
expériences (par où s'explique que le comédien soit
l'un des prêtres de l'absurde, lui qui se multiplie
par le jeu des masques), expériences de tendresse
et de haine, d'action, de mouvement et de création ;
telle l'abeille butinant de fleur en fleur ou Don Juan
chassant de femme en femme la satisfaction d'un
inextinguible désir. « *Nihil humanum a me alienum
puto* », cri de ralliement de l'humanisme éternel
que Camus rajeunit en nous invitant « à choisir la
forme de vie qui nous apporte le plus de matière
humaine ».

Affamé d'absolu, l'homme « absurde », finalement, se repaît d'humanité. Sitôt admis que la profondeur n'était guère une dimension humaine, il
s'engage résolument dans une politique de la quan-

tité et des expériences de surface : ainsi s'explique
sans doute que le livre apparaisse comme lucide et
lumineux mais sans rien de ces éclairs qui déchirent
par instants notre univers intellectuel. En retour,
pour volontairement superficielles qu'elles soient,
ces expériences exigent un souci de continuité, une
obstination, et pour tout dire, un orgueil qui
donnent au livre sa hauteur et sa dignité.

Orgueil en effet que justifie « l'insoutenable pari »
de l'absurde. L'éternel, pour ceux qui le cherchent,
c'est le confort, le bout de la route. Heureusement
pour eux, alors même qu'ils croient le toucher dès
ce monde, le sol se dérobe sous leurs pieds — et
l'inconfort reste la part de Pascal, de saint Augustin
et des mystiques ; tout comme il est la part, mais
consciente et revendiquée cette fois, de Sisyphe.
l'inconfort reste la part de Pascal, de Saint Augustin
vaine, d'une lucidité douloureuse et inefficace, d'un
balancement sans cesse renouvelé de l'acceptation
au refus, bref, d'une vie banale menée jusqu'au
bout, sans espoir comme sans défaillance.

On sent ici tout ce qu'il y a d'aristocratique
(comme l'était le stoïcisme de l'esclave Epictète)
dans une attitude qui n'emprunte pourtant qu'à la
réflexion commune. S'il est une égalité entre les
hommes, la conscience lucide l'accorde seule au
« conquérant » comme au surnuméraire des Postes.
Mais ils auront du coup le même mépris de l'utile,
ou, plus exactement, la même indifférence à la
fécondité, la même absence de remords, forme
introvertie de l'espoir et le même sens des responsabilités qui pousse « les Justes » à payer en res-
ponsables et non en coupables.

Tel Don Juan, proie de l'instinct et de la chair,
assoiffé de bonheur, délivré du regret, sans mora-
lité mais non sans honneur. Il sait que jamais l'instant d'amour ne se retrouvera : « aimez ce que

jamais on ne verra deux fois » ; que ses joies sont
sans lendemain, passagères et singulières. Cette
science amère transforme sa jouissance en ascèse ;
la plus papillonnante des existences s'achève dans
la plus tragique des contemplations. Et peut-être,
un jour prochain, Camus portera-t-il à la scène la
légende de Don Juan trahi par son corps et désormais « agenouillé devant le vide ».

Le même goût du périssable, le même acharne-
ment sans illusion à graver sur le sable font la leçon
du conquérant comme du comédien. Le conquérant
fait corps avec le présent, avec l'histoire et découvre
jusque sur le visage humilié ou dérisoire de ses
adversaires le vrai prix de la vie humaine. Le
combattant sans peur ni reproche finit, lui aussi,
par chercher sa victoire dans la défense des « causes
perdues ». Le conquérant absurde a quelque chose
du chevalier noir des légendes moyenâgeuses.

La révolte, que Don Juan doit proférer sous forme
de blasphème et qui anime la parodie du comédien
(Bossuet ne s'y trompait pas), le conquérant la porte
en étendard. Don Juan s'insinuait dans la chair de
« l'autre » aux mille visages, le comédien dans son
âme ; le conquérant s'efforce de rejoindre « les
autres », ou plutôt, à leur tête, il s'insurge contre
le destin, proclame que la grandeur humaine est
dans sa fragilité charnelle, et retrouve dans la souffrance et la peur les chemins de la pitié et de la
solidarité. Il sait qu'il ne refera pas les hommes ;
du moins lui faut-il « faire comme si ». Le conquérant moderne est une sorte d'anarchiste révolutionnaire, dont Lawrence et Malraux auraient pu, un
temps, fournir un exemple. Du désert de l'absurde
où paraissaient ne devoir fleurir que l'indifférence
et le cynisme, monte tout naturellement une promesse : « Il n'y a qu'un seul luxe... et c'est celui
des relations humaines... visages tendus, fraternité

menacée, amitié si forte et si pudique, ce sont les
vraies richesses puisqu'elles sont périssables. » Tournant résolument le dos à l'éternel, face à l'histoire
qui dévale vers lui comme le rocher de Sisyphe,
l'homme absurde découvre que l'instant de vie qui
palpite encore est seul précieux et, sous le coup
d'une même menace, s'appuie sur ses compagnons
de misère et de gloire.

Plus encore que l'honneur et la solidarité, la création artistique témoigne de l'homme. Créer, c'est
moins s'égaler à Dieu que le mimer, et « reprendre »
son œuvre. L'existence au reste est-elle autre chose
qu' « un mime démesuré sous le masque de l'éternel » ? Tout est rôle en ce monde, comme le voulait
Pirandello, et ce n'est pas sans raison que les acteurs
sont supposés « créer » de nouveaux rôles. « Créer,
c'est vivre deux fois », et vivre dans la fiction fondamentale de l'existence où l'homme se voit indéfiniment condamné à bâtir sur le sable, à entreprendre sans certitude, bref, à faire « comme s'il »
était éternel. Bien sûr, la création ne saurait constituer une issue à l'absurde ; lorsqu'un « blue »
révèle l'art à Roquentin, il n'est pas pour autant
délivré de la nausée, mais une joie, une « joie
absurde » monte de son écœurement : celle de la
nécessité de l'art dans un monde obscur et contin-
gent. « Si le monde était clair, l'art ne serait pas. »
Aux mains de l'homme, l'absurde s'épanouit parfois en beauté et l'artichaut devient acanthe [1].

Il va de soi que, si la création n'est pas une issue
à l'absurde, elle relève relativement de la même
indifférence que le reste des activités humaines. « Le

---

[1]. « Tout artichaut porte en lui une feuille d'acanthe
et l'acanthe est ce que l'homme eût fait de l'artichaut si
Dieu lui avait demandé conseil. » *Psychologie de l'Art*,
A. Malraux.

créateur absurde ne tient pas à son œuvre — il pourrait y renoncer. » Du moins, devrait-il le pouvoir. Ainsi de Rimbaud ; ainsi de Roquentin qui se délivre sans douleur de l'ouvrage entrepris. Mais, comme tout ce qui est absurde, la création est ambiguë ; elle aussi est acceptation et refus, mesure et démesure, fièvre romantique et maîtrise classique. Et l'on songe à Vigny[1] devant cette formule : « L'œuvre d'art est un morceau taillé dans l'expérience, une facette de diamant où l'éclat intérieur se résume sans se limiter. » La création s'élève de l'individuel au général, de la sensibilité à la conscience lucide. Elle s'accroche obstinément à la vie qu'elle recommence pour la parfaire. Mais elle se garde d'oublier jamais que la vie ne se refait pas véritablement, que tout cela n'est qu'un jeu, une grandiose illusion ; et, pour ne pas se laisser prendre au piège de l'espoir, elle « dit moins », accordant finalement le pas à la mesure sur la nostalgie, ou plutôt resserrant cette nostalgie dans les limites de la lucidité. Ainsi se définit un nouveau classicisme où l'ordre répond à la passion et où le cri se soumet à la cadence : école de patience et de clairvoyance dont Baudelaire pourrait être le père, couvrant d'étranges images sensuelles le drame silencieux d'une existence absurde.

Ce classicisme-là est un maître de vie : « On y apprend à donner une forme à sa conduite[2]. » La morale, « ce grand tourment des hommes[3] », hante les esprits avides de cohérence. L'Immoraliste s'y trompait : à tâtons, il recherchait un style de vie par delà les conformismes. La vraie morale se moque

---

1. Cf. *Maison du Berger* vers 199 à 205.
2. *L'Intelligence et l'Echafaud.*
3. Préface à Chamfort.

de la morale. Car la jouissance, tout comme l'art,
la conquête ou la comédie, ne va pas sans rigueur.
« Ce qui barre la route fait faire du chemin », disait
Marc Aurèle. Du stoïcisme, Camus n'a guère retenu
que cela. Des années durant, sa vie s'est résumée
en un combat simultané contre la mort et contre
lui-même : concentrer ses forces, maîtriser ses sens
par la méditation sur l'art du Yogi, se libérer du
poids des vanités et de l'envie des richesses, accéder
enfin de l'indifférence au détachement. Sans l'absurde, nul besoin de morale. Volontiers le chrétien
s'imagine que, n'étaient les commandements, c'en
serait fait de la morale : le « tout est permis »
d'Yvan Karamazov est le cri d'un chrétien éman-
cipé. L'homme absurde constate plus modestement
que rien n'est interdit. L'absurde en effet y suffit.
Le silence de Dieu est la plus infranchissable des
barrières. Si rien n'est interdit, il est si peu de
choses qui soient possibles, ou qui le soient, du
moins, sans raidissement et sans effort. Or, de son
passé sportif, Camus a gardé le goût des luttes gra-
tuites, pour l'honneur : « Ce que finalement je sais
de plus sûr sur la morale et les obligations des
hommes, c'est au sport que je le dois [1]. » La partie,
une fois engagée, se joue jusqu'au bout. Les règles
valent ce qu'elles valent, mais elles sont les règles.
L'essentiel est que sur le visage épuisé de Sisyphe
refleurisse le sourire mélancolique des vaincus glo-
rieux.

★

Le Mythe de Sisyphe nous offre donc un décor,
celui d'un monde vidé de la divinité, de l'éternité
et de l'espoir qu'elles engendrent ; un personnage

---

1. R. U. A., 15-4-1953.

y évolue, étranger à lui-même, à ses semblables, à l'univers et tout proche d'eux à la fois, ne serait-ce que de nostalgie ; un personnage qui se sent fait pour le bonheur, l'éternité, le dialogue et que la faiblesse de sa pensée, de ses forces physiques et morales condamne à l'angoisse, à la fragilité, à l'incertitude. Lié au monde vivant par un désir et un dégoût mêlés, il lui faut admettre que la contradiction est sa véritable nature et que nulle dialectique ne peut l'en délivrer. Du sentiment de l'absurde, nous voici parvenus à l'évidence sensible de l'absurde : toute vraie connaissance est impossible.

Adossé à cette unique et désespérante vérité, il reste à l'homme à vivre en dépit de tout ; à relancer sans cesse l'impossible dialogue, quitte à faire écho à sa propre voix ; à répondre de ses propres actes puisqu'il ne leur est rien répondu ; à se donner un style de vie où le refus équilibre l'acquiescement et l'héroïsme rejoigne la simplicité clairvoyante. Il s'agit en bref, sans rien contester à la vie humaine de sa valeur, c'est-à-dire de sa fragilité, de ne plus craindre le mal et d'en moins souffrir. Le monde n'a toujours pas de sens, mais il redevient peu à peu vivable ; et l'amour que l'homme porte à la terre, sans être une justification, devient au moins sa récompense. Reste à aménager ces murs, sans tomber dans de nouvelles illusions ; à transposer la lutte contre le Mal en de modestes combats contre des maux accessibles et aborder du coup la grande révolte des temps modernes, qui, pour s'en prendre finalement au destin, n'en frappe pas moins d'abord les structures sociales, les institutions politiques et les mécanismes de l'économie. « Comprenez qu'on peut désespérer de la vie en général mais non de ses formes particulières, de l'existence, puisqu'on n'a pas de pouvoir sur elle, mais non de l'histoire où l'individu peut tout[1]. » Le dialogue que le ciel nous refuse, à quel prix les hommes le peuvent-ils renouer entre eux ?

Il ne pouvait être sans conséquence que Camus définît pour nous sa conception de l'homme et du monde. Pareil souci de cohérence n'a pas été sans infléchir les réactions de la critique, prompte à traiter philosophiquement d'une expérience vitale. C'est ainsi que Camus se remet à peine d'une réputation de pessimisme radical et de désespoir. Plutôt que de reporter sur l'essai le frémissement des œuvres littéraires, on a projeté sur celles-ci l'apparente impassibilité de l'essai. Mais l'auteur lui-même n'a sans doute pas totalement échappé à sa légende, « Me peignant pour autrui, je me suis peint en moi de couleurs plus vives que n'étaient les miennes premières », disait déjà Montaigne. Nul doute que Camus ne se soit parfois découvert prisonnier de ses analyses et que la logique du Mythe n'ait durci son univers. Peut-être même le caractère clinique de l'œuvre, la volonté de guérir qu'elle implique et que la guerre transposait sur le plan de l'histoire, ont-ils parfois favorisé l'abstraction.

---

1. Inédit.

VI

LE RETOUR DE L'ENFANT PRODIGUE

Il faut chercher dans *l'Etranger* la première analyse du *Malentendu* : ce détail suffirait à souligner aussi bien les limites de l'imagination d'A. Camus que son esprit de continuité. Meursault prisonnier découvrait entre sa paillasse et la planche du lit un lambeau de journal, « jauni et transparent » comme un mythe grec ; un fait divers s'y trouvait relaté : l'assassinat par sa mère et sa sœur d'un homme qui, rentrant à l'auberge familiale après une longue absence, avait tenu à s'y faire héberger incognito. D'un côté, l'histoire « était invraisemblable. D'un autre, elle était naturelle. De toute façon, je trouvais que le voyageur l'avait un peu mérité et qu'il ne faut jamais jouer [1] ».

★

C'est au cœur de l'hiver 1942-1943 que fut écrit *le Malentendu*. Les privations, les rechutes, l'exil en terre d'Europe dans la grisaille des banlieues

---

[1]. *L'Etranger*, p. 114.

lyonnaise ou stéphanoise réveillaient en Camus la
nausée de Prague [1]. « C'est ainsi dans toutes les
chambres d'hôtel, toutes les heures du soir sont
difficiles pour l'homme seul. Et voici maintenant
ma vieille angoisse, là, au creux du cœur, comme
une mauvaise blessure que chaque mouvement
irrite [2]. » Coincée de toute part entre des terres hos-
tiles, livrée à la rapacité des uns par la lâcheté des
autres, la Bohême froide et sans rivages figurait
dans sa mémoire la terre étrangère par excellence.

C'était en ces temps où la logique concentration-
naire prophétisée par Caligula nous était moins
directement sensible que la banalité des jours de
notre honte. Reniés par leurs frères, écrasés par
la rage de vivre des uns et la lassitude des autres,
des hommes par milliers mouraient dans l'atonie
générale. L'horreur se faisait chaque jour plus naturelle. De là, sans doute, l'idée de recréer à la scène
une atmosphère de vide, d'impuissance et de fatalité que déchirât pourtant un souffle d'amour.

A vrai dire, c'était une gageure, et Camus voue
au *Malentendu* cette tendresse qu'on garde aux
grandes aventures manquées. Il lui fallut concilier
l'absence d'intrigue et les nécessités de l'intérêt tragique. D'où la nudité toute classique du thème
Après une première scène d'attente et de mystère,
tout se ramène à cette simple question : Jan partira-
t-il ou non ? *Le Malentendu* est la pièce des occasions
manquées. La mère hésite à tuer, par lassitude.
Maria, l'épouse étrangère, multiplie les efforts pour
détourner Jan d'un projet qu'elle pressent funeste
Que le vieillard les découvrît ensemble, que Martha
vérifiât de près le passeport de Jan, c'était assez pour
le sauver. Il s'en faut de peu qu'excédée par son

---

1. Cf. *L'Envers et l'Endroit*.
2. *Le Malentendu*, acte II, scène II.

indiscrétion Martha ne lui refuse l'hospitalité et la mort. Durant toute la scène VI, on côtoie la reconnaissance ; un mot semble devoir la provoquer mais un autre la retarde. Lorsque Martha, sous prétexte de lui apporter de l'eau et des serviettes, rejoint son frère, elle hésite encore ; mais l'évocation de la mer dans le soleil et des splendeurs méditerranéennes réveilleront en elle le goût du sang. Quand enfin la mère intervient et quand Jan se décide à fuir, il est trop tard, tout est accompli.

Le sujet se prêtait au mélodrame (l'Auberge Rouge !), aux rebondissements spectaculaires : Camus l'a ramené à « rien ». L'action est finalement toute intérieure : scrupules naissants, pitié hésitante, inquiétude. Chaque pas en avant de l'un déclenche chez l'autre un recul involontaire, comme de deux aimants semblables qui se repoussent, et les raisons mêmes qui devaient tout régler aggravent tout. Le sort de Jan et de ses assassins se joue sur des nuances : tout n'est qu'une question d'instants, de mots, de gestes élémentaires et se résume dans l'anodine tasse de thé. La tragédie est moins dans les passions, quasiment absentes ou étouffées, que dans leurs interférences aveugles. Il ne faudra rien de plus qu'un rayon de soleil pour que Martha et sa mère deviennent les meurtrières, à peine volontaires, de l'enfant prodigue.

Le Malentendu s'apparente dans son principe à l'histoire d'Œdipe. Une suite naturelle d'événements entraînait au meurtre et à l'inceste l'homme le moins fait pour cela : il avait suffi que l'aiguillon du savoir le poussât à répondre au Sphinx. Jan reprend à son compte la curiosité d'Œdipe, son orgueil et son goût des difficultés. Martha et sa mère jouent en la circonstance les meurtriers sans le savoir. Tous trois sont prisonniers d'un destin qui s'est imposé par les moyens les plus naturels

Il y avait dans la démence de Caligula de la provocation au destin, un défi héroïque. Les voies qui conduisent nos trois personnages à la mort sont sans grandeur apparente : ils disparaissent bêtement, faute d'un mot.

Tout dépendait de Caligula ; à peine Jan a-t-il confirmé sa décision de coucher à l'hôtellerie familiale, l'avenir échappe aux protagonistes. De toute façon, leur bonheur est compromis. Jamais Jan ne pourrait oublier l'atmosphère glaciale où respirent sa mère et sa sœur. Jamais Martha ne se consolerait de l'occasion perdue, et son âme conquérante ne saurait se satisfaire d'un bonheur octroyé. Pas un mot qui ne creuse, à l'insu des uns et des autres, le fossé qui les sépare. Finalement, *le Malentendu* est plus que toute autre tragédie une œuvre de désillusion : la bonne volonté de Jan bute sur la réserve de Martha, la pointe d'honnêteté qui fleurissait au cœur de la mère avorte et Martha meurt insatisfaite.

Camus a voulu faire du *Malentendu* un désert où fleurirait seulement « le chardon bleu des sables ». Aussi a-t-il volontairement adopté un style d'indifférence. La poésie n'y affleure qu'à de très rares instants. La scène du passeport donne très exactement le ton. Les phrases y sont courtes, jetées parfois comme au hasard. Le dialogue est aussi discontinu que l'était le monologue de Meursault. Il semble que le contact soit impossible à établir : « Vous avez de la famille ? interroge Martha. — C'est-à-dire que j'en avais. Mais il y a longtemps que je l'ai quittée. — Non, je veux dire : êtes-vous marié ? » Chacun poursuit secrètement son rêve et demeure en deçà des mots : « Je ne suis pas très pauvre, dit Jan, et pour bien des raisons, j'en suis content. » Le plus souvent, les passions sont sous-entendues et ne s'expriment que par des silences. Martha rêve, Martha « pense visiblement à autre chose », et soudain elle se durcit. La phrase reste courte, mais elle a le tranchant d'un couperet. Le débit se fait rapide, saccadé, agressif. Pourtant, la sécheresse du ton en amortit les effets. Les colères de Martha ne sont pas de celles où l'on s'abandonne, mais de celles où l'on s'enferme. Martha tranche, mitraille mais s'échauffe à peine. Qu'ils passent du procès-verbal au réquisitoire, de l'émotion à la lassitude, les personnages ont toujours dans la voix quelque chose de neutre et de terne ; ils traînent après eux une odeur d'ennui et de solitude [1].

Camus s'est également efforcé d'enlever au meurtre ses facilités dramatiques. Il en souligne la banalité : les grandes tragédies vécues comportent souvent une part de médiocrité. Le « métier » des assassins, leur application quasi professionnelle sont fortement mis en évidence. En un sens, Martha et sa mère se présentent à nous comme des boutiquiers du crime. De ce contraste entre l'indifférence technique des préoccupations et des gestes, et la gravité de leurs conséquences, Camus escomptait un effet de froide horreur, sensible dès la première scène.

Mais est-il sûr que la tragédie supporte aisément cette double indifférence des démarches et du langage ? ce sont là procédés essentiellement romanesques, qui avaient fait, pour partie, le succès de *l'Etranger*. Le vide n'est guère théâtral. La scène implique une certaine communication du spectateur au personnage, et c'est un dangereux pari que de nous montrer des personnages dont les passions sont étouffées et dont chacun des gestes trahit le déta-chement. De nous à Martha comme à Jan, le contact

---

1. On objectera le cas de la pièce de Beckett : *En atten-dant Godot*. Mais son succès, peut-être passager, tient sans doute à une utilisation habile de la caricature et du burlesque.

est aussi difficile qu'entre Jan et Martha eux-mêmes. Le plus souvent, et par un décret de leur créateur, les uns et les autres ne dégagent ni chaleur ni lumière.

Il ne suffit pas en effet que les personnages soient des assassins ou des victimes pour que la dimension tragique leur soit conférée. La folie valait à Caligula une curiosité qui tenait à son ambiguïté. Meursault bénéficiait de même de ce qu'on appellera sa transparence ou son étrangeté. L'un se sacrifiait jusque dans ses crimes, l'autre était une victime, en dépit des apparences : les assassins ne nous émeuvent que dans la mesure où s'allient en eux l'humain et le monstrueux.

Camus a passablement corsé la difficulté : il refuse à ses héros l'excuse de l'aveuglement ou de la crise passionnelle. Leurs meurtres sont prémédités et méthodiques. Ils ont pleine conscience de leur but et des motifs de leurs actes. Ils mettent au service de l'inhumain des qualités spécifiquement humaines : lucidité et conscience professionnelle. La tragédie tient uniquement à une erreur sur l'identité de la victime. Ils n'auront d'autres circonstances atténuantes que celle de la douleur qui les guette, d'autre grandeur que la croix qu'ils ont dressée eux-mêmes pour leur propre supplice.

La tentative de Camus ne pouvait donc se soutenir que par la force des caractères ; mais, tandis que le parti pris d'indifférence le conduisait à dessiner d'un trait flou, le parti pris de symbole le condamnait à la simplicité. D'où un certain flottement dans la conception : tantôt les arêtes sont vives et le personnage se réduit aisément en formule, tantôt il se dissimule derrière la froideur du langage ou semble se dissoudre dans le non-sens général.

Ainsi Martha pourrait être un personnage trou-

blant. Cette refoulée, cette puritaine du crime est
de la race des Cromwell ou des Inquisiteurs. « Personne n'a embrassé ma bouche, et même vous,
n'avez vu mon corps sans vêtements. Mère, je vous
le jure, cela doit se payer. » Elle a dans les yeux
cette lumière mauvaise, qui est comme un reflet
des mers dont elle rêve. C'est un Caligula femelle
qui aime la vie, aspire au bonheur et déteste la foi,
ultime recours des faibles : « Oh ! je hais ce monde
où nous sommes réduits à Dieu. » La petite vieille
de *l'Envers et l'Endroit*, elle aussi, était réduite à
Dieu ; du moins avait-elle vécu. « Mais moi, je
souffre d'injustice ; on ne m'a pas fait droit... »
Martha est abrupte, révoltée, tout entière en proie
à son obsession : la mer, le soleil ; fuir la grisaille
des pays slaves. Elle se méfie de la pitié et s'en
garde à force de raideur et de logique. Elle entretient dans son cœur la haine par nostalgie d'amour
On dirait une intellectuelle que la chair obsède.

Le personnage de la mère nous touche peut-être
davantage : sa lassitude, ce goût de la religion qui
lui vient avec l'âge, ses scrupules de vieille femme,
ce mélange de tendresse et de dureté à l'évocation
du fils prodigue, tout cela nous rappelle des visages
entrevus déjà. Elle tue sans trop savoir pourquoi.
Par habitude depuis bien longtemps ; presque par
métier. Elle a perdu le sens du meurtre comme
d'autres perdent le sens des mots. C'est une morte-
vivante chez qui l'humain affleure par instants. Elle
a connu la misère et le malheur ; son mari est
mort, son fils l'a abandonnée. Elle assassine avec
la même tristesse détachée qu'elle met dans toutes
ses tâches matérielles. Mais la conscience de son
crime sera brusquement réveillée en elle par l'amour
maternel et elle rejoindra dans la mort l'enfant
prodigue dont elle n'avait sans doute jamais cessé
de rêver en silence.

Jan nous émeut par sa bonne volonté naïve et sa maladresse ; il rayonne du désir de rendre heureux ceux qu'il a délaissés ; mais il a peur des mots. Cet aventurier a un cœur d'enfant : il biaise, car l'instant des retrouvailles l'effraie plus qu'aucun des combats qui lui valurent sa richesse. Une fois fortune faite, il s'est souvenu, s'est attendri sur son passé et n'a eu de cesse qu'il n'eût retrouvé la demeure familiale. Mais il a préféré s'y introduire, si j'ose dire, par effraction. Il la voulait pour lui seul, par surprise ; il entendait forcer sa solitude, pour mieux rompre la sienne, la solitude du bonheur.

Mais la plus pathétique de tous, c'est Maria, la femme comblée. Elle ne comprend rien ni aux exigences ni à l'inquiétude de Jan : perdre des nuits d'amour, quand un mot réglerait tout ! Pour cette femme de chair et de sang, enracinée dans le bonheur et la santé, ce sont là chimères, jeux d'enfant gâté. Nous partageons la sympathie que Camus lui voue. Elle est pour lui l'amoureuse, une Caesonia plus jeune et plus conjugale, une Marie Cardona moins directement charnelle et plus tendre. Il projette sur elle sa découverte de l'amour féminin, exigeant et simple, qui s'épanouit dans telles scènes de *l'État de Siège* et surtout des *Justes*. A l'annonce de la mort de Jan, elle sourit de ses grands yeux humides, repoussant la vérité de toute sa confiance : « Vous plaisantez, n'est-ce pas ? Jan m'a dit que, petite fille, déjà, vous vous plaisiez à déconcerter les gens. » Elle seule est ouvertement émouvante dans son bonheur menacé d'abord et finalement brisé.

Tous ces personnages, pourtant, manquent de racines. Martha est sans passé. A quoi rattacher sa passion ? Obsession infantile, réaction de fille montée en graine, mal de lune ? On ne sait. Nous devi-

nons Jan bien plus que nous ne le rencontrons.
Pourquoi avait-il fui ? Que garde-t-il de son enfance ?
Jamais nous ne saurons ce que fut le premier
meurtre de la mère ; et Maria se tournera vers Dieu
sans que nous ayons jusque-là rien soupçonné de
sa foi. Tous sont limités au présent. Meursault en
paraissait étrange ; ils semblent mutilés, privés
d'une dimension essentielle, le temps.

C'est que chacun d'eux vaut tout autant par ce
qu'il représente que par ce qu'il est. Camus cède
quelque peu, dans la peinture de Maria, à une
vision conformiste de la femme, parce qu'il entend
l'opposer à Jan comme le bonheur et l'équilibre à
l'inquiétude. Jan a le désir de savoir, de comprendre
les êtres et les choses du dedans ; il aspire à la
réconciliation, patrie de l'âme : « Vivre entre ses
parents le reste de son âge... » Il incarne l'instabi-
lité métaphysique, cette agitation virile qui suscite
les problèmes et les devoirs et nous porte à la
morale. En ce sens, il est la victime parfaite, l'innocence que sa curiosité livre au bourreau. Maria,
par contre, amoureuse passive, souffre et ne sait
que pleurer. Elle dit la chair souffrante, l'humanité
ignorante et crucifiée. Marthe et Marie, couple évangélique, que Camus dévoue à l'absurde. Marie aime
et contemple, son idole a les pieds d'argile. Marthe
a choisi l'action, les mains sales ; elle est la fille
de vaisselle, mais révoltée cette fois, et hospitalière
à la vilaine façon des dieux.

Camus a éprouvé le besoin de prolonger sa dernière scène pour confronter la révolte et l'amour,
et pour mieux subordonner la souffrance de Maria
à l'ultime entretien avec le domestique muet. Déjà,
lorsqu'à la scène iii de l'acte II, Jan sonnait, nous
avions compris clairement les intentions de l'auteur.
Certes, ce pouvait être un excellent procédé pour justifier la tasse de thé, et le geste de Jan s'expliquait

par la nervosité et l'angoisse solitaire. Mais, à peine
le vieux a-t-il quitté la chambre, que Jan s'écrie :
« Ce n'est pas une réponse. » Cela suffit à nous
transporter brutalement sur le terrain métaphysique. La pièce ne faillit-elle pas porter en sous-
titre : « Dieu ne répond pas » ? Le domestique
semble bien n'avoir d'autre raison d'être que celle-
là. Le symbole, diraient nos journalistes, est littéralement « téléphoné ».

C'est qu'en effet *le Malentendu* utilise à plein la
technique du double-sens, qui, dans *Caligula*, n'était
qu'épisodique. Je ne veux pas seulement parler du
malentendu et des sous-entendus qui séparent les
personnages : Néron, comme Athalie, usaient aussi
de menaces qu'ils étaient seuls à entendre (tout
au plus reprocherait-on à Martha son manque de
cruauté). C'est au double-sens métaphysique que
j'en ai. Une phrase comme celle-ci : « Il m'a semblé
que nous n'étions pas si étrangers que cela l'un à
l'autre », cumule même les deux procédés : derrière la simple amabilité de l'hôte se profile l'arrière-pensée du frère ; et tout ceci recouvre la prétention métaphysique à la réconciliation et à l'unité.

Sans doute le principe en est-il défendable, puisque aussi bien le théâtre grec n'en usait guère diffé-
remment. Du moins avait-il l'immense avantage de
pouvoir nommément évoquer le destin et les dieux.
Nous autres modernes, qui ne tolérons de destin
que soumis à la logique du cœur et de l'inconscient,
sommes en porte-à-faux. La mère a assez d'étoffe
pour supporter de symboliser, à l'insu de Camus
peut-être, la « marâtre nature » ; par contre, c'était
trop que de figer sur les lèvres d'un vieillard sans
visage « le silence éternel de la divinité[1] ».

Il s'agissait donc pour Camus d'atteindre au sym-

---

1. Vigny.

bole sans décrocher du réel. Psychologiquement, la quête de lune d'un Caligula était explicable par la folie, et le passage du métaphysique au réel s'effectuait sous les apparences d'un jeu du normal et de l'anormal, toute l'habileté consistant à ne jamais nous mettre en mesure de décider de la norme. Ce brassage, en dépit du climat d'indifférence habilement créé, n'a pu être réalisé ici. Le rythme de la pièce s'en trouve brisé, notre attention oscillant sans cesse des caractères à leur signification, selon que les symboles s'enracinent ou non.

Le langage est souvent cause que telle scène nous laisse une impression de plaqué. Lorsque la mère, devant Jan endormi par le narcotique, médite sur le bonheur, le ton est faux : « Oui, nous avons beaucoup à faire, et c'est notre différence avec lui qui est maintenant déchargé du poids de sa propre vie... il ne porte plus la croix de cette vie intérieure qui proscrit le repos, la distraction ou la faiblesse. A cette heure, il n'a plus d'exigence envers lui-même, et moi, vieille et fatiguée, je suis tentée de croire que c'est là le bonheur. » Nous n'attendions pas de la mère, vieille femme simple, une conscience métaphysique aussi pleine et surtout un langage aussi abstrait. Ne croirait-on pas qu'elle a brusquement pris la mesure, non seulement de ce qu'elle est, mais de ce qu'elle signifie ?

L'ultime scène qui oppose Martha et Maria est pour la première l'occasion d'une véhémente dissertation. « Il est difficile d'être plus claire que je l'ai été... Si vous voulez le savoir il y a eu malentendu... N'exagérons rien. Vous avez perdu votre mari et j'ai perdu ma mère : nous sommes quittes. » Martha raisonne, démontre, dissèque. « Je ne peux pas, réplique sa belle-sœur, je ne peux pas supporter votre langage. » Nous non plus. Il y a bien de la froideur artificielle et de la gratuité chez cette jeune femme qui, au seuil même de la mort, lance à celle qu'elle n'a aucune raison de haïr : « Avant de vous quitter pour toujours, il me reste une chose à faire : vous désespérer. » Et nous lui répliquons avec Maria : « Où trouvez-vous assez de force pour parler froidement de ce qui devrait vous jeter dans la rue et vous tirer tous les cris de la bête ? »

Les personnages du *Malentendu* sont, Maria exceptée, affligés d'une lucidité dangereuse à force d'efficience. Il semble que rien d'eux-mêmes ne puisse leur échapper ; du moins en sont-ils suffisamment persuadés pour nous imposer une vision claire d'eux-mêmes et de leur rôle. Ils mettent une singulière complaisance à raisonner pour mieux nous dévoiler les arcanes du destin. Il est curieux que Camus, par ailleurs si économe de ses mots, n'ait pas été sur ce point aussi l'homme de la litote. Mais peut-être lui-même, rompu à toutes les formes d'introspection et d'ascèse par une longue fréquentation de soi, a-t-il surestimé parfois les pouvoirs de la lucidité.

★

Le Malentendu est donc, techniquement parlant, un échec relatif : il constitue une tentative audacieuse et intéressante de renouvellement du tragique ; mais l'accueil mitigé qui lui fut réservé chez nous témoigne des faiblesses de la pièce. Camus semble avoir payé ici, sur le plan artistique, la rançon de l'effort de clarification et de cohérence que traduisait *le Mythe de Sisyphe*. Les préoccupations cliniques, le souci d'intégrer la guerre et ses problèmes à l'univers absurde, l'ont amené à renoncer inconsciemment à cette spontanéité qui conditionne toute complexité vivante.

Le temps d'agir est venu. La scène du monde

n'a pas changé ; aujourd'hui plus qu'hier, les appels angoissés de l'homme abandonné sur une terre inhumaine et familière à la fois demeurent sans réponse. Mais deux leçons se dégagent de l'aventure : une leçon de franchise et de simplicité, d'honnêteté dira Rieux. Jan a tout compliqué : la Némésis l'a frappé pour ses exigences enfantines. Maria le remarque avec raison : « Quand on aime, on ne rêve à rien. » La seconde leçon est précisément de ne répondre aux problèmes insolubles de la métaphysique que par l'amour des êtres. La mère rêvait elle aussi. Elle s'est éveillée, juste le temps de découvrir que, « dans un monde où tout se peut nier, il y a des forces indéniables et que sur cette terre où rien n'est assuré, nous avons nos certitudes... l'amour d'une mère pour son fils est maintenant ma certitude ».

Tout aussi significatif est le retour de Jan. Il possédait fortune et bonheur ; il compromet tout cela par solidarité pour ces demi-morts que sont sa mère et sa sœur. Il quitte le soleil pour la froidure, s'arrache des bras de Maria et vient vers les siens, le cœur chargé de promesses. Il s'avance, fragile et démuni au cœur du froid hiver, et succombe sous les coups de l'incompréhension. Du moins retrouve-t-il dans la mort la tendresse maternelle.

Le temps n'est pas loin où paraîtront les *Lettres à un ami allemand*. Camus aussi a ses certitudes : il n'est pas de désert qui ne trouve ses limites. Contre Dyonisos ivre et pervers, dont Martha est la dernière incarnation, c'est désormais sur Socrate qu'il prend appui.

VII

LA PLUME ET L'ÉPÉE

Le caractère désertique du *Malentendu* pose indirectement le problème de l'action dans l'histoire.
Aux dires de certains critiques chrétiens ou communistes[1], la négation et l'absurdité que présuppose
la pensée d'un Malraux, d'un Sartre ou d'un Camus
ne peut, en bonne logique, qu'aboutir au désespoir.
Parti de la mort de Dieu, on pousse le raisonnement jusqu'au bout, jusqu'au point où tout apparaît
indifférent, où toute valeur s'effondre définitivement, laissant libre cours à la jouissance comme à
la conquête. Il reste à tout se permettre ou à tout
permettre, ce qui revient finalement au même.

« Mais, écrivait Camus à celui qui fut son ami
allemand, vous acceptez légèrement de désespérer
et je n'y ai jamais consenti. » Jamais : ou du
moins jamais de manière continue, jamais dans le
profond de son être. La similitude des langages ne
saurait nous tromper. « A la vérité, moi qui croyais

---

1. Georges Adam, dans les *Lettres françaises*, et
Georges Rabaud, dans l'*Aube*, 1945. Cf. *Actuelles*, p. 109
et sq.

penser comme vous, je ne voyais guère d'argument à vous opposer sinon un goût violent de la justice qui me paraissait aussi peu raisonné que la plus soudaine des passions[1]. » Encore qu'elle puisse se justifier logiquement, la révolte contre le nihilisme et la barbarie qu'il entraîne doit peu à la raison abstraite : elle jaillit d'un pur mouvement passionnel.

Coupée de l'espérance sacrée, toute cette génération d'écrivains et d'hommes s'est trouvée du même coup condamnée à la terre : « Nous voulons penser et vivre dans *notre* histoire[2]. » Mais suffit-il de le désirer pour y parvenir ? J.-P. Sartre ne le pense pas. Il lui paraît que l'entrée de Camus dans la Résistance n'était que le fruit d'une conversion au sacrifice plutôt qu'à l'histoire, un accident plutôt qu'une fidélité. Camus aurait la nostalgie de l'éternel, et la pente invincible de son naturel l'emporterait hors de l'histoire. Au fond, malgré qu'il en ait, Camus serait un intellectuel qu'un élan de pitié doublé d'un besoin de cohérence arracha au vert paradis des amours enfantines ; avec les difficultés et les dures exigences de l'action politique, l'inquiétude l'a bientôt saisi : il n'a eu de cesse qu'il n'eût regagné le nid douillet de ses vertus bourgeoises.

C'était faire bon marché pourtant de toute une enfance qui ne fut pas toujours sans envie. Que Belcourt fût proche de Tipasa et des plages algéroises, ce n'en était pas moins Belcourt et, de l'appartement familial à la noble demeure du docteur de quartier, il y avait plus que la largeur d'une rue. Sans doute, la fidélité au monde de la misère relève-t-elle plus ici du souvenir que de l'action commune — et c'est la rançon du succès. Mais où

---

1. *Lettres à un ami allemand.*
2. *Actuelles*, p. 112.

donc a-t-on pris que le monde ouvrier était à l'image
de son élite révolutionnaire et qu'il se confondait
avec l'histoire ? La partie de pêche, le match du
dimanche, les randonnées sous le soleil sont autant
de prosaïques Tipasa. Le monde ouvrier est certes
dans l'histoire, mais il s'en passerait, et plus d'un
prolétaire a son « arrière-boutique ». Il n'est qu'une
agissante minorité pour faire de l'action politique
« le tout de l'homme ». Ici encore, Camus nous
apparaît comme le Français moyen, doué seulement
d'une exigence exceptionnelle.

C'est à un roman de misère, *la Douleur*, d'André
de Richaud, que Camus doit ses premières émotions
littéraires. Tant il est vrai que l'art, chez lui, est
inséparable du malheur. La première œuvre théâtrale à laquelle il participe, la collective *Révolte
dans les Asturies*, rend un hommage véhément aux
morts d'Oviédo (1933). La lutte des classes y éclate
avec virulence : gens d'ordre et révolutionnaires
s'y affrontent comme deux peuples étrangers. Et,
si rien de la violence et des exactions révolutionnaires n'est édulcoré, les mutins sont pourtant les
seuls personnages humains de la pièce, les seuls qui
puissent valablement se réclamer de la justice. Le
gouvernement général de l'Algérie ne s'y trompa
guère et en interdit toute représentation.

Accident, dira-t-on, crise de puberté politique !
Mais un an plus tard, par solidarité avec le monde
musulman, Camus entre au parti communiste. Il
le quittera pour les mêmes raisons qui avaient déterminé son adhésion. Qu'on prenne donc la peine
de lire l'importante enquête qu'en 1939, Camus
consacrait à la Kabylie. Certes, dès ce moment, sa
conception du journalisme est trop rigoureuse pour
qu'il prétende écrire autre chose qu'un reportage
honnête. Mais l'objectivité le conduit à prononcer un
« réquisitoire modéré ». Quelques titres d'articles : *la*

*Grèce en haillons, Un peuple qui vit d'herbes et de
racines, Des salaires insultants,* en préciseront
l'orientation et l'esprit, pour peu qu'on veuille se
souvenir qu'ils parurent dans la presse algéroise en
pleine période de réaction sociale [1].

Les atermoiements officiels y sont durement
condamnés ; paternalisme et charité se voient rejetés
pour cause d'inefficacité. Le racisme est impitoyablement dénoncé pour la première et non pour la
dernière fois [2]. Camus s'attarde tout particulièrement sur les problèmes économiques : niveau de
vie, chômage. On le devine imprégné des principes
élémentaires de l'analyse marxiste. Il dénonce âprement « la logique abjecte qui veut qu'un homme
soit sans force parce qu'il n'a pas de quoi manger et
qu'on le paye moins parce qu'il est sans force ». Il
prône enfin cette démocratie algérienne (le projet
Blum-Violette était encore dans toutes les mémoires)
qui, comme il le soutiendra plus tard, « vaudrait cent
armées et mille puits de pétrole [3] ». C'en est assez
pour que le Gouvernement Général le juge indési-
rable et l'amène par des pressions discrètes à quitter
l'Algérie [4].

Mais la guerre toute proche rejette pour un temps
ces problèmes hors de l'actualité. En 1940, Camus
tente d'obtenir, en dépit de son état de santé, une
place au combat. Aucun réflexe nationaliste ne l'y
pousse, aucun goût des armes, au contraire. Est-il
même si sûr du bon droit des nations occidentales ?
Plus probablement, il se refuse à n'être qu'un
citoyen diminué, ou suspect. Comment aussi pour-

1. *Alger-Républicain,* 4 juin 1939 et sq.
2. *Combat,* 10 mai 1947 : dans *Actuelles* « la Conta-
gion » ; id. *Lettre au monde sur les fusillades du 14
juillet 1953.*
3. Interview parue dans *Servir,* Lausanne, déc. 1945.
4. Cf. Biographie.

suivre une existence normale quand tant d'hommes
du peuple, guère plus belliqueux que lui-même,
vivent jour après jour dans la peur et l'ennui la
plus étrange des guerres? Camus repousse le confort
et la solitude. Quel que soit son mépris pour les
apprentis sorciers qui ont déchaîné la violence, il
entend prendre sa part d'un mal qui accable la
nation entière. Vers 1942, il rallie donc la Résistance. « Pour être tout à fait précis, je me souviens
très bien du jour où la vague de révolte qui m'ha-
bitait a atteint son sommet. C'était un matin à
Lyon, et je lisais dans le journal l'exécution de
Gabriel Péri [1]. » Désormais, il mènera la vie difficile et obscure des agents de renseignements et des
journalistes clandestins. Sans cesse les mêmes précautions à prendre, la même existence instable et
menacée, le même combat contre un ennemi sans
visage.

Ce que fut la Résistance pour Camus, il est difficile de le savoir. Il en a fort peu parlé, repoussant le
plus souvent les occasions de témoigner : « Le
genre ancien combattant n'est pas le mien. » La
très brève lettre-préface au *Combat silencieux* trahit
sa répugnance à évoquer en termes précis cette
époque essentielle ; celle qui ouvre le livre de
Mme Héon-Canonne, *Devant la mort*, est avant tout
un témoignage d'estime. Seul, son hommage au
poète chrétien René Leynaud soulève un coin de
son intimité résistante. Sans doute, devant tant de
disparus, a-t-il le sentiment que ceux qui sont reve-
nus sains et saufs n'avaient pas assez fait : le témoignage historique des chefs et le témoignage humain
de ceux qui ont directement souffert lui paraissent
seuls valables. La déception des lendemains de la

---

1. Réponse à E. d'Astier de la Vigerie. *Actuelles*,
p. 185. G. Péri fut exécuté le 19 décembre 1941.

Libération, le sentiment amer que le Grand Jour n'est qu'un commencement suffiraient au reste à justifier son silence. La Résistance fut l'heure des grandes vérités, l'heure éblouissante qu'on ne peut évoquer sans la trahir et qui laisse à ceux qui l'ont vécue ce fonds de solitude et ce goût du néant qui hante le jeune Horace au soir même de son triomphe.

Du moins est-il avéré que l'action équilibra bientôt l'amertume de l'exil. La netteté des buts poursuivis et la rigueur quasi ascétique de la vie résistante contenaient un principe de satisfaction qui, sans ôter de sa réalité à l'absurde, vérifiait pourtant la préface du *Mythe de Sisyphe* : « cela veut dire que l'absurde est réellement sans logique. C'est pourquoi on ne peut pas en vivre [1] ». Aride comme Djemila, aveugle comme le couperet qui obsède Meursault, la guerre, par contraste, fait surgir des valeurs d'un monde qui paraissait privé de sens. Ce n'est pas, bien sûr, qu'on connaisse désormais la vérité : du moins découvre-t-on ce qu'est le mensonge. Sans doute ne sait-on rien de précis sur la nature et la réalité de l'esprit : mais sur le meurtre, son contraire, on a tout appris bientôt. Le bien et le mal ne vont pas s'opposer comme le jour et la nuit (Camus laisse ce manichéisme aux pharisiens et aux fanatiques) : il y aura de l'un à l'autre une simple nuance, une de « ces nuances qui ont l'importance de l'homme même [2] ».

C'est dans cet esprit que, dès la Libération de Paris, Camus s'est efforcé d'imprimer à la presse et, par contre-coup, à la vie politique, un style nouveau. Il a gardé un triste souvenir de la vilaine atmosphère qui intoxiqua la Troisième République.

---

1. Inédit.
2. *Lettres à un ami allemand.*

Il condamne tout à la fois le conformisme, la soumission aux lâches désirs du lecteur, la prostitution de la presse d'argent et ses méthodes anesthésiques. A une heure où l'on pouvait encore espérer un régime pur et dur, honnête et viril, Camus perçoit toute l'importance de « l'information, clef de la démocratie [1] ». Pour lui comme pour M. Sauvy, il semble qu'entre le scandale et la purge, « la contrainte la moins pénible de toutes serait la contrainte de la vérité [2] ». Objectivité et courage, indépendance et clarté, tels étaient à ses yeux les mérites de l'information, quatrième pouvoir. Le problème est toujours pendant.

Le premier soin de la presse libre devait être de s'opposer au formalisme [3] comme à toutes les survivances de l'esprit totalitaire — excitation à la haine, insultes, violence de langage —, qui étouffent toute possibilité de dialogue. Les excès de l'épuration, la condamnation exorbitante d'un journaliste, René Gérin [4], les manifestations d'un racisme latent, la persistance en Algérie comme à Madagascar de l'état d'esprit colonialiste [5], sont autant de défaites de l'homme. Tour à tour il importe de défendre ceux-ci contre ceux-là, puis ceux-là contre ceux-ci, au nom des quelques vérités élémentaires conquises dans la clandestinité.

Le problème-clé est celui de la violence. Contre la violence discrète (naturelle, disent les pharisiens), contre l'ordre moral qui couvre l'injustice, Camus

---

1. *Combat*, 31 août 1944 et 27 juin 1945.
2. ALFRED SAUVY : *l'Evolution économique, les faits et les opinions.*
3. *Combat*, 8 sept. 1944.
4. Chroniqueur littéraire à l'*Œuvre* et pacifiste ; dès la fin de 1944, Camus avait protesté, avec d'autres, contre l'exécution de Robert Brasillach.
5. *Combat*, 10 mai 1947.

se prononce sans équivoque : « Nous sommes déter-
minés... à déclarer que nous préférerons éternellement
ment le désordre à l'injustice [1]. » La critique
marxiste du monde capitaliste est parfaitement rece-
vable. Dans l immédiat, pourtant, il s'agit de la
violence ouverte, répressive, et des risques de violence révolutionnaire. Dans la Résistance, tout était
simple. D'autres avaient déclenché la bataille : de
toute façon, nous étions embarqués. « Il n'est pas
incompatible au même moment, a écrit René Char,
de renouer avec la beauté, d'avoir mal soi-même
et d'être frappé, de rendre les coups et de s'éclip-
ser [2]. » La violence révolutionnaire exige plus de
continuité. A peine s'y est-on engagé qu'une sorte
de logique du meurtre et de la peur nous emporte.
Les victimes condamnent les bourreaux à tuer toujours davantage et finalement à rendre le meurtre
institutionnel.

La violence répressive ou révolutionnaire, Camus
sait trop bien qu'on ne la peut absolument écarter.
« En somme, les gens comme moi, voudraient un
monde, non pas où l'on ne se tue plus (nous ne
sommes pas si fous !) mais où le meurtre ne soit
pas légitime [3]. » La justice révolutionnaire ne peut
être qu'une justice d'exception, une exception plutôt qu'une justice. Au fond, sans contester que le
combat social soit une des formes de la lutte permanente que se livrent les hommes, Camus s'en
tient aux distinctions traditionnelles entre le combat
militaire et les luttes politiques. Le passage de l'un
à l'autre, sous la forme du réalisme historique,
aboutit à la généralisation de l'état de guerre. Le

---

1. *Combat*, 12 oct. 1944.
2. RENÉ CHAR : *Recherche de la base et du sommet.*
Empédocle, I.
3. Ni Victimes ni Boureaux, *Actuelles*, p. 147.

capitalisme a ses crimes légaux, si fortement ana-
lysés par Balzac, et l'on y égorge silencieusement
à l'ombre des cathédrales et des coffres-forts. Suffit-il, pour en venir à bout, que le socialisme, qu'il
appelle de tous ses vœux [1], ait la franchise de tuer
au grand jour ?

Dans la pratique, tout ceci le conduit à s'inquiéter dès la Libération de l'opposition des Etats-Unis
d'Amérique et de l'Union Soviétique. « Les seuls
problèmes urgents de notre siècle sont ceux qui
concernent l'accord ou l'hostilité de ces deux puissances [2]. » La rivalité des deux plus grandes puissances économiques du globe place la France en
situation de « dépendance ». Je ne puis résister au
plaisir de citer ici ces lignes où se trouvent dénon-
cées par la plume d'un « intellectuel irresponsable »
les conséquences redoutables du réalisme de nos
hommes d'Etat : « En termes de guerre froide, il
faudrait tout subordonner en France à la lutte contre
le Parti communiste, ce qui suppose quelques limi-
tations à l'idée qu'à tort ou à raison nous nous faisons de la démocratie, et tout plier à la nécessité
de développer notre puissance militaire, ce qui n'ira
pas sans inconvénients pour notre économie. Quand
je dis que ces inconvénients seront supportés d'abord
par les travailleurs de toutes classes, il est vraisem-
blable que je demeure en deçà des limites de la
vraisemblance. A l'extérieur, pour servir en réalistes
la guerre froide, il vous faudra passer sur quelques-
unes de vos répugnances. Si Tsaldaris vous sert
mieux contre le bolchevisme, il vous faudra fermer
les yeux sur les exécutions d'Athènes, les îles de la

-----

1. « Il est bien vrai que je n'aurais plus de goût à
vivre dans un monde où aurait disparu ce que j'appel-
lerai l'espoir socialiste ». Lettre à l'auteur.
2. *Combat*, 7 mai 1947.

relégation et la politique de répression... Puisque
Franco a donné des gages militaires aux Etats-
Unis... il vous faudra le supporter, souhaiter sa
prospérité et à l'occasion lui serrer la main... Les
partisans de la guerre froide sont donc obligés d'accepter l'idée de la guerre préventive ou de supporter
de s'entendre dire un jour par des hommes plus
réalistes qu'eux : en ne déclarant pas la guerre tout
de suite, vous servez l'impérialisme russe [1]. »

La nécessité d'une action médiatrice de la France
lui apparaît d'autant plus impérieuse que les découvertes atomiques font peser sur le monde une terrible menace, dont les hommes politiques, par la
plume de M. Jules Moch, commencent à se préoc-
cuper. Dans ces conditions, les révolutions ne
peuvent, au moins en Europe, que dégénérer en
guerres idéologiques : c'est dire que « nous ne
sommes pas libres en tant que Français d'être révolutionnaires [2] ». Les problèmes sont désormais à
l'échelle mondiale et le mouvement d'émancipation
des peuples coloniaux, si fortement analysé depuis
par Tibor Mende, lui semble devoir peser dans la
balance internationale comme l'un des phénomènes
essentiels des décades à venir. L'internationalisme
est dès lors l'utopie la plus raisonnable. La collec-
tivisation n'a de sens qu'à l'échelle planétaire [3]. Le
pool atomique, cher au président Eisenhower, est
en germe dans *Ni Victimes ni Bourreaux*, cette série
d'articles dont il faudra bien reconnaître un jour
qu'ils constituent l'un des documents les plus
lucides sur notre époque.

Si l'on s'en tient aux faits, il paraît donc aven-

----

1. Réponse à l'Incrédule (François Mauriac), *Combat*,
déc. 1948.
2. Cf. *Ni Victimes ni Bourreaux*.
3. *Ni Victimes ni Bourreaux*, p. 168.

tureux de contester à Camus le souci constant de
comprendre l'histoire qui se fait, et d'y agir.
Engagé, bon gré mal gré, dans son temps, il n'a
pas hésité à s'engager en paroles et en actes, toutes
les fois que cela lui est apparu nécessaire. Un sentiment aigu de fraternité interdit à l'artiste qu'il est
de se consacrer uniquement à la beauté et le condamne à la solidarité. « Là, nous regardions la nuit
tomber. Et, à cette heure où l'ombre qui descend
des montagnes sur cette terre splendide apporte une
détente au cœur de l'homme le plus endurci, je
savais pourtant qu'il n'y avait pas de paix pour
ceux qui, de l'autre côté de la vallée, se réunis-
saient autour d'une galette de mauvais orge. Je
savais aussi qu'il y aurait de la douceur à s'abandonner à ce soir si surprenant et si grandiose, mais
que cette misère dont les feux rougeoyaient en face
de nous mettait comme un interdit sur la beauté
du monde. »

Cette longue citation, extraite du reportage sur
la Kabylie, suffirait à prouver que l'artiste demeure
présent derrière le journaliste et se refuse à sacrifier la forme. Certains concluront de cette dignité
de l'écriture au dilettantisme et à la littérature.
Comme si la sincérité se mesurait au laisser-aller
ou à la véhémence ! La misère et la beauté reten-
tissent parallèlement en lui. Faut-il parler de débat,
de déchirement, comme pourraient nous y inviter
ces lignes : « Solidaire de ce monde où les fleurs
et le vent ne feront jamais pardonner le reste[1]. » ?
Si Camus se range régulièrement aux côtés de la
misère, ce n'est pas malgré, mais à cause du bonheur et de la beauté. « J'ai choisi la justice, au
contraire, pour rester fidèle à la terre[2]. » Le goût

---

1. Inédit.
2. *Lettres à un ami allemand.*

du bonheur et la lutte contre la misère sont complémentaires.

La révolution lui apparaîtrait donc comme le meilleur moyen de servir le bonheur, s'il n'était convaincu que le bonheur est toujours à refaire. Dès ce moment il se sépare de façon radicale des révolutionnaires modernes par la conviction que, si misérable soit-il, l'homme a toujours quelque parcelle de joie à défendre. « Il y a l'histoire, et il y a autre chose, le simple bonheur, la passion des êtres, la beauté naturelle [1]. » Constatation d'expérience qui explique une attitude foncièrement *résistante*. Il n'est pas assez pessimiste pour contester à ce monde d'injustice toute valeur réelle ; il n'est pas assez optimiste pour l'assurer des lendemains qui chantent. On le dirait sans cesse en garde contre l'espoir et le désespoir, contre les remous de l'histoire et contre la paix des cloîtres. Camus est un méfiant, par crainte du déséquilibre. Il ne redoute rien tant que ce double mouvement qui le porte tantôt à l'engagement et tantôt à la retraite. Dans le cœur de tout prolétaire sommeille un jardinier ; chez lui aussi coexistent l'homme public et le solitaire : nous vivons en collectivité, mais, pour mourir, nous sommes seuls. En choisissant le métier d'écrivain, Camus n'espérait sans doute rien d'autre que de réaliser cette impossible conciliation.

Il reste qu'on le sent moins ému par les possibilités créatrices de la collectivité que par les forces de désintégration qui la guettent. Il manque d'imagination pour l'avenir. Dirai-je que son comportement, semblable en cela à celui d'Épicure, révèle un homme habitué à combattre la maladie et à

---

1. Réponse à E. d'Astier de la Vigerie. *La Gauche*, oct. 1948. *Actuelles*, p. 206, *id.* p.234 : « Ces hommes devraient s'essayer à préserver dans leur vie personnelle la part de joie qui n'appartient pas à l'histoire. »

se donner de nouveaux délais ? N'était cette expérience, il eût prôné en sa jeunesse un socialisme de la force et de l'élan vital à la façon de Spengler. Il lui fallut tout au contraire défendre le droit à la vie contre des forces obscures. Ce détail suffirait sans doute à expliquer son hésitation à désigner les coupables. Il pourrait avec quelque raison s'en prendre à l'ordre social : ce sont là observations savantes. Si pauvre soit-il, le malade n'incriminera jamais les difficultés de logement, ni même la misère. Quelques jours plus tôt, les conditions étaient les mêmes, et il n'était pas malade. Ajoutons que son honnêteté répugne aux dénonciations incertaines. Aussi sa critique demeure-t-elle le plus souvent sur un plan général. En 1939 comme en 1945, le journaliste Camus incline à faire crédit à la bonne volonté générale, quitte à incriminer l'ignorance : « Ma position personnelle pour autant qu'elle puisse être défendue, est d'estimer que si les hommes ne sont pas innocents, ils ne sont coupables que d'ignorance[1]. » L'auteur de *Caligula* concède volontiers à Socrate que « nul n'est méchant volontairement ». Il tient naturellement de l'avocat ou du témoin, nullement du procureur.

Après tout, le matérialisme marxiste, comme le démontrait excellemment J.-P. Sartre dans *Matérialisme et Révolution*, devrait en bonne logique « s'interdire de juger : un bourgeois n'est que le produit d'une rigoureuse nécessité[2] ». La dialectique marxiste en conclut dès lors à sa destruction. Camus consentirait à ce qu'on détruisît la bourgeoisie, non le bourgeois. Pacifisme, dira-t-on, non-violence ?

---

1. Interview publiée par *la Reine du Caire*, 1948, id. : *Ni Victimes ni Bourreaux* : « Ce qui me frappe au milieu des polémiques, des menaces et des éclats de la violence, c'est la bonne volonté de tous ».
2. *Situations*, III, p. 193.

Les faits suffiraient à infirmer pareilles hypothèses ; mais les mythes ont la vie dure. Devant l'histoire, Camus est plus cornélien que marxiste. Pour lui, la noblesse des actes est encore la garantie la plus sûre de leur efficacité. Il est notable que son entrée dans la Résistance ait été à la fois naturelle et déchirante. Naturelle en effet, car on ne peut manquer d'être frappé par la simplicité, je dirais presque la banalité de ses raisons : ce n'est ni l'héroïsme, ni le sacrifice, moins encore le dévouement à quelque idée-force ; simplement, une certaine limite avait été dépassée, une certaine manière d'être était en cause, où l'amitié, l'amour, l'honneur même gardassent quelque sens à côté de la haine, de la jalousie et de la violence. Mais de pareilles évidences n'enlèvent rien au déchirement intérieur. On a pu écrire des héros cornéliens qu' « ils sont poussés malgré eux dans la tragédie ». Comme eux, nombre de résistants étaient sans ardeur belliqueuse. Leur folie était de « vouloir tout concilier ». Mais le temps est venu où le soufflet de l'ennemi s'est révélé insupportable : « nous avons en effet admis que dans certains cas le choix était nécessaire [1]. » Psychologiquement, les *Lettres à un ami allemand* sont les stances du combattant clandestin [2].

Je n'en veux pour preuve que le ton même. La multiplication des affirmations (« nous savons », « nous avons appris »), la recherche des formules percutantes, l'effort constant de justification (« il nous a fallu »), montrent assez que, si la détermination de vaincre faiblit moins que jamais, les scrupules intellectuels et moraux ne sont pas tous levés. Comme la plupart des hommes, Camus s'est battu

---

1. *Lettres à un ami allemand.*
2. « Ce qui n'était qu'une passion, j'en connais aujourd'hui les raisons », *id.*

sans joie, sinon avec amertume ; mais aussi avec
l'implacable lucidité de quiconque a quelque chose
de vivant à défendre. Devant ces lettres, on ne peut
s'empêcher de songer au terrible dialogue d'Horace
et de Curiace, un Curiace qui aurait lu *Servitude et
Grandeur militaires*.

L'originalité de Camus n'est nullement dans une
façon de penser qui est aussi bien celle de Meursault ou de Céleste, le bistrot algérois, celle de la
majorité des Français aussi, mais avant tout dans
la logique qu'il met, une fois qu'il a pensé comme
tout le monde, à vivre selon sa pensée. Comme le
plus grand nombre, il a une égale horreur de la
servitude et de la guerre, de l'injustice et du sang.
En 1945, une controverse l'opposa à François Mauriac sur le difficile problème de l'épuration. Contre
celui-ci, il soutint un moment la nécessité d'une
répression sereine, mais implacable [1]. Tel était le
principe. Mais devant les excès, le dégoût le saisit :
l'horreur des exécutions capitales tient chez lui de
la nausée et du traumatisme. Quoi qu'il en soit,
Camus renonce un temps à la direction de *Combat*
pour se mettre en règle avec ses scrupules : finalement, il reviendra à la vie journalistique avec la
ferme résolution de n'ajouter en aucun cas par ses
paroles ou par ses actes à la folie de meurtres à
laquelle l'Europe s'abandonne [2].

Historiquement, c'est une faiblesse, et il le sait :
« Les artistes ne sont pas de bons vainqueurs politiques, car ils sont incapables d'accepter légèrement
la mort de l'adversaire [3]. » Qu'est-ce à dire, sinon
qu'ils n'ont pas confiance en l'histoire : l'homme

---

1. 11 janvier 1945, *Combat*.
2. *Actuelles*, p. 212. Exposé fait au couvent de dominicains de Latour-Maubourg en 1948.
3. *Actuelles*, p. 266.

n'a rien à espérer d'une évolution naturelle, mécanique à la façon du xviiiᵉ siècle ou dialectique à la manière marxiste. Camus repousse l'idée d'une finalité historique. La marche du temps est imprévisible : c'est pourquoi il lui donne le visage aveugle du destin. Mais, dira-t-on, l'histoire n'est rien d'autre que la conjonction et l'interférence des divers courants humains. Disons dès lors que la rencontre des volontés, des passions et des désirs humains d'une part, de la technique et des civilisations de l'autre, aboutit à la même indifférence. Les événements nous demeurent étrangers, dans leurs causes ou dans leurs conséquences. De toute façon, les désirs essentiels de l'homme ne sauraient être pleinement satisfaits. « L'histoire n'est que l'effort désespéré des hommes pour donner corps aux plus clairvoyants de leurs rêves [1]. »

Tout ceci nous conduit à un pessimisme aussi relatif qu'actif. « Je continue à croire que le monde n'a pas de sens supérieur, écrit-il en juillet 1944. Mais je sais que quelque chose en lui a du sens et c'est l'homme parce qu'il est le seul être à exiger d'en avoir [2]. » Pareille phrase suffirait à justifier toutes les entreprises révolutionnaires, si elle ne leur conférait du même coup une responsabilité morale. Toute transformation économique implique parallèlement une préoccupation morale, au sens le plus large du mot, dont René Char nous fournit la définition : « Revaloriser, même arbitrairement, le prodige qu'est la vie humaine dans sa relativité [3] » ; c'est-à-dire la préserver de la destruction et de toutes les forces d'avilissement, qu'il s'agisse de la

1. *Actuelles*, p. 169.
2. *Lettres à un ami allemand.*
3. René Char : *Recherche de la base et du sommet*, Empédocle, I.

maladie, de la misère, de la dictature de l'argent, de la technique ou de la machine et, pour finir, de la volonté de puissance. Politique de médecin, en opposition profonde avec le marxisme tel que le définit Henri Lefebvre : « Le marxisme ne s'intéresse pas au prolétariat en tant qu'il est faible, mais en tant qu'il est une force... non pas en tant qu'il est rejeté par la bourgeoisie dans l'inhumain, mais en tant qu'il porte en lui l'avenir de l'homme... En un mot, le marxisme voit dans le prolétariat son devenir et son possible. » Camus, lui, part du présent dans sa médiocrité et ses souffrances[1]. Il aspire moins à l'épanouissement orgueilleux de la force qu'à un équilibre modeste. Contre Nietzsche et Hegel, il invoque Socrate, par une sorte d'opportunisme moral : « C'est une question de stratégie[2]. »

On voit dans quel esprit s'est amorcé le flirt de Camus et du christianisme aux lendemains de la Libération. Qu'on ne s'y trompe pas : rien n'est changé dans le cadre de sa pensée[3]. Comme Vigny au temps de Daphné, Camus se préoccupe du rassemblement de toutes les bonnes volontés sur les bases modestes d'un socialisme de la personne. Au christianisme, il reproche toujours de ne présenter à l'homme qu'une image humiliée de lui-même. Il lui retourne son accusation de pessimisme : « Ce n'est pas moi qui ai inventé la misère de la créature ni les terribles formules de la malédiction divine. » Il se refuse obstinément à la résignation.

---

1. Cf. J.-P. Sartre, 1953. *Le Monde*, « le Congrès de Vienne ». « On peut sourire de cette conviction basée sur un mouvement de sensibilité. Je ne crois pourtant pas que nos réalistes d'aujourd'hui, fussent-ils machiavéliens, auraient intérêt à sous-estimer les émotions. »
2. *Actuelles*, p. 224.
3. *Actuelles*, p. 213 : « Je ne partage pas votre espoir et je continue à lutter contre cet univers où des enfants souffrent et meurent. »

L'attitude du haut clergé sous l'occupation, son éloignement du peuple, la discrétion du Vatican devant les exactions nazies et la bénédiction que l'Eglise d'Espagne accorde généreusement aux fusilleurs franquistes n'ont pas cessé de l'indigner. Dès ce moment il prévoit l'évolution du Mouvement Républicain Populaire vers un conservatisme charitable et résigné [1]. Mais le temps n'est plus où le christianisme lui apparaissait comme un confort. René Leynaud et bien d'autres lui ont appris que la foi pouvait n'être qu'une « espérance tragique [2] », une recherche inlassable. Il lui semble qu'un fond moral commun [3] pourrait être défini sur les bases du respect de la vie et de la personne. Son vocabulaire (salut, pureté) trahit cette attirance. Dès lors, il emprunte au marxisme sa critique et ses exigences, au christianisme son amour, et à l'absurde enfin son sens de la terre et de la modestie.

Des circonstances diverses l'ont amené à abandonner l'honnête prédication dont il s'était chargé. La fatigue, les difficultés financières de *Combat* et la dislocation de son équipe rédactionnelle y ont eu leur part. Il semble aussi que Camus ait cédé d'abord à un mouvement de retraite vers le silence et l'art; ou, plus exactement, au désir d'échapper aux remous de l'actualité politique pour prendre du recul et se purifier en quelque sorte. Le métier de publiciste a de dures exigences. Il y faut parfois forcer ses convictions, cacher ses doutes et ses angoisses. Dans le moment même où il affirme la possibilité de concilier justice et liberté, Camus craint de devoir constater bientôt son erreur. Aussi les impératifs, les exhortations (il faut, nous devons)

---

1. *Actuelles*, p. 236.
2. *Actuelles*, p. 88, 136, 212.
3. *Actuelles*, p. 218.

reviennent-ils à chaque paragraphe. Ce mélange de foi volontaire et d'incertitude profonde donne à sa pensée ce caractère obstiné et tendu où Sartre a voulu voir injustement « une sorte de suffisance sombre ». « Nous ne sommes pas sûrs que nous ayons échappé toujours au danger de laisser entendre que nous croyons avoir le privilège de la clairvoyance et la supériorité de ceux qui ne se trompent jamais [1]. » La morale sclérose [2].

Il faut faire aussi la part du découragement : « Quelque chose en nous a été détruit par le spectacle des années que nous venons de passer. Et ce quelque chose est cette confiance en l'homme qui lui a toujours fait croire qu'on pouvait tirer d'un autre homme des réactions humaines en lui parlant le langage de l'humanité [3]. » La politique des blocs ne laisse au journaliste que la ressource de parler dans le désert ou de se taire. « Pour un temps encore inconnu, l'histoire est faite par des puissances de police et des puissances d'argent contre l'intérêt des peuples et la vérité des hommes [4]. » Parce que les événements échappent aux gouvernements mêmes et obéissent à la logique de la peur, la politique au jour le jour ressemble à quelque jeu vain et gratuit.

Camus a la claire conscience de la fragilité de sa position. Dès 1945, il s'est senti coincé entre Dieu et l'histoire. Tout son difficile effort n'a tendu qu'à rétablir un équilibre entre la révolte métaphysique et la révolte historique, entre l'acceptation de

---

1. *Combat*, 22 novembre 1944.
2. *Actuelles*, p. 261. « Et nos écrivains le savent bien, qui finissent tous par se réclamer de ce succédané malheureux et décharné de l'amour qui s'appelle la morale. »
3. *Ni Victimes ni Bourreaux.*
4. *Actuelles*, p. 235.

la condition humaine et l'adhésion à l'histoire. Refuser indéfiniment de choisir, c'est se faire « le témoin de la liberté pure ». Mieux vaut, dès lors qu'on se sent incapable de sacrifier ou la chair à l'histoire ou l'histoire à la chair, ou la justice à la liberté ou la liberté à la justice, reprendre rang parmi la foule impuissante et vivre à son niveau ses contradictions et ses angoisses. Quitte à préparer en silence « la réflexion modeste qui sans prétendre tout résoudre sera toujours prête à un moment quelconque, pour fixer un sens à la vie de tous les jours [1] ».

Camus rejoint alors la clandestinité. Simple tâche de résistance et de conservation contre toutes les violences, d'où qu'elles viennent [2]. Pareil à Rousseau égaré parmi les philosophes, il se cantonne « dans des considérations volontairement inactuelles [3] ». Il est vrai qu'il est anachronique de plaider pour l'internationalisme dans un temps où les nationalismes conquièrent les continents ; anachronique aussi de parler de paix dans un monde qui résonne du cliquetis des armes, d'évoquer la menace atomique devant des peuples las de trembler et avides de sommeiller, de faire appel à la modestie quand les totalitarismes se renforcent mutuellement. Le drame est pourtant que chacune de ses protestations l'isole davantage. La foule anonyme de ceux qui pensent comme lui s'est le plus souvent réfugiée dans le scepticisme, l'indifférence ou l'écœurement. Les peuples apeurés appellent la prophétie plutôt que le dialogue.

Il y a, toutes choses égales, quelque analogie entre le destin journalistique d'Albert Camus et le destin

---

1. *Ni Victimes ni Bourreaux.*
2. *Défense de l'homme*, juillet 1949 : « Jusqu'à nouvel ordre, résistant inconditionnel, — et à toutes les folies qu'on nous propose. »
3. *Actuelles*, p. 126.

politique de Charles de Gaulle. L'intransigeance, la volonté de n'aborder que les problèmes dominants de l'époque les ont séparés de la foule dans le temps même où ils pouvaient croire, avec raison, qu'elle partageait nombre de leurs points de vue. Il est faux de prétendre que Camus s'est retiré de l'histoire : « Le monde étant ce qu'il est, nous y sommes engagés, quoi que nous en ayons[1] » ; il s'y est placé en franc-tireur, en révolté et en protestataire. A défaut de pouvoir encore agir sur l'histoire, il s'est contenté d'y être une conscience. Il est faux qu'il se soit voué de dépit à l'art : il n'a jamais aussi peu produit d'œuvres littéraires que de 1948 à 1954. Il est faux enfin de prétendre que ses positions ne représentaient que lui-même : sa solitude était à la mesure du renoncement de tous ceux qui pensaient comme lui. Mais il est vrai que les événements et les hommes ont rendu momentanément utopique le refus de choisir entre deux violences. Il est vrai enfin qu'il est insensé d'avoir raison trop tôt, de parler de détente et de coexistence avant que les peuples et leurs chefs n'aient eu le temps de mesurer la profondeur de leur folie. L'histoire ne tolère ni qu'on la suive ni qu'on la précède.

---

1. *Ni Victimes ni Bourreaux.*

VIII

LES JOURS DE NOTRE MORT

La Peste est la plus massive des œuvres de Camus et, probablement, celle dont la mise au point lui coûta le plus de peines. Est-ce un roman ? Certes, Camus y anime pour nous des personnages et des destinées ; nous regardons vivre et souffrir Rieux, Tarrou, Rambert, Paneloux ; nous apprenons à connaître petit à petit leur passé, leurs amours, leurs angoisses ; l'un, modeste employé, regrette encore sa femme qui l'a quitté par dégoût d'une vie trop étriquée ; l'autre a rompu avec ses origines bourgeoises pour chercher à travers révolutions et voyages la paix du cœur ; un autre est obsédé par la peur de la police. En un sens, ce sont bien des individus, et, quand nous nous intéressons à eux, nous croyons pouvoir oublier notre vie réelle pour leur destin imaginaire.

Pourtant, l'œuvre n'a pas été classée par son auteur dans la rubrique romanesque : elle s'intitule chronique. Le livre ne doit que peu de choses à l'imagination. Il n'y a d'ailleurs pour ainsi dire pas d'intrigue. Par contre, Camus y a accumulé les détails concrets, observés au jour le jour : des

personnages secondaires, comme le vieillard qui crachait-sur-les-chats ou le vieil Espagnol furent esquissés d'après nature. La trame des événements, leur
logique sont telles que dans la réalité.

Néanmoins, dès 1939, date de la conception du
thème, Camus a, sous l'influence de Melville [1], délibérément choisi le symbole [2] ; le simple énoncé des
titres de ses œuvres traduit cette évolution : les
hommes (*Caligula*, *l'Etranger*) s'effacent au profit
d'un problème (*le Malentendu*) ou d'un mythe (*la
Peste*). Le mythe est à l'histoire ce que la plastique
est au corps humain : il en extrait l'événement, le
circonscrit, le débarrasse de sa gangue, lui impose
une logique et une direction. C'est par lui que le
roman devient « cet univers où l'action trouve sa
forme, où les mots de la fin sont prononcés, les
êtres livrés aux êtres, où toute vie prend figure de
destin [3] ». *La Peste* marque la revanche de la souffrance sur l'oubli triomphant ; à ce que nous avions
connu comme une morne succession d'instants
dénués de sens, elle apporte sa forme et son achèvement et, à ce niveau, l'histoire devient un destin
exemplaire. Comme Giraudoux de la tragédie, Camus
peut écrire : « Si le roman ne dit que la nostalgie,
le désespoir, l'inachevé, il crée encore la forme et
le salut [3]. »

★

Camus a choisi pour thème de son livre le récit
d'une épidémie de peste dans la ville d'Oran. La

---

1. Cf. La présentation d'Hermann Melville : « Melville
est d'abord un créateur de mythes. »

2. Cf. *L'exhortation aux médecins de la Peste*, qui
constituait l'une des dissertations ironiques, à la façon
de *Moby Dick*, destinées à alterner avec le récit.

3. *L'Homme révolté*.

peste offre le double avantage d'être le plus terrifiant des fléaux et le moins bien connu aujourd'hui. Sa quasi-disparition et la relative antiquité de ses manifestations ne font qu'ajouter au mystère qui l'entoure : *major e longinquo reverentia*. Cette part de merveilleux qu'exige le mythe, le mot suffisait à l'introduire : les multiples utilisations qu'en fait la langue courante témoignent assez de son extraordinaire résonance. Mieux, la peste apparaît et disparaît à la façon du diable dans les légendes germaniques ; son caractère épidémique impose que soit décrété l'état de peste : ainsi Oran, coupée du monde, se pare d'une auréole d'étrangeté ; terriblement lointaine, comme Moïse ou Meursault emprisonné, elle nous demeure pourtant comme eux curieusement proche.

Cette familiarité et ce mystère conjugués confèrent au mythe de la Peste une ambiguïté qui fait sa valeur. Les interprétations en sont multiples. Camus aurait fort bien pu, en chronique pure, nous conter l'histoire de l'occupation et de la lutte clandestine. Il pouvait même, comme le fit Steinbeck dans *Nuit sans Lune*, désencombrer l'histoire de ses aspects anecdotiques et de ses détails subjectifs. C'était infailliblement limiter la portée du récit : une occupation aurait évoqué toutes les occupations passées et futures, et cela seulement. L'ambition de Camus était plus haute : il fallait soustraire l'événement à la précision du souvenir, l'arracher à l'égocentrisme naturel du lecteur, et pour cela lui donner en spectacle une cité en proie au fléau légendaire de l'humanité : la peste. « Il est aussi raisonnable », nous rappelle en exergue Daniel de Foë. « de représenter une espèce d'emprisonnement par une autre que de représenter n'importe quelle chose qui existe par quelque chose qui n'existe pas. »

Aussi le livre, dans sa simplicité toute puritaine,

offre-t-il un triple sens. A s'en tenir au résumé le plus littéral, la ville d'Oran est livrée, comme il advint effectivement, à une épidémie de peste qui apparaît, se développe, atteint son apogée et s'efface. Cela nous vaut une chronique médicale, une étude clinique ; le narrateur suit les événements à mesure de leur déroulement : dans les escaliers, dans les ruisseaux, des rats crèvent, « avec une petite fleur de sang sur le museau pointu » ; puis les hommes sont attaqués, des bubons apparaissent à l'aisselle ou à l'aine, le rythme des contagions est étudié à la lueur des statistiques, les symptômes de la maladie, ses variations, décrits avec méthode et sur le ton égal du praticien. Même souci d'objectivité dans la présentation des équipes de secours, dans l'énoncé des règlements édictés. Les bûchers d'Athènes, les charniers de Marseille, « les charrettes de morts dans Londres épouvanté » et tant d'autres évocations sinistres ont longtemps nourri le lyrisme des peintres et des historiens. La méthode et l'esprit d'organisation ôtent désormais tout caractère spectaculaire, pour ne pas dire littéraire, au fléau. Le même réalisme guide l'étude psychologique et sociologique. Chaque chapitre est coiffé d'une incisive réflexion à la manière de Thucydide. Tantôt elle sert de cadre à l'épisode qui suit, tantôt de commentaire anticipé, et c'est un des premiers paradoxes de l'œuvre que la marée aveugle de la peste fournisse, par ses effets, matière à une analyse aussi impitoyablement lucide.

A un niveau supérieur, Oran fait éclater ses propres limites : c'est la France, l'Europe entière sous la botte nazie, un vaste camp de concentration. Toutes les formes concentrationnaires de la vie moderne sont en cause, depuis les gigantesques fermes californiennes jusqu'aux camps sibériens, des pays coloniaux à l'Espagne ; toutes les manifestations du totalitarisme larvé ou institutionnel, de l'injustice sociale et de la tyrannie, qu'elles se cachent sous le masque de la technique ou de l'idéologie, relèvent de la Peste. S'il en était autrement, on comprendrait mal l'importance attachée au marché noir, à la séparation, à la peur, à l'inhumanité gangrénant les pensées et les sentiments. Les tentatives de départ en fraude nous rappellent tant d'évasions, ou le simple passage des lignes de démarcation ; nous reconnaissons les divers interdits et les multiples réglementations du temps de guerre, le mince filet de fumée des fours crématoires, et pour finir, les fêtes de rues où se donna libre cours l'enthousiasme de la Libération. La Peste a « comme contenu évident la lutte de la résistance européenne contre le nazisme[1] ».

Mais le mythe a encore une signification plus haute. Peu importe finalement qu'Oran ait vraiment connu la peste. Oran, ville laide et neutre, vaut précisément par cette insignifiance ; ville de partout et de nulle part, aussi africaine qu'étrangère à l'Afrique. Il y circule une foule banale, tout entière jetée dans une existence sans relief : travail, cinéma, baignades, on n'y soupçonne guère que puissent exister d'autres valeurs que l'argent et l'agitation. Ville « sans âme et sans recours[2] », sans amour aussi ; — l'amour s'y rencontre bien comme une passion fulgurante ou comme une habitude, mais en général la tendresse humaine est absente. Bref, une cité qui a perdu le sens de la vraie vie. Mais l'eut-elle jamais ? la vraie vie est-elle autre chose qu'un mirage ? En tout cas, Oran qui tourne

---

1. Lettre à Roland Barthes, *Club*, février 1955.
2. *Le Minotaure ou la halte d'Oran*. Sur Oran, cf. également : « Petit Guide pour des villes sans passé », dans *l'Eté*.

le dos à la mer semble s'être condamnée à la frivolité.

Le mythe englobe alors et recouvre toutes les
formes du mal. La Peste est une vieille connaissance : à Djemila, sous le vent, elle évitait encore
le scandale ; nous l'avions vue surgir sous le masque
grimaçant de Caligula : « Je suis la Peste. » Les
coups de feu de Meursault l'avaient déchaînée ; c'est
elle encore qui fut cause du « malentendu ». Ses
incarnations sont diverses, morales, sociales, métaphysiques : elle s'insinue dans les cœurs, revêt
l'hermine des justiciers, guide le poignard des assassins, les gestes du bourreau, le coup de feu du révolutionnaire ; elle est la mort enfin, insaisissable et
insidieuse, qui écrase les poitrines « d'une pesée
invisible », déconcerte par la soudaineté de ses
apparitions et de ses retraites, par les répits qu'elle
laisse comme le chat à la souris, par son arbitraire
enfin : tandis que Cottard prospère, l'enfant Othon
agonise.

Elle est aussi la nécessité, l'inévitable « anagké ».
La menace terrifie autant que l'atteinte : « ils se
croyaient libres et personne ne sera jamais libre
tant qu'il y aura des fléaux. » Supplications, prières,
sacrifices et richesses, rien ne saurait l'empêcher de
faire son œuvre, inexorablement. Tout espoir, toute
entreprise sont d'avance condamnés. Chaque instant est fermé sur lui-même. « La ville ressemblait
à une salle d'attente », au réfectoire de la prison
de Saint-Lazare pendant la Terreur, tel que Vigny
nous l'a décrit dans *Stello*. Toutes les issues sont
bouchées. Avec ses gardes et ses miradors, Oran
est un continuel présent.

Etrange exil, vécu sur place dans ce qu'on croyait
être une patrie, au milieu même d'objets jadis fami-
liers, de visages longtemps chéris. Oran n'est qu'une
vaste prison où chacun bute contre les murs avant

de buter contre soi-même. La peste contraint les
uns et les autres à la complicité : aux uns, un Cottard par exemple, elle offre de multiples facilités.
Les autres pour la combattre sont forcés d'entrer
dans son jeu : numéroter les individus, organiser
les quarantaines, arracher les malades à leurs
familles, accélérer les enterrements. L'abstraction
impose l'abstraction, la violence attire la violence.
Le père Paneloux, dans son premier sermon, avait
prétendu lui emprunter quelques arguments. Il ne
se doutait pas qu'il apportait du coup sa caution
au plus bouleversant des scandales. Désormais, plus
personne n'a les mains nettes.

Comme dans la vie. « Qu'est-ce que cela veut
dire, la peste ? C'est la vie et voilà tout. » La vie,
avec son inévitable dégradation, ses éternels recommencements : reprendre sans cesse la même filière,
entendre chaque jour le même disque, tourner en
rond. Le rocher monotone de Sisyphe ne cesse de
rouler sur la pente du Tartare ; au lendemain de
la délivrance, penché sur Oran enfin apaisée, Rieux
« savait cependant que cette chronique ne pouvait
être celle de la victoire définitive : le bacille de la
peste ne meurt ni ne disparaît jamais ». Il y a dans
tout homme un mélange de concret et d'abstrait,
de création et de destruction, d'être et de néant :
la vie comporte le même mélange d'humain et d'inhumain. « Le vieux avait raison : les hommes sont
toujours les mêmes. » Aussi longtemps que la
balance se maintient égale entre l'humain et l'inhumain — c'est-à-dire entre ce que les hommes
acceptent et ce qu'ils récusent —, cela s'appelle la
vie ; la peste, elle, commence avec la rupture d'équilibre, avec l'irruption de l'arithmétique dans le
compte des souffrances. Son triomphe est rapide ;
il paraît total ; mais ses excès mêmes la condamnent.
C'est ce que les militaires appellent le duel du canon

et de la cuirasse. Révélant aux hommes leur solitude, la peste les contraint à s'unir ; les plongeant
dans la honte et la nécessité, elle les éveille à l'honneur et à la liberté ; sa froide cruauté appelle la
révolte, et sitôt que, venus d'horizons différents,
après maints détours, des hommes résolus ont uni
leurs efforts et défini les limites au delà desquelles
la vie perd tout sens, l'équilibre n'est pas loin d'être
rétabli ; l'apaisement succède à la révolte, et pour
ceux qui n'ont pas trop perdu le bonheur reprend
ses droits. Provisoirement.

★

Cette confrontation des hommes et du destin a
pour effet de styliser les personnages : « Pour lutter
contre l'abstraction il faut un peu lui ressembler. »
Nous ne savons rien d'eux avant que la peste commence ses ravages ; nous ne les connaissons que
par les actes et les paroles qu'un narrateur, qui
se veut impartial, a pu retenir (Tarrou excepté que
ses carnets éclairent dans le même temps qu'ils
confèrent au témoignage de Rieux un caractère d'objectivité au second degré). De Rieux, nous connaissons la démarche, non le passé. Au détour d'une
phrase nous apprenons qu'il est fils d'ouvrier et doit
à la misère sa compréhension du fléau. Mais rien ne
viendra préciser ces notations fugitives. A première
vue on songerait à une sorte de psychologie du
comportement, si Camus ne l'avait vigoureusement
condamnée dans *l'Homme révolté*, et si, surtout,
chaque geste n'affirmait ou ne récusait implicitement une valeur. Si l'on veut bien admettre qu'épopée et énormité ne sont pas forcément synonymes,
la stylisation de *la Peste* serait plutôt de nature
épique.

Les personnages nous apparaissent à mesure que

le fléau les atteint ou qu'ils courent à sa rencontre.
L'Etranger nous offrait déjà, dans sa seconde partie,
semblable tête-à-tête avec le mal. Mais c'est du
caractère linéaire du récit, de la présence d'une
seule victime que, comme le titre le prouve, le
livre tirait son unité. La peste fait l'unité de celui-ci
et ne nous révèle de chacun que ce qu'elle veut
bien, — et finalement moins sa personnalité que
ses grandeurs et ses misères : pauvres et riches,
gens du monde et gens du milieu, subissent tour à
tour le regard curieux du moraliste, habile à distinguer les attitudes communes des réactions de
groupe ou de classe.

La grande découverte de *la Peste* est celle de
l'existence d'une nature humaine. La société, comme
la terre, « laisse monter à la surface des furoncles
et des sanies qui jusqu'ici la travaillaient intérieu-
rement ». La peur décape les habitudes, brise les
conventions, nous offre dans sa nudité notre condition de prisonniers pascaliens. Condamnés à l'oisiveté , « réduits à tourner en rond dans leur ville
morne et livrés jour après jour aux feux décevants
du souvenir », les Oranais prennent brusquement
conscience du vide de leur existence et de leur
solitude. Et pourtant, tout comme Meursault finis-
sait par s'habituer aux murs de sa prison et relisait
obstinément le même lambeau de journal, Oran
s'installe dans l'exil ; la superstition répond à la
terreur ; « les monologues stériles et entêtés, les
conversations arides avec un mur » s'efforcent de
briser le silence ; les insuffisances de l'imagination,
le décharnement de la mémoire adoucissent insensiblement la séparation. Le luxe, un moment
méprisé, se manifeste avec insolence, trahissant la
passion de vivre : les amours se déchaînent en satur-
nales au bord des tombes, comme au temps de la
danse macabre de Michelet. L'égoïsme sans frein,

l'instinct de conservation s'exaspèrent. Il n'est pas jusqu'aux conventions qui ne finissent par resurgir. Les mots, qui semblaient purifiés, chargés d'une vie nouvelle, échouent à briser les solitudes ; finalement il faut en revenir aux formules banales. Oran se « divertit ».

Mais avec l'apparition des complices de la peste, le ton change et atteint, sans violence aucune, au pamphlet. L'administration, en particulier, subit à nouveau les feux de la satire : quand il faudrait de l'imagination, elle ne connaît que « les ordres » ; quand il faudrait donner à la population la claire conscience du danger, elle fait coller les affiches dans les coins les plus discrets de la ville ; en pleine peste, des discussions byzantines se poursuivent entre l'armée et la police sur le choix des décorations. L'ironie froide et mesurée de Camus s'exerce aux dépens du préfet, que la bonne organisation des enterrements remplit d'une dérisoire satisfaction, ou des services médicaux officiels : « le graphique des progrès de la peste avec sa montée incessante, puis le long plateau qui lui succédait, paraissait tout à fait réconfortant au docteur Richard, par exemple. « C'est un bon, c'est un excellent graphique », disait-il. Il estimait que la maladie avait atteint un palier... Le docteur Richard fut enlevé par la peste, lui aussi, et précisément sur le palier de la maladie. » Ceux-là jouaient avec l'abstraction comme avec le feu.

Il y avait aussi les affairistes, tout entiers à l'argent, cet autre fétiche : journaux en tête, avides d'exploiter le sensationnel ; le souci de la clientèle les amenait à truquer les statistiques, à lancer des prophéties. Venaient enfin les spéculateurs de tous ordres : cinémas et cafés que l'oisiveté générale remplissait, marchands noirs, escrocs, habiles ou demi-habiles, marchands d'imperméables exploitant la légende d'une immunité due aux étoffes caoutchoutées pour liquider leurs rossignols, grossistes en vin lançant ce modèle de formule publicitaire : « le vin probe tue le microbe. »

Mais la foule des rues, des cinémas, des cafés constitue un marais sur la banalité duquel se détachent quelques figures exceptionnelles. La foule définit le point zéro, le comportement normal de l'humanité moyenne. Nous sommes aux antipodes de ces études de masse dont Zola nous a donné dans *Germinal* le modèle. L'analyse l'emporte ici sur le mouvement et l'ironie masque la conviction. Ne serait-ce pas que, pour Camus comme pour Tacite, par exemple, les grandes tragédies collectives mesurent la solitude de tous ?

Avec Cottard déjà, type des profiteurs, l'ironie n'est plus de mise. C'est un personnage qui a son drame secret. Nous rentrons dans le monde des hommes. Ecartons immédiatement une tentation nous ne chercherons pas à Camus de porte-parole attitré. N'a-t-il pas écrit : « il y a des chances pour que le romancier soit tous ses personnages à la fois[1] » ? Successivement ou concurremment. On risque, à procéder autrement, de découvrir dans Tarrou le héros du livre et de s'étonner ensuite que *l'Homme révolté* ne reprenne pas le thème de la sainteté. Peut-être y a-t-il derrière chacun d'eux le visage de quelque camarade de combat. J'y verrai plutôt un éclatement du personnage de *l'Etranger* : Grand aurait son humilité, Rieux sa clairvoyance et Tarrou sa volonté d'insignifiance. Mais ce serait simplifier à l'excès. Pourtant, chaque personnage a bien sa logique : toutes choses égales, il représente une tentation de l'homme moyen : sécurité, richesse et spéculation chez Cottard, pureté chez Tarrou, service chez Grand, respectabilité chez

---

1. *L'Homme révolté.*

Othon, le juge d'instruction sorti tout droit de *l'Etranger*, vie sensuelle chez Rambert.

Deux lignes suffisent le plus souvent à Camus pour nous dépeindre un personnage. Dépeindre est inexact ; Camus le caractérise plutôt. Aucune recherche du pittoresque et de la silhouette. Devant Rambert, court, épais, massif et comme ramassé sur lui-même, nous devinons d'emblée que l'homme est plein de décision, entêté et concret. Il est de ceux qui s'obstinent à « caresser leurs chimères trop réelles et à poursuivre de toutes leurs forces les images d'une terre où une certaine lumière, deux ou trois collines, l'arbre favori et des visages de femmes composaient pour eux un climat irremplaçable » : il sera le plus exilé de tous. Prompt à l'engagement, il a fait la guerre d'Espagne et ne croit plus à l'héroïsme, trop facile et trop meurtrier à son gré. Dans la nécropole oranaise, Rambert se sent étranger : « Je ne suis pas d'ici » répète-t-il avec hostilité. Par trois fois, il tentera de fuir, de rejoindre celle qu'il aime, son printemps et sa chair. Deux échecs, deux longs détours à la recherche du temps perdu finiront par l'enraciner dans la Peste : « Je sais que je suis d'ici que je le veuille ou non », admettra-t-il avec une sorte d'âpre rancune. Pour lui, toute cette histoire reste absurde ; pourtant il combattra sans raisons et sans joie, mû par une sorte de solidarité négative : « Il peut y avoir de la honte à être heureux tout seul. »

Rambert est peut-être avec Grand le personnage préféré de Camus (je ne dis pas son porte-parole). Ils ont la même simplicité, Rambert dans le refus bougon, Grand dans le consentement. Grand a l'humilité silencieuse du vrai pauvre ; il a le rare « courage de ses bons sentiments », c'est-à-dire « de sentiments qui ne sont ni ostensiblement mauvais ni exaltants à la vilaine façon d'un spectacle ». Il

échappe sans effort à la supercherie des mots ; il
lui semble même que chaque mot pourrait être un
monde, et c'est tout le sens de cette phrase unique
et banale, sans cesse remise sur le chantier. Si
Grand s'en croyait, tandis qu'Oran se putréfie, il
chanterait le trot de la jument alezane et son élé-
gante amazone ; il dirait la beauté, la forme pure
parmi les cadavres. Mais sans raisonnement ni discours, ce médiocre, ce malingre s'est engagé dans
la lutte contre la peste, malgré ou plutôt à cause
de ces quelques lignes. Chaque soir, au sortir d'une
tâche harassante, il leur consacrera des heures
patientes et émerveillées, rendant ainsi un sens à la
plus morne des existences par la plus dérisoire des
activités : « qu'une seule chose ait sa forme en ce
monde et il sera réconcilié. » C'est pourquoi Grand
ne peut pas mourir. Il est un genre d'innocence,
celle des inventeurs pour concours Lépine ou des
poètes pour Jeux floraux, dont la Peste ne saurait
venir à bout.

Pratiquement, tous les personnages de *la Peste*
viennent à la Résistance sans bavardages. Leurs chemins sont divers, plus ou moins détournés, mais
jamais rhétoriques. Rambert cède à la honte autant
qu'à deux échecs ; Othon, le juge, s'y sent moins
loin de son enfant. Grand, Rieux y entrent tout
naturellement, quasiment par profession. Quant à
Tarrou et Paneloux, leur conversion naît d'un choc :
ce sont les mystiques. Jésuite érudit, prédicateur
brillant, le père Paneloux a de la peste une conception apocalyptique : « Mes frères, vous êtes dans
le malheur, mes frères, vous l'avez mérité. » Tout
comme Bossuet voyait dans Cromwell le fléau de
Dieu abattu sur l'Angleterre apostasiée, comme
Joseph de Maistre saluait dans la Révolution de
1789 le châtiment d'une société prostituée au libé-
ralisme voltairien, le père Paneloux décèle dans la

peste le doigt de Dieu, le mal purificateur. Son dieu est le dieu de vengeance, le terrible Jahvé de l'Exode et du Lévitique. Paneloux emprunte à Jérémie ses malédictions et son style. Vient le jour où, penché sur le petit corps convulsé de l'enfant Othon, il rencontre la mort dans ses yeux. Etrange révélation de la chair révoltée ! Alors, cette manière de janséniste intransigeant, désormais embarqué dans la Peste (du premier au second sermon ne passa-t-il pas du « vous » au « nous » ?), coincé entre le scandale et le désir de le justifier, s'offrira aux coups de Dieu. De même que les meurtriers délicats entendaient suivre leurs victimes dans la tombe, Paneloux « ayant à perdre la foi ou à accepter d'avoir les yeux crevés pour la garder » choisit le martyre. Accroché au crucifix par cette « espérance tragique » que Camus attribue à Pascal et à Saint Augustin, repoussant toute thérapeutique humaine, il affirme douloureusement sa confiance dans les desseins impénétrables de Dieu.

Tout ceci fait de Paneloux le plus contesté des personnages de la Peste. Aimé Patri et Pierre de Boisdeffre, pour ne citer qu'eux, se sont étonnés que l'auteur parût considérer comme illogique la lutte concrète d'un chrétien contre le mal. Camus se trouve ici victime de la stylisation qu'il impose à ses personnages et plus encore de celle que le lecteur y surajoute. Il est certain que le premier Paneloux, profiteur spirituel du mal, relève du pamphlet. Mais Camus ne pouvait s'en tenir à une vision simpliste du chrétien qui ressortît à ce pharisaïsme laïque qu'il dénonçait en 1946 et 1948. L'Eglise, il le sait, compte dans ses rangs aussi bien l'aumônier meurtrier des Lettres à un ami allemand qu'un Leynaud ou un Paneloux. Il semble qu'il ait dès lors développé son personnage dans le sens de la logique chrétienne : l'acceptation de la création tell qu'elle est ne peut se conjuguer à la « vertu de révolte et d'indignation qui lui a appartenu » que dans le sacrifice et le martyre. L'attitude de Pane·loux n'est pas celle du Chrétien à majuscule, — il est autant de christianismes que de chrétiens — mais plus exactement celle d'un chrétien qui se voudrait entièrement conséquent [1], sinon excessif. Cette logique, dont Rieux pressent le caractère héré·tique [2] trahit « peut-être plus d'inquiétude que de forces [3] ». Aussi bien Paneloux ne sera-t-il compris de personne [4].

C'est un autre intransigeant que Tarrou. Et le plus séduisant des personnages de *la Peste*. Une aisance curieuse et sceptique, une ironie vaguement désabusée masquent un tempérament volontaire, hyper-sensible et exigeant. Tarrou, nous l'avions déjà rencontré : c'était ce jeune homme qui fixait obstinément Meursault avec des regards fraternels. Comme lui, il aime tous les plaisirs — et particu·lièrement la nage — déteste parler pour ne rien dire, cultive l'insignifiance au point de paraître sec. Et pourtant, ce jour-là, quand son père eut obtenu la tête de l'accusé, la terre lui manqua sous les pieds. Il devait renier cette société meurtrière, renon·cer à la vie douillette, aux certitudes d'un bel avenir, se jeter passionnément dans la pauvreté et la poli·tique. Itinéraire de Simone Weil qu'il rappelle par plus d'un trait et avec laquelle, au lendemain de son passage dans les armées révolutionnaires, il se fût accordé pour dire : « On part en volontaire avec des idées de sacrifice et on tombe dans une guerre

---

1. P. 252 : « Paneloux ne veut pas perdre la foi, il ira jusqu'au bout. »
2. P. 247.
3. P. 251.
4. P. 252. » La conduite de Paneloux parut incom·préhensible à ceux qui l'entouraient. »

qui ressemble à une guerre de mercenaires, avec beaucoup de cruautés en plus et le sens des égards dus aux ennemis en moins [1]. »

Il se pénétrait soudain de cette évidence qui fonde toute la réflexion de *l'Homme révolté* : « Aujourd'hui, c'est à qui tuera le plus. Ils sont tous dans la fureur du meurtre et ils ne peuvent faire autrement. » La révolte, qui avait joué jusque-là contre le meurtre bourgeois, le dresse cette fois contre le meurtre révolutionnaire : cette double expérience l'arrache à l'histoire : « Je refuserai de donner une raison, vous m'entendez, une seule, à cette dégoûtante boucherie. » Il sait quelle entreprise exténuante c'est « de faire le moins de mal possible et même parfois un peu de bien ». Il sait que cela signifie l'exil définitif et une tension continuelle de la volonté, car seul le microbe est naturel. Mais en dépit de cette solitude et de ce pessimisme, comme s'il s'agissait de racheter silencieusement l'honneur de l'homme, il a choisi la sainteté sans Dieu. Une approximation de sainteté, puisqu'aussi bien nous portons tous la Peste en nous. De son éducation bourgeoise et chrétienne, Tarrou a gardé la nostalgie de l'absolu et les vertus de charité et d'humilité : chevalerie absurde qui lui impose « d'être toujours prêt à changer de côté comme la justice, cette fugitive du camp des vainqueurs [2] ». Finalement, « Tarrou avait rejoint cette paix difficile dont il avait parlé, mais il ne l'avait trouvée que dans la mort, à l'heure où elle ne pouvait lui servir de rien ». Du moins a-t-il soutenu son pari jusqu'au bout, ne disparaissant qu'aux derniers soubresauts

---

1. SIMONE WEIL : *Lettre à Georges Bernanos.*
2. SIMONE WEIL : *La Pesanteur et la Grâce.*
Précisons toutefois qu'Albert Camus n'a découvert l'œuvre de S. Weil qu'après avoir écrit *la Peste.*

de la peste, dont il était le complément : car il était de ceux qui ne trouvent jamais l'équilibre, mais qui font équilibre au mal.

Il semblerait que le médecin Rieux, qui est le trait d'union de tous ces personnages, dût dominer le livre de sa personnalité. Avec ses épaules fortes, ses mâchoires saillantes et sa carrure de paysan sicilien, ce n'est pas un homme à problèmes : « Rien ne vaut qu'on se détourne de ce qu'on aime, et pourtant, je m'en détourne moi aussi, sans que je puisse savoir pourquoi. » C'est un homme de chair et de sang, qui sait toute l'importance du corps, par nature et par art. Une certaine lourdeur, une patience toute terrienne donnent à sa démarche autant d'assurance que de gravité. On le devine volontaire, imperméable au découragement en dépit de cette lassitude qu'il semble traîner après lui. Si équivalentes que lui paraissent les attitudes des uns et des autres, sa compréhension masque une exigence jacobine : « Je n'admets que les témoignages sans réserves. » Pourtant Rieux garde quelque chose d'indéfinissable. Au terme du livre, il nous semble ne l'avoir jamais vu que de dos ou à contre-jour, comme le reporter de *Citizen Kane*. Il se détache dans nos mémoires comme une épaisse silhouette sur l'embrasure d'une fenêtre, penché sur les matins et sur les soirs d'Oran. Pour le reste, il se confond le plus souvent avec ses façons de voir et son action, et nous échappe dans une sorte d'objectivité à deux degrés. Et sans doute est-il cause que critiques et lecteurs aient plutôt cherché dans *la Peste* le message que la confidence.

Du narrateur, en effet, nous ne saurons rien avant l'épilogue. Tout au long de l'ouvrage, il s'efface dans un anonymat qui en donne le ton. Comme César dans ses récits de guerre, il laisse parler, apparemment, les choses et les événements ; pro-

cédé inverse de celui qu'utilisait *l'Etranger* : Meursault parlait à la première personne d'événements
qui semblaient ne le concerner en rien ; Rieux
évoque à la troisième personne des jours où sa personnalité se confondait tout entière avec la lutte
contre la peste. Le résultat n'est pas loin d'être
identique, — nouveauté mise à part. Meursault se
voyait transformé en victime exemplaire dans la
mesure même où il était resté étranger à lui-même ;
Rieux est le témoin par excellence, aussi dégagé
dans le récit qu'il était engagé dans l'action : il
maintient entre la familiarité et l'exil cet équilibre
qui, dès les premières œuvres, caractérise l'art de
Camus.

★

Il ne faut donc pas être dupe de l'objectivité
apparente du récit. Sans doute la pensée du narrateur a quelque chose de contourné dans sa clarté
même. Chacune de ses remarques est coupée d'une
formule restrictive : « Ces quelques indications
donnent *peut-être* une idée suffisante. Au demeu-
rant, *on ne doit rien exagérer.* » Précaution qui se
traduit par la multiplicité des « en somme », « en
quelque sorte ». Les articulations logiques, nombreuses, freinent la progression des phrases : « *Ce
qu'il fallait souligner*, c'est l'aspect banal de la
ville et de la vie... *sous cet angle, sans doute*, la
vie n'est pas très passionnante. *Du moins*, on ne
connaît plus chez nous le désordre. » Style de
plaine, où les digressions s'ajoutent aux méandres :
« On peut seulement regretter que... Arrivé là, on
admettra sans peine... Ces faits paraîtront bien naturels à certains. » L'utilisation fréquente et volontaire du style indirect accentue ce caractère de fausse
impersonnalité. « Le soir, Rieux télégraphiait à sa
femme que la ville était fermée, qu'il allait bien,

qu'elle devait continuer à veiller sur elle-même et qu'il pensait à elle. » Plus rien même de cette agressivité mécanique du télégramme que recevait Meursault. Les sentiments sont condensés, assourdis : « Rieux pensa que c'était l'heure de son abandon... il ajoutait seulement... » Le charme d'une femme se résume dans « ce sourire qui emportait tout le reste » et la scène qui marque la séparation éternelle de Rieux et de sa femme, dont nous ne connaîtrons pas le prénom, est toute en litote : « Il vit que son visage était couvert de larmes : « Non », dit-il doucement. » A force de n'aborder les choses et les êtres qu'avec d'infinies précautions, Camus en vient à se prendre à son propre jeu : « Rieux, écrit-il, *parut* s'assombrir. » Rieux serait-il si détaché de lui-même ? Et pourtant, « on n'a pas de peine à deviner les souvenirs brûlants qui se pressent sous ces phrases si désintéressées [1] ».

En s'efforçant de maintenir la distance la plus grande entre la pensée initiale et l'expression finale, Camus ne s'en est pas seulement rapporté aux règles du classicisme en général et de Valéry en particulier. Ce style est toute une morale. Et que cette morale lui soit commune avec beaucoup d'autres n'empêche que s'expriment à travers elle les pensées et les réactions les plus personnelles de Camus. En dépit de cette illusion persistante d'un Camus philosophe qui nous fait accorder plus d'attention au symbole ou à l'exhortation qu'à la vie même, il nous faudra bien nous pénétrer un jour de cette évidence : « *La Peste* est une confession, et tout y est calculé pour que cette confession soit d'autant plus entière que la forme en est plus indirecte [2]. »

---

1. *L'intelligence et l'Echafaud* : réflexion sur *la Princesse de Clèves*.
2. Lettre au Directeur des *Temps Modernes*.

Dans ces conditions, il n'est pas sans importance que la conception de *la Peste* remonte à 1939. Ces huit ans de gestation, parfois pénible, en ont fait un livre consubstantiel à son auteur, un de ces livres qui réagissent sur la pensée et sur la conduite de leur créateur, et réciproquement. Les deux premières parties du livre sont plus riches en notations extérieures et en remarques ironiques, la dernière plus chargée de symboles et de ces conversations appelées improprement philosophiques, qui ne sont que confidences. L'esprit de solidarité, l'amitié, l'amour se placent au centre des préoccupations de l'auteur. Le « nous » du narrateur est significatif : « Le narrateur est persuadé qu'il peut écrire ici au nom de tous ce que lui-même a éprouvé alors, puisqu'il l'a éprouvé en même temps que beaucoup de nos concitoyens. » La peste est une aventure personnelle vécue dans la communion avec tout un peuple. Il semble qu'à partir de *l'Etranger*, qui n'était que table rase, virginité, zéro absolu (au moins avant la condamnation) *la Peste* marque un progrès prévisible, non vers l'infini et le sacré, mais dans la voie d'une morale relative.

S'il fallait un mot pour caractériser cette morale, l'honnêteté nous le pourrait fournir. Chacun des principaux personnages s'y reconnaîtrait à sa façon. L'honnêteté, c'est d'abord la lucidité, non plus brutale et véhémente comme jadis, mais souple et compréhensive : voir les choses en face, le monde et les hommes tels qu'ils sont, éviter toute surestimation comme tout dénigrement. Il est des circonstances où il ne faut pas avoir peur d'un mot, mais appeler un chat un chat et la peste un fléau ; en revanche, pour que les mots gardent leur force, il en faut user avec pudeur et se refuser à toute jactance, fût-elle sincère : « De ce point de vue... le narrateur estime que Grand était le représentant réel

de cette vertu tranquille qui animait les formations
sanitaires. » De là l'impatience de Rieux devant
« le ton d'épopée ou de discours des prix » de la
presse ou de la radio. Les phrases sont impuissantes
devant la Peste ; elle exige l'action. Non pas une
action théâtrale, aux victoires éclatantes, mais des
efforts modestes, inlassablement répétés au jour
le jour. Le vieux Castel continue à chercher son
sérum, bien que le premier essai n'ait servi qu'à
prolonger la souffrance du petit Othon ; Rieux conti-
nuerait à soigner ses malades, quand bien même
il ne pourrait rien pour eux ; de même Rambert
renouvelle sa tentative d'évasion et Grand reprend sa
phrase sur l'amazone. Tous pensent sans le formuler
qu' « il n'est pas nécessaire d'espérer pour entreprendre, ni de réussir pour persévérer ». L'honnêteté sous-entend la patience, faite moins d'efforts
spectaculaires sur soi-même que de souplesse devant
les événements.

Au fond, c'est une sorte de morale moyenne que
recherche Camus : la bonne volonté plutôt que l'héroïsme, la santé plutôt que le salut, l'humanité plutôt que la sainteté : Paneloux et Tarrou sont des cas
limites. Dans les faits, cette morale peut bien rejoindre la chrétienne ; par l'esprit, elle s'y oppose radicalement : pessimiste quant à la destinée, Camus est
optimiste quant aux hommes. Un jour « la peste
réveillera ses rats et les enverra mourir dans une
ville heureuse » ; mais le passage de la peste aura
révélé des hommes. Le livre prend forme de bilan,
mais en définitive ce bilan est à l'échelle de Rieux.
Que Rieux se fût donné, peu ou prou, pour un
héros, et il restait à invoquer les droits de la médiocrité. Mais Rieux n'a fait que son métier, et ses
actes, qu'il le veuille ou non, résonnent comme des
appels. « On ne félicite pas un instituteur d'enseigner que deux et deux font quatre. » La comparai-

son est significative. La tâche de l'instituteur, comme celle du vrai médecin, est humble et sans éclat. Il lui est demandé moins d'esprit de sacrifice que de patience, moins de génie que de compréhension. D'une année à l'autre, d'une génération à l'autre, l'ignorance est toujours à combattre. Sensibles à l'échelle des siècles, les progrès demeurent insensibles au niveau des individus. Mais qu'importe. « La peste, ça consiste à toujours recommencer. » Ce qui n'était qu'une constatation fournit le principe d'une morale au niveau de l'existence quotidienne et des préoccupations des humbles : « Là était la certitude, dans le travail de tous les jours. »

La dernière forme de l'honnêteté est enfin la compréhension. Si l'humanité est maudite, oubliée plutôt, il n'y a pas pour Camus de maudits : les divers personnages de *la Peste* ne cachent pas leur sympathie curieuse pour Cottard. Quelles que soient les tentations, chacun fait effort pour comprendre son prochain : les tentatives de fuite de Rambert rencontrent sinon l'accord de Rieux, du moins son consentement. Goûter pleinement l'humanité dans chacun de ses visages : l'humanisme de Camus n'est pas dans sa conception du monde, mais dans sa morale.

Cette sympathie pour les vivants préserve la préoccupation du bonheur à défaut du bonheur lui-même. Il n'est aucun des personnages qui ne recherche son apaisement d'une manière ou d'une autre et ne combatte pour quelque souvenir. Les amitiés qui naissent de la peste témoignent que les hommes ne veulent ni mourir ni trahir. N'est-ce pas au nom de l'amitié que Tarrou et Rieux transgressent une première fois les réglementations en vigueur et se baignent d'un même mouvement ? Quand à son tour Tarrou sera contaminé, Rieux une fois encore tournera ses propres interdits

« Vous serez mieux ici. » Il faut aux exigeants infiniment de modestie pour laisser la vie mordre sur les principes. Il faut avoir admis qu'il n'existe de vérité ni définitive ni absolue et qu'il est un aveuglement dans la bonne volonté dont les effets se révèlent néfastes à l'expérience.

Il semblera paradoxal que pareille morale puisse relever de ce que nombre de critiques ont dédaigneusement appelé « la belle âme ». Le monde de *la Peste* est pourtant exclusivement un monde d'hommes, d'organisateurs et de combattants, dont à première vue la sentimentalité ne paraît pas la vertu dominante. Il faut évidemment tenir compte de l'horreur instinctive de l'intelligentzia française pour tout ce qui de près ou de loin rappelle la vertu. L'honnêteté, chez nous, ne se porte plus guère, depuis que de hautes autorités temporelles et spirituelles l'ont accaparée et prostituée à des fins médiocres. Nous ne la supportons que cornélienne et empanachée ou bizarre et inquiétante. Camus n'a, d'instinct, que peu de goût pour la vertu. Il avait pu en son temps dénoncer pharisaïsme et mystification par l'intermédiaire de ces honnêtes et purs meurtriers qu'étaient Caligula et Meursault. Mais dès l'instant où il s'efforce de donner un visage au combat clandestin, d'incarner ses inquiétudes et son dégoût de l'injustice, d'imprimer enfin à la vertu nécessaire l'allure banale et insignifiante des grandes aventures collectives, il n'est personne qui ne se souvienne de l'anathème de Gide : « Avec de bons sentiments on fait de la mauvaise littérature. »

Il est vrai qu'à la réflexion le sentiment et la générosité du cœur tiennent dans la morale de Camus la même place que dans les réactions populaires ; et qu'en revanche, la haine et la violence en sont bannies. Mais il est non moins vrai que la notion même de devoir en est écartée, comme abusive et impropre à traduire la simplicité des engagements. En fait l'équivoque est ailleurs : le choix d'un mal épidémique comme symbole d'une guerre inexpiable en escamotait la violence ; le résistant prenait visage de médecin et tout l'effort de meurtre se changeait en lutte pour la vie. Mais, à tout prendre, les héros de *la Peste* ne mènent-ils pas leur combat à la manière du journaliste clandestin, constamment menacé mais jamais meurtrier ? Du moins est-on assuré qu'au plus fort de la mêlée Camus ne rêvait pas de lutter autrement que ne le fait Rieux : s'opposer à une masse aveugle dont on ne peut haïr que le nom. Sous l'objectivité du ton apparaît en filigrane la nostalgie du combat juste et sans violence, le rêve d'une lutte où l'on ne tue que des microbes et non des hommes, — et c'est en ce sens que *la Peste* est la « confession » de Camus.

Peut-être l'est-elle encore sur un autre plan. Il ne serait paradoxal qu'en apparence de dire que *la Peste* est un roman d'amour. La femme, physiquement absente du roman, est constamment présente. Je ne parle pas des vieilles femmes, dont nous savons la tradition : la mère de Rieux, discrète et compréhensive, ou la vieille hôtesse de Rambert, catholique naïve. Je ne parle pas non plus de ces femmes anonymes qui peuplent la foule oranaise ; mais de ces deux ombres que sont l'épouse de Rieux et la maîtresse de Rambert. La première, nous l'avons à peine entrevue ; de la seconde, nous ne savons rien, sinon qu'elle est aimée de Rambert. Elle restera pour nous une « forme » qui courait vers son amant, un visage enfoui au creux de son épaule. Les portes d'Oran se sont refermées sur les prisonniers et comme dans toutes les prisons et tous les stalags, les femmes y sont désormais plus présentes que jamais. « Peut-être ai-je été mis au monde pour vivre avec une femme. »

A première vue, elles ne sont qu'*objet* d'amour. Nous ne connaissons d'elles que les effets de leur absence sur les amants. Rambert et Rieux, surtout Rambert, souffrent de la séparation comme ils souffrent d'être privés du soleil ou de la mer. Les paysages [1] disparaissent et la femme s'efface parallèlement. Mais elle se dresse en arrière-plan, comme une raison charnelle et vivante de mourir : une de ces raisons dont chacun connaît la pesanteur et la tiédeur. Dans cet univers abstrait de la peste guerrière, la femme dit la paix et la chair.

Pourtant, elle est autre chose que le rêve du guerrier. Le couple fait son apparition dans l'œuvre de Camus. Caesonia et Caligula étaient complices ; Meursault et Marie ne se rejoignaient pas. Le couple naissait avec Jan et Maria, sans réelle conviction. Les Castel, Rieux et sa femme nous introduisent à la tendresse : tendresse effacée par les préoccupations quotidiennes, et discrète dans cette mesure même, tendresse inquiète et rude des gens occupés, et qui ne va pas sans quelque remords de ne pouvoir accorder davantage à l'être aimé. C'est pourquoi, au seuil de la séparation, Rieux demande brusquement pardon à sa femme. « Pour parler enfin des amants, écrit-il plus loin, *qui sont les plus intéressants*, et dont le narrateur est peut-être mieux placé pour parler, ils se trouvaient tourmentés encore par d'autres angoisses au nombre desquelles il faut signaler le remords. » L'amour prend alors toute la place et devient, par prétérition, la source de toutes les joies. Le souvenir approfondit la ten-

---

1. « Ce n'est pas par hasard si l'on ne trouve pas de paysage dans la grande littérature européenne depuis Dostoievski. » *Actuelles*, p. 260.

dresse, la débarrasse de la médiocrité où elle s'enlise et la ramène à sa pureté comme à son exigence première : « Le grand désir d'un cœur inquiet est de posséder interminablement l'être qu'il aime[1]. »

La Peste, dans la mesure où il s'agit véritablement d'un roman, est donc le roman de la séparation et de l'exil[2]. On n'a pas assez remarqué le récit que fait Tarrou d'une soirée à l'opéra municipal. « Ce récit restitue à peu près l'atmosphère difficile de cette époque et c'est pourquoi le narrateur y attache de l'importance. » C'était un vendredi et l'on y donnait la représentation désormais hebdomadaire d'*Orphée*. Au cours du grand duo, au moment même où Eurydice échappe à son amant, Orphée s'effondra d'une manière grotesque ; la peste avait joué son rôle jusqu'à la scène. Eurydice échappait définitivement à Orphée. Oran rejoignait pour jamais le triste Carrousel où le Cygne de Baudelaire lance inlassablement vers le ciel la plainte des exilés.

Il semble d'ailleurs que Camus ait eu rarement aussi peu le goût de la solitude qu'à l'époque de *la Peste*. Aussi bien le livre est-il une protestation contre une solitude forcée. Toute complaisance à soi-même, tout mouvement de retrait en sont exclus. S'il est vrai que la solitude a toujours été l'une des tentations et des angoisses de Camus, la grande épreuve de la clandestinité semble avoir momentanément développé en lui le goût de la solidarité et du bonheur. En dépit de toutes les menaces et de

---

1. Cf. Dans *L'Homme révolté*, p. 323, toute l'analyse du désir de possession, et notamment ceci : « sur la terre cruelle où les amants meurent parfois séparés, naissent toujours divisés, la possession totale d'un être, la communion absolue dans le temps entier de la vie est une impossible exigence. »

2. Exil et séparation qui furent de 1942 à 1944 le lot de Camus, cf. biographie.

toutes les inquiétudes, l'exil de *la Peste* est chargé de promesses. « Ils savaient maintenant que s'il est quelque chose qu'on puisse désirer toujours et obtenir quelquefois, c'est la tendresse humaine... Et Rieux... pensait qu'il était juste que de temps en temps au moins la joie vînt récompenser ceux qui se suffisent de l'homme et de son pauvre et terrible amour. »

★

Pauvre amour en effet, soumis à tant d'éclipses, usé par l'habitude, étouffé par le conformisme, la lâcheté ou le pharisaïsme. Pauvre amour qui le cède si aisément au mécanisme, à l'hypocrisie, à la puissance. Terrible amour aussi, capable de jalousie, de meurtre et de tyrannie. Car la Peste est également le fait des hommes (ne parle-t-on pas de guerre bactériologique !) emportés par un fol amour : celui dont s'enivrait l'ami allemand, l'amour aveugle de la race et de la patrie des seigneurs ; celui qui grisa jadis maints serviteurs de Dieu et que Camus dénonce avec âpreté dans l'Espagne contemporaine. Terrible amour enfin que celui dont brûlèrent les Montagnards de 93 ou les Révolutionnaires russes de 1917, qui, partis de la plus généreuse des ambitions, n'ont abouti selon Camus qu'au règne de la Terreur, dont *l'Homme révolté* esquisse précisément l'histoire.

Face aux abstractions de l'Etat totalitaire, qu'il soit russe, allemand ou espagnol, Camus a pris résolument « le parti de l'individu, de la chair dans ce qu'elle a de plus noble, de l'amour terrestre enfin », délivré de toute démesure. Nous conviant à la lutte contre le mal sous toutes ses formes, *la Peste* apparaît dès lors comme un appel à la tolérance et à la modestie, le vice le plus désespé-

rant étant celui de l'ignorance qui croit tout savoir
et qui s'autorise à tuer.

A la lueur de ces notions de tolérance et de
modestie, on comprend mieux enfin pourquoi tout
l'art de Camus a consisté dans l'effacement. La
conception la plus classique de la composition romanesque était aussi la plus proche du témoignage.
En réalité rien n'est plus consciemment organisé,
plus minutieusement agencé qu'un pareil roman,
dont toute la richesse et la puissance d'émotion ne
se découvrent guère qu'à relecture. Et je ne doute
pas qu'un certain nombre de scènes et d'analyses
ne deviennent tout naturellement morceaux d'an-
thologie, tant le dessin en est net et la langue
ferme. Mais si, passé ce siècle de déchirement,
la Peste s'impose à la postérité, elle le devra assurément moins à la consistance de ses personnages
qu'au débat jamais entièrement résolu entre la
rigueur et l'indifférence formelle d'une part et de
l'autre la sensibilité la plus exigeante et la plus
frémissante qui soit.

IX

DE L'APOCALYPSE AU MARTYRE

L'Etat de Siège et *les Justes* constituent le second volet du triptyque révolté. Ces deux pièces traduisent, sur le plan théâtral, un effort de renouvellement dans des voies différentes. Elles connurent un sort contraire.

L'échec de *l'Etat de Siège* est un fait. Le public bouda la pièce après que la critique se fut montrée réticente. Il fallait une explication à cet insuccès : Barrault fut le bouc émissaire. N'avait-il pas malencontreusement entraîné Camus sur son propre terrain, celui du mime et du « spectacle » ? Si Barrault fut la tentation, il faut croire que Camus n'aspirait qu'à se laisser séduire. Aujourd'hui encore, il ne regrette rien de cette aventure ; depuis *la Révolte dans les Asturies*, il a toujours gardé une tendresse pour le travail en équipe, notamment en matière théâtrale, où toute représentation relève inévitablement de la création collective.

Que *l'Etat de Siège* soit autre chose qu'une adaptation, c'est l'évidence ; que l'œuvre porte pourtant la marque de l'auteur de *la Peste*, c'en est une autre. Traitant d'un même mythe, le même écrivain ne peut en modifier radicalement l'esprit et la pièce

évoque par plus d'un détail le roman : je n'en veux
pour preuve que le bref sermon du curé qui diffère
de la première prédication du père Paneloux par
le ton et la brièveté, non par l'esprit ; et, tout
comme mourait Orphée sur la scène de l'Opéra, un
acteur s'effondre sur les tréteaux. Mais il faut bien
voir que, si l'ironie et l'esprit d'analyse ont présidé
à la construction du roman, la pièce se voulait passionnée.

Prenons *l'Etat de Siège* pour ce qu'il se donne,
un spectacle ; je dirai plus, un jeu au sens médiéval
du terme, le jeu de l'homme et du néant[1]. Certains
de ses procédés avaient été jadis expérimentés par
Camus dans la *Révolte dans les Asturies* : scènes de
cafés ou de foules, mimes et jusqu'aux émissions
radiophoniques ; deux actions se déroulaient simulta-
nément sur une même scène et les acteurs avaient eu
dans l'esprit de faire du théâtre tout entier un lieu
d'action. Quant à Barrault, on connaît son goût pour
le spectacle, au plein sens du mot. Aussi n'est-on pas
trop surpris de cette définition de la pièce : « Il ne
s'agit pas d'une pièce de structure traditionnelle mais
d'un spectacle dont l'ambition est de mêler toutes
les formes d'expression dramatique, depuis le monologue lyrique jusqu'au théâtre collectif, en passant
par le jeu muet, le simple dialogue, la farce et le
chœur ». Au reste, la simple lecture de *Christophe
Colomb* leur eût suggéré l'essentiel de ces procédés.

Le premier acte est une apocalypse. Nous sommes
à Cadix, dont les murailles, comme s'il s'agissait de
les arracher à l'espace, se découpent en ombres
chinoises. Dans la ville même, la scène est partout

---

1. A. Camus me confirme avoir eu présente à la pensée
la technique des « moralités » et des « autos sacramentales » (n'a-t-il pas, depuis, adapté *la Dévotion à la
Croix*, de Calderon ?).

et nulle part : nous nous déplaçons d'un coin à l'autre du marché, des mendiants à la pêcherie, puis aux fenêtres de la jeune Victoria ; du palais gouvernemental à l'église et vice-versa. La scène réunit tous ces lieux comme autant de « mansions ». C'est que la ville entière est concernée ; mieux, la catastrophe est universelle.

De date, il n'en est pas question : le spectacle est intemporel, hors des temps, sinon à la fin des temps. Sans doute le premier acte a-t-il quelque chose de médiéval. Le choix d'une cité espagnole suffirait, il est vrai, à nous donner cette impression : Cadix a ses créneaux, ses alcades ; on y donne la comédie sur la place publique ; un roi règne encore sur les Espagnes. Le langage des pauvres et des comédiens n'est pas sans analogie avec celui des mistères : « bon gouverneur, gracieuses dames, seigneurs ». Sur le marché se presse tout un peuple au verbe haut, et volontiers superstitieux : boutiquiers aux slogans accrocheurs, ivrognes aux plaisanteries faciles, mendiants voleurs, sans compter l'astrologue et Nada, le bien nommé, qui tient autant du bouffon que de l'annoncier : « Nada, tu dois savoir. Qu'est-ce que cela signifie ? — ... Je te l'ai déjà dit, fils, nous y sommes déjà. N'espère rien. La comédie va commencer. »

Pourquoi ces scènes collectives ? On l'a senti déjà : tout un peuple est en cause, depuis le mendiant jusqu'au juge, du boutiquier aux alcades, des gitans au curé. L'ivrognerie des uns, l'amour des autres, la crédulité, la rapine et la bonhomie, la bonne conscience et l'art (le comédien est le premier frappé), la joie de vivre et l'été que nous chante le chœur des pêcheurs, c'est tout cela que la peste va gangrener. Le bien et le mal, la spontanéité comme le calcul, bref, la vie tout entière dans ses mouvements anarchiques et son allégresse tourbillonnante sont conjointement menacés par un mal mystérieux.

Une ouverture musicale sur un thème d'alerte crée l'attente. La lente apparition de la comète, symbole inverse de la colombe chère à Claudel, le bourdonnement sans cesse plus intense, les deux énormes coups mats, la cloche des morts qui sonne à la volée rythment la montée de l'inquiétude populaire. Tous ces procédés s'adressent plus au corps qu'à l'esprit, comme le confirme l'utilisation continue du mime. La scène est en proie à une sorte de grande peur, aussi aveugle qu'instinctive.

Mais voici que la peste paraît et, comme elle le dit cruellement : « lorsque j'arrive, le pathétique s'en va. » A cet endroit précis, la pièce se brise. Tout le problème eût été de rendre, sinon pathétique, du moins scénique, la représentation mythique d'un mal dont les manifestations se caractérisent par la monotonie et le décharnement. Une morne terreur ne va pas forcément sans mystère : nous n'en sentons plus rien ici ; et comment le pourrions-nous, quand la Peste ne nous cache rien de son personnage et se prête volontiers à une sorte de reconstitution du crime. D'une certaine façon, Camus s'est voulu trop étroitement fidèle à l'idée qu'il se faisait de la réalité et qu'il exprimait par ailleurs : « quoi d'étonnant à ce que ces silhouettes désormais sourdes et aveugles, terrorisées, nourries de tickets, et dont la vie entière se résume dans une fiche de police, puissent être traitées comme des abstractions anonymes. » Jusque-là, nous participions de nos yeux et de notre corps à un spectacle où dominait le merveilleux, et brus-

---

1. *Le Témoin de la Liberté*, allocution prononcée à Pleyel à un meeting international d'écrivains : novembre 1948.

quement, surgit, à peine voilé, une sorte de sque-
lette allégorique. Certes, l'allégorie est un élément
théâtral éprouvé, tout particulièrement dans les jeux
et les mistères. Mais le plus souvent son rôle était
secondaire (ainsi l'Imagination dans le *Christophe
Colomb* de Lope de Vega). Ce qui se supportait de
Nada est difficilement acceptable du personnage
central.

Je ne sais si les mythes s'imposent de l'extérieur
ou s'ils ne sont pas portés plutôt par l'imagination
collective : Christophe Colomb avait sa légende
avant que Claudel ne s'en fût emparé ; pour le spectateur du *Jeu d'Adam* l'histoire de la tentation était
une réalité familière. Jeanne d'Arc, Moïse sont
d'abord des personnages datés et définissables que
le mythe utilise comme un cadre et emplit d'une
signification intemporelle élargie. Or, la peste n'est
ici que la représentation mythique d'une abstraction. La peste, telle du moins qu'elle nous est pré-
sentée, n'a pas d'histoire, pas de racines. Elle est
moins intemporelle qu'idéelle, comme diraient nos
philosophes, abstraite. C'est par un mouvement
inverse de celui que nous venons d'analyser qu'elle
entend s'enraciner. Curieux enracinement d'ailleurs,
puisque nous sommes amenés à la définir tour à
tour par une série de termes abstraits : occupation,
révolution, fonctionnarisme, dirigisme, organisation, planification. Si nous nous efforçons de préciser ces notions, nous brassons dans un même
mouvement nazisme, franquisme et communisme,
ou si l'on préfère paperasserie, police et bureaucratie. Ce sont là, sans nul doute, de dures réalités
dont chacun connaît le contenu, qu'il s'agisse des
camps de concentration, des exécutions en chaîne,
des cartes de ravitaillement, des grilles de salaires
ou du système électoral. Reste qu'au lieu de nous
élever de l'histoire ou de la légende à l'éternel, et

du particulier au général, nous descendons plutôt du général au particulier et de l'éternel à l'histoire, au fil d'une cascade d'abstractions qui trouvent finalement leur incarnation dans une série de sketches de portée étroitement contemporaine et subjective.

Il semble bien en fait qu'il y ait eu confusion sur la notion même de mythe et qu'on ait superposé mythe dramatique et mythe explicatif ou satirique, l'un dyonisiaque en son principe, l'autre platonicien. En un premier temps la peste à Cadix figurait obscurément les forces les plus éternelles et les plus subtiles du mal ; en un second temps, elle n'est plus que le vêtement jeté pour couvrir la sèche nudité de maux contemporains ; elle les systématise et leur donne une homogénéité discutable. Disons-le tout net, Camus donne l'impression d'utiliser la Peste et non d'y croire : à mesure qu'il en aborde les différents aspects le ton change. Considérée isolément, telle scène de Nada-fonctionnaire est bonne dans son mouvement courtelinesque (rondeur en moins). Tantôt nous rejoignons le « canular » des chansonniers sur la bureaucratie et le logement : témoins les variations et exercices de style sur les mots « convoquer » et « ravitailler ». Tantôt le jeu se fait sinistre, la satire grinçante, « hystérique » même, comme il est précisé. « Je les ai concentrés. Jusqu'ici ils vivaient dans la dispersion et la frivolité, un peu délayés pour ainsi dire ! Maintenant ils sont plus fermes, ils se concentrent. » Nous balançons d'un anarchisme un peu facile à la satire éternelle et tragique dont l'avant-dernière tirade de Nada, chargée d'une véhémence amère, nous fournit le meilleur exemple : « Les voilà ! Les anciens arrivent, ceux d'avant, ceux de toujours, les pétrifiés, les rassurants, les confortables. les culs-de-sac, les bien léchés, la tradition, enfin... Voici les petits tailleurs du néant, vous allez être habillés sur mesure... On va s'occuper des héros. On va les mettre au frais, sous la dalle... Regardez donc. Que croyez-vous qu'ils fassent déjà : ils se décorent. » C'est le ton des *Tragiques* ou des *Châtiments*. Nous rejoignons à ce moment le premier acte, où le gouverneur, le curé, le juge et la foule entière semblaient promis au pilori (à la façon des bourgeois, prêtres et commerçants de *Mademoiselle Jaïre*). Mais entre temps, nous avions abandonné les hommes pour les institutions.

Au fond, il manquait à Camus, pour nous rendre sensible cette tragédie de la monotonie et maintenir un climat d'indignation à la façon de Hugo ou de d'Aubigné, une qualité ou un défaut : la haine. Camus est sans haine : les hommes, il aimerait les décharger de toute responsabilité et transférer sur cette allégorie qu'est la Peste toute sa puissance de révolte ; pour lui, il n'y a guère que des complices et pas de coupables. Mais l'adversaire s'évanouit du même coup. Au fond, Camus ne croit pas à l'enfer. Une scène nous le montre à l'évidence : le juge, sa femme et ses enfants sont condamnés à vivre dans la vérité, tous les masques tombent. Il semble que nous nous acheminions vers une sorte de huis-clos où s'affronteraient toutes ces solitudes désormais mises à nu. Mais Camus ne peint la lâcheté et le mensonge que de l'extérieur : il les caricature. Les personnages en viennent à l'injure et aux éclats de voix sans que jamais le moindre de leurs mots atteigne à la cruauté de la douce Iphigénie. Y fût-il parvenu, que cette scène ne s'en insérerait pas moins comme un corps étranger dans la satire du second acte. Il semble qu'on ait voulu nous dire : la Peste, c'est cela encore. Les auteurs n'ont pas su choisir et la pièce tient finalement autant du récital que du spectacle.

Si Camus n'a pas choisi entre le mystère diabolique (avec la satire éternelle qu'il autorise), et la satire contemporaine, c'est qu'il entendait maintenir en parallèle ses préoccupations métaphysiques et sociales. C'est aussi que la pièce correspondait à un certain souci de propagande. On connaît le schéma : l'arrivée du malheur, le règne du malheur et la révolte contre la peste. La satire marquait la première étape de la lutte contre le mal : on le déconsidérait. Car, comme la secrétaire l'expliquait à Diégo, il suffit de comprendre et de cesser d'avoir peur, après quoi la contre-attaque est possible. On conçoit dès lors que la pièce soit fondée sur un paradoxe : créer la peur pour la ramener à ses proportions exactes et finalement la détruire. Le tableau de la lâcheté collective (« il n'y a plus d'hommes dans cette ville »), la dégradation de la vie (« vivre et mourir sont deux déshonneurs »), les slogans de la peste (« déportez, torturez, il en restera toujours quelque chose ») doivent, par des formules percutantes, provoquer le sursaut, cornélien par l'esprit, mélodramatique par l'expression [1], de Diégo. Nous en pourrions trouver le commentaire dans le *Témoin de la Liberté* : « dans le monde de la condamnation à mort qui est le nôtre, les artistes témoignent pour ce qui dans l'homme refuse de mourir ». Et c'est encore une autre pièce qui commence avec le troisième tableau. Nous suivons alors Diégo dans sa tentative de fuite (pareil en cela à Rambert), dans son combat contre la sotte violence du peuple qui a arraché à la secrétaire son cahier et s'empresse de régler de vieux comptes par une épuration som-

---

[1]. Egalement mélodramatique (ne le trouve-t-on pas dans *les Burgraves* ?) est le marché que la mort propose à Diégo : la résurrection de Victoria et le bonheur, en échange de Cadix livrée sans recours à la Peste.

maire, et dans le sacrifice final qui est le signe de
la délivrance. Le bizarre amour de la secrétaire-allé-
gorie pour l'homme-Diégo ne parvient pas à en
masquer la signification. *L'Etat de Siège* est donc
un appel à la résistance sous toutes ses formes :
résister à la tentation de la tour d'ivoire, à la tentation de la violence ; résister à la tyrannie totalitaire, à la façon des exilés espagnols, puisque aussi
bien le livre est dédié à l'Espagne républicaine et
souffrante [1].

En contrepoint, l'amour de Diégo et de Victoria
avec ses peurs, ses élans et ses reculs, sa jalousie.
Les deux personnages dessinent moins des caractères qu'ils ne représentent l'amour dans la débâcle.
Ils en disent la nécessité, la force et l'espoir, Victoria avec simplicité et don spontané de soi, Diégo
avec curiosité et, d'une certaine façon dans la solitude. Nous retrouvons ici l'opposition Jan-Maria du
Malentendu. Là encore, Camus cède au désir de
tout dire. Cette intrigue serait finalement sans
grande portée, si quelques duos lyriques dont la
ferveur et la luxuriance rappellent parfois Claudel,
ne faisaient éclater dans cet univers décharné les
véritables promesses de l'amour. Ce sont là incon-
testablement, avec la chaude sensualité des chœurs
qui nous ramènent à la poésie de *Noces*, les meilleurs moments d'une pièce qui, faute de s'être
débarrassée d'un certain nombre d'équivoques, n'a
su trouver par ailleurs ni son climat ni son mouvement.

★

En dépit de techniques profondément différentes
et de climats opposés, *L'Etat de Siège* et *les Justes*

---

[1]. Cf. *Pourquoi l'Espagne*, réponse à Gabriel Marcel
« l'Etat de siège est un acte de rupture. »

obéissent à des préoccupations communes. Le dernier tableau de *l'Etat de Siège* retraçait en actes les étapes de la révolte et, par delà les lieux et les temps, Diégo symbolisait cette poignée de combattants que l'humanité lance de temps en temps à l'assaut des tyrannies. Pour l'heure, Diégo s'est fait terroriste dans les lointains de la Sainte Russie livrée à la peste tsariste. Moscou, Saint-Pétersbourg sont en état de siège ; la pièce glacée où s'enferment les terroristes ne l'est pas moins, et jusqu'à leurs cœurs décharnés.

C'est en se penchant sur la généalogie de l'Homme révolté que Camus a découvert le Parti Social Révolutionnaire. En janvier 1948, un article paru dans *la Table Ronde*, évoquait ces visages innocents dont l'histoire n'a gardé qu'un souvenir blême et apeuré. Plus tard, un chapitre entier de *l'Homme révolté* a repris les mêmes éléments pour les intégrer à cette vaste fresque de la révolte européenne. Les deux textes précisent à loisir le caractère historique des situations et l'authenticité de quelques-unes des formules les plus frappantes que l'auteur prête aux personnages des *Justes*. Ceux-ci évoquent du reste de véritables terroristes : je ne parle pas seulement de Kaliayev dont le nom fut maintenu en hommage au martyr de 1905 ; mais aussi bien de Dora Doulebov, de Boris Annenkov et de Voinov qui ne sont sans doute pas sans parenté avec Dora Brillant, Boris Savinkov et Voinarovsky, tous membres de l'Organisation de Combat du P.S.R. Mais pourquoi s'en tenir au seul mouvement de 1905 ? Il ne fait pas de doute que Dora Doulebov ne doive plus d'un trait aux visages si étonnamment graves et doux de Sophie Peroskaïa, de Véra Zassoulitch, de Lebedeva et de Kovalevskaïa, qui toutes participèrent à des époques différentes aux attentats de ce qu'on est convenu d'appeler « la belle époque ». Quant à

Stepan, il rassemble dans un même personnage le cynisme du premier Bakounine, le mépris de Netchaïev et l'impitoyable réalisme « des grands seigneurs de la Révolution ».

Quand, le 2 février 1905, Kaliayev eut refusé de lancer sa bombe sur le grand-duc Serge, par égard pour la vie de ses neveux Marie et Dmitri, quand le 10 mai de la même année il fut monté à l'échafaud sans avoir rien fait pour sauver sa vie, il avait conquis déjà une place éminente dans le long martyrologe révolutionnaire. Aussi bien la pièce qui reprend ces deux dates et les dérobe à l'histoire ne s'intitule pas « Kaliayev » mais *les Justes*, avec tout ce que le mot comporte non seulement de collectif mais aussi de tranchant et de pur. Polyeucte dépassait le martyr arménien du IIIe siècle et fournissait l'alibi d'une tragédie de la grâce et de l'humain. Pareillement enracinés dans le temps, les Justes lui échappent pour animer la tragédie de la pureté et de l'histoire. *Les Mains sales* posaient déjà la question ; elle se fait ici plus précise et plus limitée : le révolutionnaire peut-il tuer ? A quelle condition et jusqu'à quel point ? Les Justes engagent dans les réponses qu'ils apportent toutes leurs forces et jusqu'à leur vie même. « Le plus grand hommage que nous puissions leur rendre est de dire que nous ne saurions en 1947 leur poser une seule question qu'ils ne se soient déjà posée et à laquelle dans leur vie ou par leur mort ils n'aient en partie répondu[1]. »

Rien ne semblait les destiner pourtant au métier d'exécuteur. Voinov, pour son compte, le confesse : « Je ne suis pas fait pour la terreur. » Il a peur de voir mourir. Annenkov garde d'une vie brillante et facile un souvenir émerveillé : « Oui, j'aimais les

---

[1]. *L'Homme révolté*, p. 209.

femmes, le vin, ces nuits qui n'en finissaient pas. »
Dora, elle, n'est qu'une enfant trop tôt mûrie qui
ne cache pas sa nostalgie d'une innocence et d'une
irresponsabilité désormais abolies : « Je me souviens du temps où j'étudiais. Je riais, j'étais belle
alors. Je passais des heures à me promener et à
rêver. » Un instant grisée par le parfum tenace
d'une adolescence effacée, elle tentera d'échapper
à l'enfer du présent et d'être une fille comme tant
d'autres, appelée « par-dessus ce monde empoisonné
d'injustice ». Ce qu'elle aime de Kaliayev, n'est-ce
pas son exaltation, sa ferveur, sa faiblesse même :
« trop extraordinaire pour être révolutionnaire ».
On le trouve « un peu fou, trop spontané », fantai-
siste pour tout dire. Prompt à saisir les plaisirs les
plus simples que la vie lui offre, il tire de son déguisement de colporteur des joies naïves ; incapable de
rien faire comme les autres, volontiers facétieux,
il modifie le signal conventionnel. On l'appelle
le Poète : il chante la gaieté, la beauté, la
joie. De la poésie, il en veut mettre jusque dans
sa mort : romanesque, il propose de se jeter sous
les pieds des chevaux ou préconise le hara-kiri.
Aussi entre Stépan et lui n'est-il pas de sympathie
possible. Stépan est le seul qui semble chez lui dans
le meurtre, le seul qui sache vraiment haïr. C'est
un frère de Martha, puritain sans âge. Peut-être
fut-il autre jadis ? Il est allé trop loin depuis : trois
ans de bagne lui ont valu le baptême du sang.

La haine, l'humiliation et le désir de vengeance
ont introduit Stépan au terrorisme par la porte
étroite. Les autres, eux, y sont venus par la voie
la plus droite et la plus simple. « J'aime la vie,
dit Kaliayev. Je ne m'ennuie pas. Je suis entré dans
la révolution parce que j'aime la vie... J'aime la
beauté, le bonheur. C'est pour cela que je hais le
despotisme. La révolution, bien sûr. Mais la révo-

lution pour la vie, pour donner une chance à la vie, tu comprends. » La Russie n'est qu'un grand arbre décharné dans le silence d'un interminable hiver. Pareille vision est intolérable ; les Justes se sont détournés d'eux-mêmes, de leurs familles, de leur avenir pour rendre à la patrie son vrai visage et sa santé. C'est une question d'honneur. Dans l'atmosphère du temps, devant la résignation des masses, le meurtre est l'unique moyen d'éveiller les opprimés à la conscience révoltée. En d'autres lieux, aux Indes, la non-violence d'un Gandhi pouvait être efficace. Mais en Europe chrétienne le respect de la vie n'est plus guère qu'un souvenir. Le scandale est indispensable, et la peur, puisque toute autre forme de prédication se heurte au scepticisme ou à la force. La justice empruntera donc au mal ses propres armes. Dès lors, Kaliayev s'interroge : « Peut-on parler de l'action terroriste sans y prendre part ? » C'est encore une question d'honneur et de loyauté que de témoigner dans l'inconfort et l'engagement le plus irrévocable. En choisissant la bombe, les Justes entrent en religion.

Agir ? Mais comment ? Tuer ? Mais jusqu'où ? Certains sont tentés de hausser les épaules. La question est pourtant de celles que les résistants eurent parfois à se poser. Tuer n'est déjà pas facile, mais tuer un homme sans défense, souriant ou inquiet, un homme de chair et de sang, qui ne songe nullement à mourir... Pour ces mystiques de la vie, celle même du tyran est précieuse. Déjà, il leur faut ruser avec les mots : « Ce n'est pas lui que je tue. Je tue le despotisme. » Du moins, une certaine griserie, une brusque bouffée de haine pourront-elles, le temps nécessaire, rendre à la victime son masque de tyran. Kaliayev peut donc partir tranquille ; non pas tranquille — les Justes ne le sont jamais —, mais joyeux plutôt, exalté, dans une sorte d'état second. Jusqu'au moment où, dans la calèche grand-ducale, ses yeux tombent sur deux enfants « perdus dans leurs habits de parade, les mains sur les cuisses, le buste raide de chaque côté de la portière... Ces deux petits visages sérieux, et dans ma main ce poids terrible. » Kaliayev n'a pas lancé la bombe. Pourquoi, il n'en sait rien. Comme par réflexe, ses énergies ont vacillé : « Mon bras est devenu faible, mes jambes tremblaient. » Comme autrefois en Ukraine, il a éprouvé un haut-le-cœur à l'idée de renverser un enfant : « J'imaginais le choc, cette tête frêle frappant la route, à la volée. »

De ce qui ne fut qu'un réflexe, une faiblesse de l'imagination sans doute, les Justes tireront un principe et une règle. Le refus instinctif de tuer a créé le cas de conscience : au retour de la calèche, lancera-t-on la bombe, malgré la présence des enfants ? Pour Stépan, il n'est qu'un devoir : frapper, appliquer sans faux scrupules les décisions de l'organisation, exécuter un verdict. Un geste puéril risque de rendre vains des mois de filature. A tant d'arguments empruntés à la sentimentalité populaire, il oppose une implacable logique : « Des enfants ! vous n'avez que ce mot à la bouche. Ne comprenez-vous donc rien ? Parce que Yanek n'a pas tué ces deux-là, des milliers d'enfants russes mourront de faim pendant des années encore. » Problème mathématique, qui n'a rien à voir avec les exigences d'un cœur délicat ? Ce n'est pas aussi simple : « Avez-vous vu des enfants mourir de faim ? Moi, oui. » Le regard de Stépan est lourd d'horreurs contemplées ou subies. Il faut choisir entre deux souffrances : « Vivez-vous dans le seul instant ? Alors choisissez la charité et guérissez seulement le mal de chaque jour, non la révolution qui veut guérir tous les maux présents et à venir. »

Les Justes pourraient répondre, et ils le font briè-

vement, que l'efficacité aussi commande de ne pas
blesser l'opinion : « Détruisez... Démolissez..., écrivait Gapone, ne touchez pas seulement aux personnes privées ni aux demeures particulières[1]. »
Les effets du terrorisme sont fonction de sa pureté.
Mais l'essentiel n'est pas là. L'efficacité n'est pas
un bon critère. Le dialogue de la délicatesse et du
cynisme, dont *la Maison de la Nuit* de Thierry Maul-
nier nous a fourni depuis un autre exemple, se
poursuit sur un autre plan. La défaillance de Kaliayev remet en cause toute une hiérarchie de la
passion et de l'honneur. Entre la justice et la vie,
la vertu et l'amour, les Justes ne veulent pas choisir,
car les deux exigences s'épaulent mutuellement. En
un premier temps, au nom de « ce succédané malheureux et décharné de l'amour qui s'appelle la
morale[2] », il leur faut mettre la vie entre parenthèses et consentir au meurtre, tout comme il fallait à Rodrigue pour abattre Don Gormas oublier
un instant qu'il était le père de Chimène. Mais
qu'on ne vienne pas après cela leur demander
davantage :

> L'infamie est pareille et suit également
> Le guerrier sans courage et le perfide amant.

Il est bien difficile en effet de démêler si l'horreur du meurtre s'est seule opposée au devoir du
terroriste ou si un certain sentiment des limites n'a
pas plutôt brisé la passion de vengeance et de sacrifice. Car qu'est-ce que l'honneur sinon le sens des
limites, de ce qui ne peut se supporter ? En bonne
logique, Stépan a raison ; la grande-duchesse aussi
qui opposera la bonhomie du grand-duc à la
méchanceté des deux enfants. Mais qu'importe à

---

1. *Tribune russe*, 1905.
2. « Le Témoin de la Liberté », *Actuelles*, p. 261 (1948).

Rodrigue que Don Diègue eût raison contre Don Gormas ou réciproquement ? L'honneur cornélien se donnait pour mission de préserver un capital de gloire acquis par les générations passées ; l'honneur révolutionnaire commande de transmettre aux générations à venir un capital d'espoir et de le leur transmettre sans tache. La souffrance de tout un peuple aux fers appelait la révolte, mais deux visages d'enfants menacés retournent la révolte contre elle-même. La justice équilibre la vie mais la vie équilibre les excès de la justice. En entrant dans le terrorisme Kaliayev n'avait d'autre espoir que d'instaurer un monde où les enfants ne mourraient plus de violence ni de faim ; par conformité à cette exigence, il refuse de frapper. En vérité, il entend tout sauver, le choix auquel il consent entre la violence et la vie n'est qu'exceptionnel et délimité : « et si un jour, moi vivant, la révolution devait se séparer de l'honneur, je m'en détournerais. » Des moyens obliques suffisent à sauver une réputation, mais non pas un honneur.

Qu'on ne se trompe pas en effet sur le sens de la violence terroriste. Elle n'est pas un moyen de destruction au sens habituel du mot : à quoi pourrait bien avancer la mort du seul tsar, ou du seul grand-duc ? Son efficacité matérielle est nulle. Elle est un signe, un cri d'alarme dans un monde de silence et de glace. Sa valeur est mystique et non pratique : briser les idoles, rendre au peuple le sentiment de la fragilité des tyrannies ; le colosse a des pieds d'argile et ne tient guère que par sa propre pesanteur. Pareils aux prophètes, les Justes opposent à la vieille loi, desséchée et vidée de son contenu humain, cette faible espérance qu'ils nourrissent de leur sang. Dans un univers d'où la prophétie est bannie, la bombe se substitue à la prédication. Chaque explosion est semblable à ces étoiles qui guident la marche des mages vers la renaissance. Les Justes sont des apôtres sanglants.

La révolte des Justes est d'essence « religieuse, sinon métaphysique[1] ». Les Justes ne sont rien moins que des économistes ou des techniciens, pas même des révolutionnaires professionnels. Si la révolution survenait brusquement, elle serait pour eux un encombrant cadeau : « pour Dora Brillant les questions de programme ne comptaient pas[2]. » Leur entreprise « vise à recréer une communauté de justice et d'amour et à reprendre ainsi la mission que l'Eglise a trahie. Les terroristes veulent en réalité créer une Eglise d'où jaillira un nouveau Dieu[2] ». Leur action se situe à mi-chemin entre la croisade et le martyre. Et ce n'est pas sans doute un hasard si, parmi tant de personnages athées, c'est précisément Kaliayev que Camus a privilégié. Kaliayev est croyant : il ne pratique pas, mais « il a l'âme religieuse ». Chez ses camarades et lui, tout respire la foi, — le mot est prononcé. La pièce nue où se retrouvent les conjurés tient des catacombes et du temple austère de la justice. En dépit des heurts inévitables que provoque ce huis clos, les conjurés sont unis entre eux par une sorte de communion des vivants et des morts : « souvenez-vous de ce que nous sommes : des frères, confondus les uns aux autres... nous tuons ensemble et rien ne peut nous séparer »... et encore : « il y a nous, l'organisation. Et puis il n'y a rien. C'est une chevalerie ». Lorsque Voinov est amené à confesser sa peur et demande à être replacé au rang de propagandiste, chacun devine ce qu'un pareil aveu peut lui coûter : « Il m'a dit qu'il n'y avait pas de bonheur pour lui hors de notre organisation. » Et l'on songe

---

1. *L'Homme révolté.*
2. *Les Meurtriers délicats, op. cit.*

aux terreurs de Blanche de la Force, rejetée hors d'une communauté qui seule pouvait lui apporter la fierté et la paix.

Pour ces êtres que brûle un fol amour, il n'est à leur tourment d'autre issue que le martyre, seul susceptible d'équilibrer le meurtre. D'une certaine façon, on peut parler d'échange. Sans doute sommes-nous loin de cet échange d'âmes, fondé sur la communion des saints, qui fait le mystère du *Dialogue des Carmélites*. Nous demeurons sur le plan humain, vie contre vie. Mais il y a quelque chose d'étrange et de fascinant parfois dans la fervente marche au supplice de ces martyrs sans certitude. Et s'il n'était d'autre éternité que les jours qui séparent l'attentat de l'échafaud ! On parlera non sans raison de tentation maladive du suicide (tentation également constante et un rien cabotine du héros cornélien). « Depuis un an je ne pense à rien d'autre. C'est pour ce moment que j'ai vécu jusqu'ici. » Dora, elle aussi, laisse échapper dans un souffle un mot terrible : « Il y a un bonheur plus grand... l'échafaud. » Le martyre est pour eux non seulement la suprême justification, mais le bonheur. Bonheur de la tâche accomplie et de la paix désormais reconquise dans cette réconciliation de tout l'être qui obsédait déjà Tarrou. L'échafaud, c'est le baptême du sang : « tuer et mourir », les deux sommets de la vie du terroriste se rejoignent dans une même protestation de la chair deux fois blessée, dans un double sacrifice sur lequel puisse s'édifier la cité délivrée de demain.

Les trois tentations du quatrième acte sont autant de degrés que le martyr doit monter dans son mouvement de purification. Il y a une évidente similitude entre les tentations de Yanek et celles de Polyeucte. Pourtant, si adroitement que s'effectue cette ascension, elle prend ici un caractère quelque peu rhétorique. Foka, l'homme du peuple, ivrogne et assassin, qui n'imagine guère qu'on puisse être assez fou pour mourir en son nom, souligne cruellement la naïveté romanesque de Kaliayev. Sa seule présence est ironique : ce personnage superstitieux, aveugle et finalement méfiant, vide de tout sens le lyrisme révolutionnaire. « Tout cela n'est pas normal. On n'a pas idée de se faire mettre en prison pour des histoires de saints et de charrette. » Il y a quelque chose de navrant dans l'effort de Kaliayev pour sauver quelqu'une de ses raisons de mourir. On croirait entendre la voix rauque d'Antigone, quand on lui a révélé le mystère du cadavre exposé aux portes de Thèbes, murmurer avec une douceur désespérée : « moi, je croyais ». Ce pouvait être pour Yanek la pire des tentations, celle de la solitude, l'écroulement de tout un univers.

En réalité, les Justes ont la foi trop profondément enracinée pour qu'il en soit ainsi. Ils craignent davantage le visage de leur crime que le non-sens. Insensible au marchandage comme aux menaces de Skouratov, le policier grossièrement machiavélique, Yanek faiblit devant la grande-duchesse. Tant qu'on prétendait le juger au nom des lois traditionnelles ou des normes populaires, il pouvait répondre avec l'orgueil du héros : « ma personne est au-dessus de vous et de vos maîtres. Vous pouvez me tuer, non me juger. » Mais il est plus difficile de soutenir le sourire douloureux et dément de sa victime. « J'avais une robe blanche... Il dormait... » Chacun de ses mots, dans sa simplicité, frappe durement Kaliayev. Autant l'appel à la charité le trouve réticent — et nous avec lui — autant la seule présence de la grande-duchesse, dans ses voiles de deuil, atteint au pathétique. Elle est là, immobile, chargée de souvenirs et enveloppée de sa tendresse meurtrie comme d'un lourd parfum. En vain se raidit-il, opposant la justice à la charité : il est cerné. Elle rend à la chair son poids, au sang sa couleur, à la souffrance son cri ; elle ressuscite le grand-duc, sa voix et ses manies et Kaliayev découvre sa victime. Il est mort, et ses neveux, en dépit de leur mauvais cœur, ont été épargnés par sentimentalité et par principe. Pourquoi ? Ce pourquoi résonne indéfiniment sous les voûtes du cachot. « Certainement tu es injuste aussi. » Fort heureusement pour Kaliayev elle en revient à la charité ; elle lui fait un devoir de vivre, d'expier en vivant. Elle tente de l'amener à prier avec elle, pour elle. Cette tentative de conversion dans sa rhétorique permet à Yanek de se défendre par la fuite et d'écarter cette image vivante de la douleur, cette sœur en dépit de tout. Il lui reste la terrible peur d'être condamné à vivre au nom d'une implacable charité.

Pour finir, il lui faudra surmonter la dernière honte, la dernière tentation et mourir dans la suspicion et le doute. Skouratov a imaginé de répandre la nouvelle d'un recours en grâce du condamné. C'était imposer du même coup à la communauté des Justes de s'élever à son niveau, par delà les espaces. Il faut à Dora souhaiter la mort de Kaliayev pour que la preuve soit faite de sa fidélité : « Oh ! oui, qu'il meure, mais qu'il meure vite... Votre amour coûte cher. » Chacun se trouve condamné à être plus grand que lui-même. Et voici que Voinov revient à l'organisation pour reprendre à son compte le défi que du tribunal Kaliayev lançait à la société. L'appel du supplicié résonne miraculeusement dans l'esprit de ses camarades. Par delà la solitude, c'est avec une sorte de ferveur glacée qu'ils entendent désormais le suivre dans la mort.

La mort seule pouvait réconcilier le terrible amour que Kaliayev portait à la terre et la tendresse qu'il vouait à Dora. La mort seule les pouvait réunir.

Les Justes comptent sans doute la plus belle scène d'amour — l'unique scène d'amour, puisque aussi bien les dialogues de Diégo et de Victoria sont plus lyriques que dramatiques — que Camus ait jamais écrite. Yanek et Dora sont liés par la passion de justice et de pureté qui les amena à l'organisation. Ils partagent une même foi et cela paraît leur suffire. Durant tout l'acte I, l'amour est latent : la voix de Dora se fait plus douce et plus enveloppante pour Kaliayev ; mais toujours ils en reviennent aux problèmes du « métier ». Jusqu'au moment où, chez Dora, fière révolutionnaire à « la nuque raide », la chair se révolte. L'envie lui prend de se laisser aller à la tendresse, de relâcher un instant cette roideur de tout le corps, cette tension de tout l'esprit. « Une seule petite heure d'égoïsme, peux-tu penser à cela ? » Une fois, une seule fois encore, Dora se voudrait aimée pour elle-même et plus que rien au monde. Elle attend avidement un aveu : que le dur amour de l'humanité le cède un instant au désir de la femme. Suprême et naïve coquetterie ? marque de fatigue ? Quoi qu'il en soit, l'action les presse ; ils repartiront tous deux parallèlement, « du même amour un peu fixe, dans la justice et les prisons » ; ils ne se rejoindront qu'au rendez-vous de la douleur, unis par la même corde. Dora, désormais coupée de sa propre chair, montera bientôt à l'échafaud : « Suis-je une femme, maintenant ? »

Cette ultime perspective, qui faillit valoir à la pièce un titre plus sinistre : *La Corde*, nous montre assez qu'en dépit d'un même mouvement ascensionnel, nous nous sommes éloignés de Corneille. Les Justes n'ont pas, tant s'en faut, le rayonnement optimiste du héros cornélien. La grandeur d'âme, la noblesse de caractère, la tension des volontés et le goût du difficile sont les mêmes, mais l'atmosphère dans laquelle ils s'expriment est radicale-

ment différente. Cela est sensible dès le début. La
pièce où nous pénétrons est froide et nue : l'on y
respire la peur. Chaque coup de sonnette est accueilli
avec un serrement de cœur. L'action est moins
rythmée par les étapes du martyre que par les
attentes interminables : trois actes d'attente. L'atmosphère est celle de la clandestinité. Les prisons sont
partout, au dehors comme au dedans. « C'est avec
un cœur joyeux que j'ai choisi cela et c'est d'un
cœur triste que je m'y maintiens. Voilà la différence. Nous sommes des prisonniers. »

L'air que respirent les Justes a la légèreté écra-
sante des altitudes alpestres. En dépit de leur ardeur,
il fait froid parmi eux. Tout le dernier acte, en
pleine floraison printanière, est scandé par les
plaintes de Dora : « J'ai froid. » Les Justes vivent
un éternel hiver. « Voilà trois ans que j'ai peur »,
dit Dora : peur du présent ou de l'avenir, peur de
faiblir ou de trahir, peur de se laisser prendre à
cette injustice qui « colle à nous comme de la glu ».
Cela suffit à corrompre par instants l'amitié même.
« Quel affreux goût a parfois la fraternité. » Les
yeux de Dora sont tristes, Kaliayev est triste, de
cette tristesse lancinante des cauchemars. Chacun
porte sur son front comme le sacre de la mort. Et
cela nous les rend par instants aussi étranges que
Lazare le ressuscité. A force de tendre toutes leurs
énergies au service d'une unique passion, les Justes
se sont séparés du monde vivant. Ils ont quelque
chose d'abstrait, avec leurs yeux fixes et secs, leurs
têtes droites, comme une hampe de drapeau. Ils ne
vivent plus au rythme du monde, mais pressés, trop
pressés pour bien se connaître. Aussi les silences
s'insèrent-ils entre leurs répliques, comme pour les
prolonger : ils ont désappris à parler et le fond
de leur pensée, jamais atteint, ne nous est livré
que par éclairs. On les dirait à la fois exténués et

inlassables, portés par les nerfs. Le monde n'est pour eux qu'un désert, couvert d'un « affreux silence » comme d'une chape. Qu'en savent-ils ? Ils l'ont reconstitué à leur façon ; ils ne connaissent du peuple qu'une image d'Epinal à la mesure de leur nostalgie et le dialogue de Foka et de Kaliayev souligne amèrement la misère et la solitude de ces êtres pour qui le présent et l'avenir ne sont que des abstractions.

Leur foi naïve masque donc un profond déchirement. Chacun des Justes « porte sa vie à bout de bras ». Au lendemain du premier attentat, Voinov, qui a pris peur, est incapable de retrouver son équilibre nerveux : la vie ne revient pas. Devant cette défaillance, Kaliayev éprouve un sentiment maladif de responsabilité : « je lui ai fait du mal, beaucoup de mal. » Annenkov, muré dans son rôle de chef, souffre du confort que sa position lui impose. Tous ou presque sont des hypersensibles, des scrupuleux, rongés par le souci de la pureté : « la justice elle-même est désespérante. » Et ce sont ces contradictions insurmontables, cet absurde dont ils ne peuvent vivre, qui les porte au martyre avec une sorte de joie amère ou, si l'on préfère, d'amertume exaltée.

Tout ceci fait des Justes des solitaires, des enterrés vivants. Coupés du peuple qui les ignore, coupés de lui au moment même où la bombe les éclaire, la tendresse, dans cette atmosphère raréfiée, leur est finalement interdite. Entre Dora et Kaliayev, le meurtre a creusé un fossé. Ils se regardent, s'approchent l'un de l'autre, les bras collés au corps, sans se toucher. Une fois pourtant, Dora tend la main, puis elle se ravise, comme si les gestes de l'accueil n'étaient pas pour eux. Ils rejoignent dans une sorte d'immobilité hiératique les premiers héros de la tragédie. Dans leur ordre de chevalerie même, dans la fraternité du combat, ils restent seuls. Ce que Stépan a souffert, Kaliayev ne l'a pas subi encore. Et lorsque Kaliayev s'avancera vers la corde, personne ne pourra rien pour lui. Aucun de ces êtres ne s'appartient : ils sont dévoués à la mort, celle qu'ils donnent et celle qu'ils reçoivent. A peine adolescents, ils ont leur été derrière eux, emportés dans une vieillesse prématurée. Et le printemps qui pointe est incapable de réchauffer des corps qui se consument pourtant de la flamme pure et sèche de l'absolu.

Les Justes reprennent donc la grande tradition du théâtre héroïque, mais un héroïsme dont les temps ont obscurci la signification et empoisonné les sources. Le déchirement des héros cornéliens n'était que relatif et momentané ; dans le fond, ils gardaient bonne conscience, sans compter la certitude du succès. Les contradictions où les Justes se débattent ne se peuvent résoudre qu'au niveau de l'échafaud. Peut-être comme le soupçonne Dora, cela signifie-t-il qu'ils ne sont pas dans la bonne voie. Ces êtres sans remords ne sont pas délivrés du doute.

Si la pièce nous apprenait quelque chose sur Camus, ce serait sa nostalgie. *L'Etat de Siège* déjà nous disait sa tentation d'échapper aux formes nouvelles de la société moderne et d'en rejeter les contraintes. Sans doute, à la réflexion, Camus se déclarerait-il toujours solidaire de notre époque (il l'a fait maintes fois), mais d'instinct, il n'a pu s'interdire de crier sa lassitude, sinon son mépris. *Les Justes* incarnent un autre rêve : celui d'un temps où le combat n'était pas impossible aux purs, aux révolutionnaires qui refusent le cynisme délibéré. Mais que feraient les Justes aujourd'hui où les révoltés se repentent et confessent leur trahison ? Quels lendemains chantants pourraient-ils espérer encore ?

« La Russie sera belle... » Pourtant la pièce n'est nullement déprimante ; une pièce pour jeunes, écrivait Dussane. Peut-être en sommes-nous venus à ce point de l'histoire où les hommes d'Etat eux-mêmes, tsars et grands-ducs, ont à trembler de la bombe qu'ils détiennent, condamnés à la désamorcer ou à sauter avec elle ? Peut-être serons-nous contraints, et par le mal lui-même, à réintégrer la morale dans l'histoire ?

DU BON USAGE DES MALADIES

> Il faut d'abord accepter beaucoup
> de choses, si l'on veut essayer d'en
> changer quelques-unes.
>
> J.-P. SARTRE [1]

Il est assez piquant que *l'Homme révolté* qui est,
à tout prendre, l'une des positions historiques les
plus nettes d'Albert Camus, lui ait valu le reproche
de dégagement. Les uns se sont félicités qu'une
plume pareillement éprise d'ordre dans l'écriture
parût consentir à l'ordre dans la cité. D'autres ont
dénoncé avec scandale dans le goût même du style
les symptômes d'une trahison objective. Les réactions des uns et des autres vaudraient qu'on les
analysât pour le désordre des esprits dont elles
témoignent. Contentons-nous d'y voir une manifestation supplémentaire de la guerre froide et d'en
conclure qu'un livre ne peut susciter de pareilles
professions de foi, s'il ne constitue par lui-même

---

1. Réponse à Albert Camus. Le tout est évidemment
de savoir ce qu'il convient d'accepter.

une manière d'acte politique (au sens le plus large
du mot).

D'autres l'ont bien senti, dont les réactions ne
sont pas moins curieuses. Que des politiques, dont
on sait que le sens des responsabilités est la première vertu, s'irritent de ces interventions « irres-
ponsables », que des démocrates aient assez le sens
des chasses gardées pour ne pas voir sans agacement
un écrivain faire son métier de citoyen, la chose est
déjà comique[1]. Après tout, à la plupart, il n'est
demandé d'autres connaissances littéraires que les
quelques citations empruntées à Hugo, Voltaire ou
Déroulède et propres à conclure brillamment quelque
oraison dominicale. On est davantage étonné que
certains chroniqueurs, après avoir longtemps tenu
Camus pour collègue, avec la compétence que le
mot présuppose, l'aient désormais rangé avec un
sourire indulgent dans cette catégorie de rêveurs
infantiles qu'on est convenu d'appeler « intellectuels
de gauche ».

Ce que j'en dis dépasse largement le cas de
l'*Homme révolté* et concerne les rapports de l'intellectuel et de la cité. Il fut un temps où les protestations d'un Voltaire contre l'arbitraire royal pas-
saient pour avoir quelque peu gauchi le cours de
l'histoire ; où l'*Esprit des Lois*, le *Contrat social* et
le *Traité sur la Tolérance* figuraient parmi les
ancêtres présomptifs de la Révolution française. Le
temps de l'arbitraire serait-il révolu et les fausses
idoles à jamais renversées ? Il est vrai qu'aujour-
d'hui, et grâce aux efforts de ces intellectuels
qu'étaient Marx, Engels ou Lénine, nous avons
davantage à attendre des études sociologiques ou
économiques quant à la gestion des affaires publi-

---

1. L'auteur tient à préciser que, personnellement, il
assume des responsabilités politiques.

ques, et qu'à tout prendre, dix bonnes monographies valent le meilleur des ouvrages d'idéologie. Sans doute, le jour où la politique sera devenue une pure technique, sera-t il permis de sourire des artistes qui s'y égareront. Mais qui alors n'y sera égaré ? Jusque-là il est bon que les ouvriers de la pensée opposent aux préoccupations immédiates et techniques des politiques des vues plus générales et plus humaines, et qu'ils préservent enfin ce capital d'espoir que les autres sont condamnés à dissiper à la petite semaine.

C'est dans cet esprit qu'il faut aborder *l'Homme révolté*. De quoi s'agit-il en effet ? Non pas certes de la balance des comptes ou du choix entre l'inflation et la déflation, entre l'industrie lourde et l'industrie légère, problèmes essentiels de l'économie qu'elle soit capitaliste ou révolutionnaire ; mais de la révolution elle-même, de sa nécessité, de ses limites et de ses lois. Il s'agit en bref de se mettre en règle avec la confusion d'un monde où chacun se prétend révolutionnaire sans attacher le même sens au même mot et de rendre à l'action des principes, en un temps où l'opportunisme et le cynisme triomphent concurremment, étroitement mêlés à la jérémiade, à l'indignation permanente comme aux prétentions morales. « Voilà le moment de transfigurer notre expérience et non de nous y complaire. C'est à quoi, non sans luttes intérieures, j'ai voulu contribuer... »

Cet exercice de démystification ne mérite d'être examiné que dans la mesure où il est le fait d'un homme « qui n'a jamais pris prétexte de l'échec pour condamner l'entreprise[1] ». En matière révolutionnaire, ni les renégats ni les conservateurs ne

---

1. Préface à *Moscou au temps de Lénine*. La citation est appliquée à Alfred Rosmer.

sont des témoins valables. « Si *l'Homme révolté* juge quelqu'un c'est d'abord son auteur [1]. » En un sens, le livre est une sorte d'autocritique sans prétention doctorale ou exhaustive. La grande tentation révoltée qui secoue le monde européen depuis bientôt deux siècles et prolonge aujourd'hui ses effets à travers l'Amérique du Sud, l'Asie et l'Afrique, Camus croit l'avoir vécue à sa place et dans son temps : « j'ai vécu le nihilisme, la contradiction, la violence et le vertige de la destruction. Mais, dans le même temps, j'ai salué le pouvoir de créer et l'honneur de vivre. » Il n'est pas nécessaire de reprendre l'histoire de cette tentation personnelle du néant et de la violence dont les œuvres d'avant 1945 portent plus ou moins la marque. Longtemps encore, Camus balancera entre Dieu et l'histoire et dans les moments où il affirme le plus passionnément son refus de la violence, il n'est pas certain qu'il n'en ait gardé quelque nostalgie. En tout cas, sa retraite devait être l'occasion d'un examen de conscience approfondi.

Une fois de plus, Camus éprouvait le besoin de faire le point et de rendre à sa pensée comme à son action une cohérence que la vie et les événements avaient compromise. Il n'est pas de bonne politique qui ne s'appuie sur la santé morale ; mais la santé morale, comme l'autre, n'est que la recherche d'un équilibre précaire. Avec *l'Homme révolté*, Camus fait œuvre d'assainissement ; il assure ses arrières et fournit à ses prises de position la justification théorique qui leur manquait. Mais, à ce point, le propos de Camus paraît ambigu : d'une part il reprend la réflexion au point où l'avait laissée le *Mythe de Sisyphe*, et s'efforce d'introduire

---

1. Lettre au *Libertaire* (mai 1952) en réponse à Gaston Leval.

la valeur dans un monde qui paraissait voué aux
expériences de surface. Bref, il entend déterminer
l'attitude de l'athée conséquent devant l'absurdité
du monde. D'une autre part, le refus du meurtre
lui est apparu intuitivement nécessaire dans la
conjoncture présente ; aussi s'efforce-t-il de fonder
en droit et en raison cette attitude instinctive et
d'en tirer les conséquences sur le plan de la pensée
et de l'action : reconsidérer de vieilles admirations,
régler leur compte à certaines sympathies équivoques, et procéder enfin à une sorte de reclasse-
ment des valeurs. Difficile effort de coordination
qui ne pouvait aller sans réticences, ni déchirements, mais que Camus poursuit avec la rigueur
implacable et mesurée qui demeure sans doute chez
lui la marque la plus certaine de l'esprit révolté.
Pourtant, le double objectif du livre lui donne parfois une démarche incertaine, qui prête à équivoque.
En toute logique, il convenait de préciser d'abord
la conduite de l'homme dans le monde absurde
pour étudier ensuite les déviations de la révolte.
Or, dès l'introduction, les problèmes du meurtre et
de la réplique à l'absurde sont étroitement imbri-
qués. Mieux, le premier état du chapitre I est de
1945 (Remarque sur la Révolte. *L'Existence*) ; le
premier état de l'introduction est de 1949 (*Empédocle :* le Meurtre et l'Absurde). Entre-temps, le
centre de gravité s'est déplacé. Le lecteur non pré-
venu a parfois l'impression que la révolte est mise
en cause avant d'avoir été solidement établie et que
Camus est plus pressé de s'en prendre aux révolutionnaires que de régler leur compte aux gens
d'ordre et aux bien-pensants. Son excuse est d'avoir
préféré l'ordre de l'expérience dans sa complexité
à la rhétorique démonstrative. C'était sans doute
trop compter avec la mémoire du lecteur.

★

Une épigraphe suffit à nous replacer dans un cadre de pensée inchangé. Contre le ciel, l'auteur choisit « une nouvelle fois » la terre grave et souffrante, avec ses fatalités, ses énigmes et la mort pour finir. Cette sorte d'invocation à Cybèle une fois accomplie, il se place à nouveau devant un problème de vie : comment se conduire dans un monde privé de signification ?

L'équation absurde qui confronte les exigences de l'homme et les réalités du monde se pouvait résoudre de différentes façons : le suicide, qui supprime l'homme ; la soumission mystique qui étouffe ses exigences ou les transpose sur un autre plan ; le postulat d'un monde rationnel, autre solution de foi, camouflée sous le masque de l'intellectualité. Il revenait au *Mythe de Sisyphe* de dénoncer ces formes d'accommodation à l'absurde qui sautent du tout au rien. Le refus d'abolir l'absurde, de le mater ou de l'apprivoiser, dans un effort essentiellement individuel, nous laissait devant une table rase : tout n'était pas permis, mais l'indifférence demeurait la règle. Mais à l'expérience, une conduite fondée sur l'équivalence devait apparaître précaire : vivre, c'est choisir. Tout naturellement, Camus sortait du nihilisme qu'il avait sacrifié déjà en renonçant au suicide.

Consentir à vivre, c'était donc accepter intellectuellement le monde pour ce qu'il est et le refuser dans l'action. En ce sens, toute vie est plus ou moins révolte et tout homme plus ou moins révolté. A peine a-t-on pris conscience qu'on proteste aussitôt. On pourrait dire aussi bien que toute révolte (si instinctive que paraisse la protestation) est prise de conscience : il n'y a pas antériorité mais conco-

mitance, comme le prouveraient *l'Etranger* et *les
Justes*. C'est la simultanéité, constamment observée
et préservée, de ces deux phénomènes, révolte et
prise de conscience des limites humaines, qui constitue aux yeux de Camus la nature de l'homme. Il
ne nie pas, à proprement parler, que l'homme « se
fasse » lui-même, pour user des termes sartriens ;
il impose à cette création de l'homme par lui-même
des limites naturelles : la nature humaine n'est pas,
pour lui, une réalité immuable, une essence, mais
la permanence d'une contradiction. L'homme n'est
pas ceci ou cela, un être voué à tel comportement
psychologique, lié à telle structure économique et
sociale, mais un perpétuel effort vers une liberté
totale qui lui est refusée d'avance, ce qui ne signifie
nullement qu'une liberté relative ne lui soit pas
immédiatement accessible. Bref, Camus constate
une résistance, une pesanteur des choses et des
hommes qui, pour être variable, n'en est pas pour
autant indéfiniment réductible. Et s'il fallait complaire aux philosophes nous dirions que l'essence
et l'existence marchent de pair.

À dire vrai, la démarche du révolté est plutôt
négative en son premier temps. Lorsque, au sortir
d'une période de soumission, d'ignorance ou d'aveuglement, l'homme s'éveille brusquement (prise de
conscience que l'apôtre suscite chez l'esclave ou
Marx chez le prolétaire), son sursaut marque la
limite extrême de ses concessions et de sa souplesse
(C'est encore une manière d'approcher la nature
humaine que de la découvrir dans ses refus.) Chacun de ses refus suppose le secret espoir que l'insupportable oppression « peut cesser », et, bientôt,
la certitude qu'elle « doit cesser ». Du refus à la
volonté de changer l'ordre des choses ou d'inverser
les rôles, il n'y a qu'un degré, bientôt franchi.

Ici, Sartre se montre attentif à la totalité concrète

de la révolte, à ce qu'elle brasse de haine autant
que d'amour ; Camus, en revanche, se désintéresse
du ressentiment pour ne s'attacher qu'à la protestation pure, kantienne pourrait-on dire, et à l'idéal
qu'elle engendre ; de la révolte particulière de tel
esclave contre tel maître, il dégage une obscure protestation en faveur de tous les hommes, ou, si l'on
préfère, l'affirmation d'une réalité humaine désormais irréductible. La révolte échappe à l'individu
pour esquisser les contours d'une communauté :
ce n'est pas l'Homme, cette idée générale, que la
révolte met à jour (elle combattra énergiquement
au contraire les excès commis en son nom) mais
la solidarité des hommes de chair et de sang, la
solidarité des victimes tout comme celle des bourreaux : « Je me révolte, donc nous sommes. »

Il va de soi que cette révolte se développe sur
un double plan : insurrection métaphysique à
laquelle nous nous associons tous un jour ou l'autre,
contre un destin mal défini, et dont la médecine
pourrait bien être l'une des manifestations sponta-
nées ; insurrection politique, qui pousse les hommes
les uns contre les autres, les victimes contre les
bourreaux, et qui trouve sa consécration dans tant
de mouvements révolutionnaires. Mais les deux plans
ne se distinguent pas aussi aisément : il semble
bien que le poids des hommes, de leurs intérêts,
de leurs préjugés, ait maintes fois retardé les progrès de la médecine (Rieux et Tarrou sont les premiers à le reconnaître) ; bien des misères que la
bêtise ou l'égoïsme humains suffiraient à expliquer
sont imputées au destin ; à l'inverse, des échecs que
la résistance des choses justifierait amplement, les
morts les plus régulières, de mauvaises récoltes
deviennent suspects ; à défaut du « mauvais œil »,
l'on soupçonne la mauvaise volonté des uns et le
sabotage des autres. Cette confusion longtemps

exploitée par les conservateurs de tous les temps, solidement adossés au destin, l'est également — mais en sens inverse — par les révolutionnaires modernes, volontiers portés à croire que la résistance des choses n'est qu'une mystification dont leurs techniques viendront fatalement à bout. Aux uns, Albert Camus répond que la révolte est, de toutes manières, légitime ; aux autres, que la modestie est la condition de son efficacité, si efficacité il y a.

L'évolution économique du monde moderne, et en particulier le développement de l'industrie dans les pays européens, ont fait de la révolte non plus seulement une réalité humaine, mais « notre réalité historique » ; les démocraties à l'antique, fondées sur l'esclavage et la ségrégation politique, ont cédé la place aux féodalités qui se sont épanouies, par les procédés complémentaires de la concurrence armée et du monopole, en monarchies absolues. Formes ultimes de la théocratie, ces monarchies de droit divin ont peu à peu cédé sous les coups de la bourgeoisie industrielle et commerçante, qui, pour arriver à ses fins, a exalté le désir populaire de liberté et d'égalité. Mais la théorie de la liberté, telle qu'elle s'énonce dans nos constitutions et nos discours dominicaux, et la pratique de la liberté, sont sans commune mesure. La révolte contre cette mystification bourgeoise, que Camus dénonce âprement, n'est donc plus liée à des phénomènes naturels (famines) ou épisodiques (guerres et exactions de toutes sortes), elle est aujourd'hui permanente.

Or, elle ne saurait demeurer indéfiniment défensive. Il vient un temps où l'on se lasse de tracer dans le sang les limites de l'oppression, et où, cédant à l'invincible besoin d'éternité et de stabilité, l'on se prend à rêver d'un monde purgé de toute tyrannie et répondant enfin à ces valeurs de justice et de liberté qu'exaltait la révolte. Alors surgissent les difficultés.

Cette liberté négativement définie par les formes d'oppression qui la nient, cette justice que nous ne connaissons que par les injustices qui la bafouent, comment les fera-t-on passer dans la réalité ? Comment une exigence qui pour être fondamentale n'en est pas moins confuse va-t-elle s'insérer dans l'histoire quotidienne ? Certes, « la rébellion la plus élémentaire exprime, paradoxalement, l'aspiration à un ordre » ; mais cet ordre nouveau, à son tour, nie la révolte, la domestique ou la canalise : pareillement, l'acte créateur, manifestation de pure liberté, ne se retrouve plus guère dans la création, qui se fige en un donné immuable et refermé sur lui-même à jamais. Pas plus que l'artiste ne peut accepter qu'on l'enferme tout entier dans sa dernière œuvre, le révolté ne saurait se reconnaître parfaitement dans l'ordre qu'il a créé. C'est dire que la révolte est permanente ; que la vigilance de l'homme révolté, serait-ce à l'égard de ses propres créations, ne doit pas se démentir ; c'est dire aussi, en retour, qu'il lui faut renoncer à l'éternité comme à la perfection dans ses entreprises. Telles sont les limites de notre condition, qui nous condamne à créer librement un ordre qui nie plus ou moins notre liberté et que notre liberté remettra inévitablement en cause.

S'il advient que le révolté manque à la modestie et prétende à l'absolue liberté, c'est l'ordre absolu qui le guette. Paradoxalement, les doctrinaires du refus perpétuel en viennent à exiger d'autrui la plus totale des soumissions ; partis pour refaire la vie, ils aboutissent à l'exaltation du meurtre. Qu'il s'agisse de Sade, réclamant la plus totale liberté sexuelle et s'efforçant de faire du sexe l'explosif capable de désintégrer tout ordre humain, du romantisme ou de son succédané le dandysme, psalmodiant de dépit les litanies de Satan, qu'il s'agisse de Stirner ou de Nietzsche, la littérature comme l'histoire, dès la fin du xviiie siècle, s'ouvre à l'orgueil et à la démesure du tout-ou-rien dont le nihilisme a fait la théorie. La nostalgie de l'absolu aboutit, par un processus logique, à l'asservissement de la majorité au nom de la plus totale des libertés, individuelles ou collectives. Camus pose en termes non équivoques le problème du meurtre pieux, du meurtre par idéal. « Il s'agit de savoir si l'innocence, du moment où elle agit, ne peut s'empêcher de tuer. »

Lénine étudiait en son temps la maladie infantile du communisme. Camus se penche sur ce qu'il considère comme un état morbide désormais chronique. Car c'est bien du communisme qu'il s'agit en fin de compte, et chacun l'a compris. Pour formuler un diagnostic et préconiser une thérapeutique, il s'est efforcé de découvrir les antécédents du malade, d'étudier son hérédité. C'est dans ces conditions qu'il a entrepris de recenser les diverses formes de révolte de 1789 à nos jours et d'en souligner la continuité. Puis, constatant que le même élan de liberté s'abîme régulièrement dans la terreur ou la négation, il formule une explication de cet échec renouvelé qui rappelle, à sa manière, Sisyphe et son rocher. Le plus déroutant dans cette entreprise, c'est qu'elle ne s'inscrit dans aucun des grands courants qui tiennent, si l'on peut dire, boutique idéologique. Au xviiie siècle, « les philosophes » s'étaient dressés contre les prétentions métaphysiques de la philosophie ; Camus n'entre dans le jeu idéologique que pour le condamner. Mais il se trouve que cet iconoclaste s'en prend aux sectes de briseurs d'idoles, que le conformisme contre lequel il s'insurge n'a pas tout à fait cessé d'être anticonformiste, que les tyrannies qu'il pourfend soutiennent encore de par le monde, et là principalement où elles n'ont pas accédé au pouvoir, la cause de la liberté. Sa position est analogue, toutes choses égales, à celle de Rousseau saccageant les chapelles encyclopédistes : les sourires engageants des prêtres genevois et les sarcasmes progressistes de Voltaire lui valurent un temps une réputation d'esprit rétrograde dont l'histoire a fait depuis, sur plus d'un point, justice.

En vain Camus précise-t-il qu'il s'agit d'une affaire de famille ; que l'esprit de révolte n'est pas en cause, mais ses outrances. Il y avait quelque naïveté, en un temps où les déviationnismes sont chroniques et les intentions mesurées en termes partisans, à supposer que tout un passé pût en garantir la pureté. Camus n'a pas cru devoir reprendre en détail les pertinentes analyses de Marx sur la société capitaliste, estimant suffisant de s'accorder avec elles. De l'ordre bourgeois, il a bien répété que « son crime n'est pas tant d'avoir eu le pouvoir que de l'avoir exploité aux fins d'une société médiocre et sans vraie noblesse... qui tire ses jouissances du travail de millions d'âmes mortes ». Le vocabulaire était suspect. Seule une exécution massive de gens d'ordre eût définitivement mis le lecteur à l'aise.

A dire vrai, la méthode qui consistait à traiter de l'histoire des idées révoltées, plutôt que des révoltes historiques, prêtait à contestation. On la lui a reprochée avec véhémence, comme s'il sous-entendait par là que les idées mènent le monde. Sans doute Camus est-il porté à considérer que les idées sont des actes. Pourtant, en stricte orthodoxie marxiste, il n'est pas absurde de soutenir que l'étude des superstructures idéologiques considérées dans leur évolution reflète assez exactement les contradictions de l'époque. Qu'on objecte mainte-

nant que chacune de ces tentatives s'est développée
dans un milieu économique et social donné, dans
un contexte original, Camus y consent volontiers
— peut-être son tort fut-il de croire que cela allait
de soi —. Que le mouvement révolutionnaire sans
cesse renouvelé depuis cent cinquante ans s'explique
par le développement et les fièvres du capitalisme,
que les excès et la volonté de revanche de ce même
capitalisme nous donnent la clef de plus d'une
déviation de la révolte, il l'admet si bien qu'il
retient quasi intégralement les plus sévères critiques
qui en ont été faites. Mais la question n'est plus là.
La formulation la plus précise en pourrait être :
y a-t-il un vice de forme ou de constitution qui
entraîne immanquablement les révolutions philosophiques, politiques ou littéraires qui ont pour objet
la libération totale de l'homme au terrorisme philosophique, politique ou littéraire [1] ?

Le terrorisme philosophique d'un Nietzsche constitue un maître-exemple de ce glissement de la
révolte absolue à l'absolue soumission. Trouvant
« Dieu mort » dans les esprits, constatant que le
monde, comme désaxé, « marche à l'aventure »,
il proclame la pleine liberté. Liberté plus difficile
pourtant qu'on ne le croit souvent (et Camus démontre brillamment qu'il est capable, quoi qu'on
en dise, de s'attacher aux textes et de les saisir
dans leurs nuances) : elle exige une lutte épuisante,
elle impose à qui s'est situé au-dessus des lois traditionnelles de se créer de nouveaux devoirs : « la

---

1. « Que toutes les révolutions connues dégénèrent ce
n'est pas un hasard... les révolutions sont vraies comme
mouvements et fausses comme régimes. » Merleau-Ponty.
Les aventures de la dialectique. Il n'est pas exagéré de
dire que *L'Homme révolté* a ouvert la voie à la « sécula-
risation » de l'esprit révolutionnaire, que Merleau-Ponty
réclame à son tour.

révolte débouche sur l'ascèse. » Mais, par une curieuse évolution, l'héroïsme nietzschéen se fortifie d'une soumission sans réserves aux forces naturelles : « l'adhésion totale à une nécessité totale, telle est la définition paradoxale de la liberté. » Que chaque homme soit ce qu'il est, qu'il consente, et il participera du même coup à la toute puissance universelle : le Dieu chrétien une fois mort, le Sacré reparaît sous les traits les plus implacables d'une fatalité naturelle. En se montrant inexorablement égoïste et dur, le surhomme rendra son tribut d'hommage à la nature divinisée dans sa force et sa volonté de puissance. Du moins Nietzsche exigeait-il du surhomme qu'il eût une âme peu commune : une descendance bâtarde n'en retiendra que l'esprit de domination. Il n'en reste pas moins que sa logique aboutissait à un monde de seigneurs et d'esclaves comme à la glorification du meurtre. Acceptant tout de l'univers, il consentait au mensonge comme à la vérité, et « aux plus effroyables moyens » pourvu que « les fins fussent grandes » — et chacun met la grandeur où il lui plaît.

L'aventure nietzschéenne demeurait en son principe essentiellement individuelle ou particulariste : le surréalisme, lui, a tenté de concilier les exigences subjectives du langage et du rêve avec les préoccupations objectives de la justice, c'est-à-dire de la liberté pour tous. Il a d'abord cherché dans la démence et la subversion une règle de construction : l'injure et le blasphème, déjà chers à Baudelaire, témoignent de manière puérile d'une révolte sincère. Le choix de l'irrationnel, la plongée dans le rêve, les charges effrénées contre les pontifes et leurs honneurs, les flirts plus ou moins poussés avec la révolution communiste, autant de manifestations du désir de « refaire la vie ». Mais, curieusement, « cet évangile du désordre s'est trouvé dans l'obligation de créer un ordre ». Ces fervents de l'absurde, ces impatients systématiques, ces contempteurs de toute morale se donnent un chef, des règles, un code : les interdits se multiplient, les exclusives se succèdent, comme tombées d'un quelconque tribunal ecclésiastique. Contradiction ? L'auteur ne le pense pas. L'orgueil et l'intransigeance « supposent une morale » rigoureuse. C'est leur pureté, en un sens, qui les amenait à la violence (au moins verbale) contre une morale de compromis et de corruption, contre un langage sclérosé par l'habitude quotidienne. Et cette morale révoltée se fait bientôt accusatrice, puis juge. Il lui manquait quelque tempérance, l'amour de quelque chose de réel, que ce soit la terre ou les hommes ; la révolte surréaliste visait moins le chaos et l'absurde que la nécessité charnelle d'exister : elle comportait une part d'angélisme. Et finalement, pour Camus, le surréalisme demeure une authentique aventure spirituelle, trop longtemps égarée sur des voies politiques ; une sorte de mystique orageuse et septentrionale, qui ne connaîtrait jamais l'extase.

De toute façon, il s'est affirmé, après Nietzsche, comme un rival du Créateur, tantôt divinisant le désir, tantôt s'efforçant de mettre à jour de nouvelles règles de langage et de vie qui ne dussent rien aux présentes. La violence est sortie magnifiée de ces tentatives et l'ordre renforcé jusqu'à la dictature. Sur les ruines des temples et les débris des idoles, de nouveaux pontifes ont officié. Les doctrines de l'inconfort ont en définitive, volentes nolentes, choisi « le confort de la tyrannie et de la servitude ».

On voit par où littérature, philosophie et politique se rejoignent : la philosophie se préoccupe toujours davantage de la transformation des hommes et du monde (psychanalyse, sociologie, philosophie du travail) ; la littérature n'échappe qu'artificiellement aux préoccupations sociales, et le plus souvent leur fait une large place. Ce n'est sans doute pas un hasard si ces cent cinquante dernières années leur ont insufflé la même révolte. L'histoire en, effet souligne plus ou moins l'absurde ; tantôt elle développe au maximum les exigences humaines (les progrès de la technique qui ont abouti à l'illusion scientiste marquent encore certains aspects du marxisme et inspirent tout aussi bien le naïf optimisme américain) ; tantôt elle aggrave l'opacité et la résistance des choses, accroît les injustices et facilite l'oppression (le capitalisme bourgeois en fournit un exemple trop connu). Les deux effets sont parfois concurrents : scientisme et capitalisme ont aisément cohabité. L'histoire peut donc exciter ou apaiser la révolte, modifier son champ d'application ou ses conditions. Elle n'en saurait déformer les traits fondamentaux que la littérature et la philosophie nous révèlent au même titre que la politique.

En effet, littérature et philosophie ne nous offrent plus guère d'idées — au sens platonicien du terme. Ici aussi les idées ne sont que les signes d'une attitude active [1], les motifs et plus encore les mobiles par quoi toute force humaine qui s'ébranle a besoin de se justifier. La dialectique d'un Nietzsche ou d'un Stirner ne nous intéresse qu'à titre anecdotique ; mais la volonté de puissance de l'un et le nihilisme de l'autre nous touchent par tant d'actes qu'ils ont suscités ou annoncés. Que dire des écrits de Marx ? Ne sont-ils pas plutôt des actes qu'un assemblage de mots et d'idées, presque au même titre que les discours et les rapports d'un Saint-

---

1. « Si vraiment toute action est symbolique, alors, les livres sont à leur façon des actions... » Merleau-Ponty, *op. cit.*

Just : actes à longues portée, ou, si l'on préfère,
à retardement. C'est pourquoi il importe peu que
Camus ait lu ou non les œuvres complètes de Marx
(la plupart des leaders marxistes les ont-ils lues ?) ;
il est au contraire essentiel qu'il sache quelles citations de Marx ses fidèles utilisent le plus ordinairement pour justifier leur action.

On nous dira qu'il est vain de comparer les attitudes des uns et des autres ; que la Révolte n'existe
pas ; qu'il y a des révoltes, celle de 89, celle de la
Commune ou celle de 1917. Il faut pourtant qu'elles
aient quelque chose de commun puisque les révolutionnaires les placent dans un même Panthéon et
méditent sur l'une ou l'autre pour mieux assurer
le succès de la prochaine. S'il est permis d'en faire
l'étude stratégique, de s'attarder sur les raisons
économiques ou tactiques de leur échec, pourquoi
ne le serait-il pas d'en chercher les causes — non
pas métaphysiques, comme on voudrait le faire
croire — non pas même idéologiques, mais physiques, au sens d'une physique essentielle de l'action humaine ? Ce fil conducteur, cette hypothèse
d'explication en valent d'autres ; pour Camus, elle
les commande plus ou moins directement ; il lui
paraît préférable, pour un révolutionnaire, de connaître l'homme, ses exigences et ses limites, plutôt
que l'économie ou la stratégie révolutionnaire.
Assurément, il faudrait tout connaître. Cela ne se
pouvant, il faut bien que quelques moralistes équilibrent la masse des stratèges et des économistes.

Or, si la révolte prenait sa source dans l'expérience individuelle, avec ses souffrances et ses ran-
cœurs, pour atteindre à une protestation aussi générale qu'obscure qui n'engage encore ni système ni
raison, mais la communauté des vivants, la révolution (toute révolution fut d'abord·révolte) interprète
les vœux des révoltés, les abstrait et les organise :

elle entend désormais façonner le monde à l'image
d'une certaine conception qu'elle s'en fait ; en ce
sens, elle le déshumanise. Attentive aux plaintes de
l'homme concret, à sa soif d'unité et d'éternité,
elle le juge sur ce qu'il voudrait être et néglige ce
qu'il est. L'ayant ainsi modelé sur sa nostalgie, elle
postule que les institutions par leur propre poids
ou l'histoire par sa propre pente favorisent cette
re-création : « La Révolution, même et surtout celle
qui se prétend matérialiste, n'est qu'une croisade
métaphysique démesurée. » Et le principe d'une histoire des idées révoltées s'en trouve, à posteriori,
justifié.

Pareil angélisme, pareille confusion du politique
et du sacré faussent inévitablement les perspectives
de la révolte. Tout le drame révolutionnaire réside
dans leurs rapports. Jadis une politique se couvrait
des dieux de la cité, un peu comme les monnaies
tiraient valeur et protection d'une encaisse-or plus
ou moins fictive. Le christianisme même en est
venu, avec la monarchie absolue, à jouer le rôle
de garant. Mais si l'Eglise s'y est gravement compromise, du moins le sacré et le profane ne s'y
confondaient pas rigoureusement. Les puissants,
qui se gardaient de vivre et d'agir selon les lois du
Ciel, avaient peine à imposer leur politique comme
un décret divin. En ce sens, la religion assurait la
dérivation du sacré et satisfaisait à bon compte nos
exigences de totalité (aussi longtemps du moins
qu'elle s'abstenait de réaliser igni et ferro le salut
des hérétiques et des incroyants).

Avec la Révolution française, une foi nouvelle se
dresse contre l'ancienne (c'est le mérite d'Albert
Camus d'avoir arraché cette période historique au
respect superstitieux dont elle est l'objet et de placer
ses défenseurs, dont il est pour l'essentiel, en face
de leurs responsabilités). L'aumônier des Carmélites

de Bernanos répond fort bien au chevalier de la Force : « C'est vous qu'on craint mais c'est nous qu'on hait... toute guerre civile tourne en guerre de religion. » Guerre religieuse d'un type tout nouveau, qui tire son inspiration du *Contrat social* et de l'intransigeance montagnarde. Une politique qui tend justement à libérer les hommes, substitue à la grâce les décrets d'une justice absolue. La souveraineté populaire emprunte les attributs de la divinité, et lors du procès de Louis XVI, deux transcendances s'affrontent : une politique injuste et corrompue, garantie par la religion établie, est battue en brèche par une politique d'austérité et de vertu qui ferait volontiers de la liberté l'objet d'un culte nouveau. La tête de Louis XVI emporte avec elle la chrétienté temporelle et inaugure le sacre de la cité nouvelle — ou de son image. Saint-Just sera le Joad de cette foi politique. Sa haine du formalisme chrétien et des mystifications qu'il entretenait le conduit à instaurer une morale non moins formelle, où les principes immuables, figés dans la loi, n'auront plus à être vécus mais subis : « la Révolution française, en prétendant bâtir l'histoire sur un principe de pureté absolue, ouvre les temps modernes en même temps que l'ère de la morale formelle » et purement objective.

Si la loi enferme le bien absolu, il lui faut être obéie à quelque prix que ce soit, et la révolte est morte désormais. Si les plans de la cité future répondent aux canons de la perfection, il la faut réaliser, serait-ce par la terreur la plus implacable. De vivante qu'elle était, la liberté se transforme en idole, qu'on révère de loin ; en son nom s'organise un empire ; en son nom, des décisions sont prises et imposées jusque sur l'échafaud. La logique du bien absolu rejoint la logique du mal ; et tout comme J.-P. Sartre signalait d'étranges similitudes de langage chez Thérèse d'Avila et Jean Genêt, il est permis à Camus de souligner la communauté de fureur d'un Torquemada, d'un Saint-Just ou de quelque autre tyran moderne. Du moins Saint-Just payait-il sans protester, mourant « d'un impossible amour qui est le contraire de l'amour » ; lequel est concret, charnel, amour des hommes plus que de l'humanité, de la vie plus que de l'idée de vie, des ruches bourdonnantes plutôt que des grands cimetières sous la lune.

Saint-Just avait compté sans l'absurde ; il postulait une impossible conformité des institutions et des hommes, des principes et de la vie, et devant la résistance des seconds, il inclinait au meurtre purificateur. La révolution communiste, constatant cet échec et la « décourageante hypocrisie » d'une bourgeoisie qui n'use des valeurs jacobines que « comme d'un alibi, pratiquant, en toute occasion, les valeurs contraires », se détourne des institutions pour s'attacher aux structures ; elle étale dans le temps l'édification de la cité nouvelle. La rapidité avec laquelle les mondes se disloquent à mesure qu'évoluent la technique et le genre de vie fait naître l'idée d'une histoire qui emporte l'homme dans son mouvement ; mouvement progressif qui, au terme d'un processus logique de purification, le doit porter à la pleine liberté. Si le présent nous trahit, l'avenir est à nous. « A la révolution jacobine qui essayait d'instituer la religion de la vertu, afin d'y fonder l'unité, succéderont les révolutions cyniques, qu'elles soient de droite ou de gauche, qui vont tenter de conquérir l'unité du monde pour fonder enfin la religion de l'homme. »

Certes, Camus ne s'y trompe pas : il ne confond pas la religion égoïste des seigneurs aryens qui exaltent la race et lui sacrifient des millions de victimes dans les camps d'extermination, avec cette

autre religion, également cynique, mais altruiste
cette fois, qui chante le travail et prétend rééduquer l'asocial dans les steppes sibériennes : ces deux
révolutions sont de qualité bien différentes. Parce
que la première est momentanément domptée, il
s'étend sur la seconde, avec laquelle il aurait, au
fond de lui-même, aimé s'accorder plus souvent.
Le ton est d'autant plus amer qu'il est celui de la
déception : « pour tirer de la décadence des révolutions les leçons nécessaires, il faut en souffrir,
non s'en réjouir [1]. » Mais une fois encore, le crime
est à la hauteur de l'ambition : la lutte nécessaire
contre l'oppression capitaliste a été menée avec des
armes et au nom d'une idéologie dangereuse. Scientifique dans sa critique, le marxisme est prophétique dans la construction : si, du fond de l'histoire, un avenir merveilleux nous appelle, chacun
des gestes du révolutionnaire, si contradictoires
soient-ils, marque un progrès dans la voie du salut.
C'est ce que Camus appelle, après Plekhanov, le
« fatalisme actif », qui consacre le triomphe du
principe d'autorité et la dictature du fait accompli.
D'ailleurs, les marxistes reconnaissent volontiers que
la classe ouvrière les intéresse moins par ses souffrances que pour la force d'avenir qu'elle représente ; si le capitalisme a tort, c'est avant tout qu'il
est « un ordre périmé ».

Pareille foi dans une histoire dont « les fins se
révéleraient morales et rationnelles » justifie les opérations chirurgicales les plus brutales : « cent
années de douleur sont fugitives au regard de celui
qui affirme, pour la cent unième année, la cité définitive. » On dira que, si les Koulaks n'avaient pas
résisté vers les années 30, bien des déportations
eussent été évitées : c'était compter sans l'homme

---

1. Lettre-préface à *Moscou au temps de Lénine.*

et ses habitudes, qui n'étaient pas toutes crimi-
nelles. Sans doute le retard de l'agriculture ris-
quait-il de constituer un goulot d'étranglement :
s'il a fallu déporter tant d'hommes [1], c'est peut-être
qu'on les avait oubliés dans les évaluations du plan
et que tout n'était pas également possible. « La
nouvelle église est à nouveau devant Galilée : pour
conserver sa foi, elle va nier le soleil et humilier
l'homme libre. »

La révolution communiste aboutit dès lors à une
sorte de théocratie athée. Elle en a l'impérialisme ;
elle condamne toute neutralité : quiconque n'est pas
avec moi est contre moi ; Marx, Engels, Lénine,
sont autant de prophètes dont les citations nourrissent toute une scolastique ; les dirigeants en
place autant de prêtres, et d'apostats en puissance.
Dans cet ordre déchristianisé, où le parti constitue
l'église militante et les procès de véritables céré-
monies d'exorcisme, le péché reprend place : « le
marxisme, sous un de ses aspects, est une doctrine
de culpabilité quant à l'homme, d'innocence quant
à l'histoire. » Et de proche en proche, « au terme
de cette longue insurrection au nom de l'innocence
humaine, surgit, par une perversion essentielle, l'affirmation de la culpabilité générale ».

La recherche de la totalité s'est insensiblement
substituée à la quête de l'unité ; ou plutôt, les révolutionnaires se sont imaginés à tort que « le chemin de l'unité passait par la totalité » ; que la
liberté ne se pouvait obtenir que par le renoncement
momentané à la liberté. Plutôt que de la vivre, ils
l'ont construite et adorée, comme si toute révolte
n'était pas déjà liberté. Pourtant, « la souffrance

---

1. « Le socialisme d'aujourd'hui se voue à construire
la société contre la campagne. C'est pourquoi il est
terreur. » Lettre à l'auteur, 1952.

n'est jamais provisoire pour celui qui ne peut pas croire en l'avenir ». Bien des vies et des énergies humaines ont été ainsi gaspillées.

Or, la foi qui inspire de tels sacrifices et justifie semblables épurations « n'est pas plus fondée en raison pure que les anciennes ». Les prédictions ne se sont que très relativement vérifiées (il y aurait pourtant à dire sur la critique péremptoire que fait Camus de la loi marxiste de concentration dans l'agriculture) ; les plus fermes des certitudes révolutionnaires relèvent de l'esprit d'apocalypse. Il importe pourtant de sauver la révolte qui se cache au cœur même de l'idéologie stalinienne (et Camus accorderait volontiers à Sartre que les luttes du travailleur communiste en régime capitaliste participent de la révolte). Le rôle du penseur, en isolant une logique néfaste et en la dénonçant, est de sauver l'esprit révolutionnaire d'une déchéance irrémédiable. « On n'est pas justifié par n'importe quel héroïsme ou n'importe quel espoir. »

Une analyse de cette importance soulève quelques remarques. Il est certain, pour s'en tenir à l'essentiel, que le vocabulaire de Camus ne va pas toujours sans ambiguïté. Parler de perversion de la révolte laisse supposer qu'il a existé des formes saines de la révolte. La démarche de Camus en effet est analogue à celle de Rousseau dans les *Discours*. Constatant l'évolution morbide de la société et décrivant ce qu'on peut appeler « la chute », depuis l'homme naturel jusqu'à la période contemporaine. Il n'est pas contestable qu'il se dégage de là quelque nostalgie. Rousseau imaginait une fable qui la ramassait tout entière dans une sorte de préhistoire. Nous n'en sommes plus à ces enfantillages. Où situer pourtant la santé dans cette histoire de l'orgueil européen ? A ce point zéro qu'est la naissance du Christ ? Sous la Convention girondine ? Au

temps des Justes ? Peut-être n'y a-t-il jamais eu de
révolte saine. A dire vrai, la question sent un peu
son nihilisme. La poser, c'est reconnaître qu'on
n'est pas encore sorti du tout ou rien. En politique
comme ailleurs, la santé est une chose relative, un
équilibre, non une perfection. Il en est de la révolte
comme de la paix : l'histoire n'a jamais véritablement connu la paix ; cela n'empêche personne d'en
parler, ni de savoir de quoi il parle, ni surtout de
combattre en son nom.

Camus s'est contenté d'isoler un virus. Ce n'est
peut-être ni le bon ni le seul. Du moins est-ce (au
même titre que l'homme naturel) une hypothèse
de travail que les textes illustrent. Il n'est donc pas
raisonnable de lui reprocher d'être tombé dans le
travers inquisitorial qu'il dénonce. La révolution lui
paraît une « déviation » de la révolte ? Et après ?
A-t-il jamais prétendu liquider les déviationnistes,
ou les frapper en quelque façon ? Il intervient au
contraire en faveur d'un Henri Martin [1]. A aucun
moment il ne les considère de l'extérieur comme
de pures monstruosités. Il n'est pratiquement pas
une attitude qui ne lui apparaisse valable par quelque côté et avec laquelle il ne se solidarise partiellement. Son objectif est moins de juger ou de
condamner que d'en revenir à une « démoralisation modérée [2] ». N'était-ce pas déjà la méthode
du *Mythe de Sisyphe* ? « Dire aux consciences
qu'elles ne sont pas sans taches et aux raisons qu'il
leur manque quelque chose [3]. » On s'étonnera de
cet appel aux consciences. Mais le marxisme lui-
même n'est-il pas au départ une vaste entreprise de
déniaisement et de démystification ? Certes, ici

---

1. Défense de la Liberté, *Franc-Tireur*, déc. 1952.
2. Inédit.
3. Inédit.

encore Camus s'appuie de manière équivoque sur
un vocabulaire moralisant. Le marxiste, dans l'espoir comme dans le sacrifice, ne cherche nullement
à se justifier et il lui importe peu d'être personnellement sans tache. Mais c'est précisément l'un des
objets du débat, de savoir si la révolution peut être
morale dans ses effets quand les révolutionnaires
sont cyniques. Lénine ne le pensait sans doute pas
lorsqu'il écrivait : « La conscience de la classe
ouvrière ne peut être une conscience politique véritable si les ouvriers ne sont pas habitués à réagir
devant *tous* les abus, toutes les manifestations d'arbitraire, quelles que soient les classes qui en sont
victimes... »

Camus, qui le pense moins encore, ne peut croire
que le cynisme soit la condition de l'efficacité. Il
lui arrive pourtant d'être pris d'un doute et de se
demander, après Rosmer, si la répression de Cron-
stadt ne fut pas nécessaire. « Quand on voit de
quelles luttes certaines vies furent remplies on peut
se demander au nom de quoi ceux qui, comme
nous, n'ont pas eu la chance et la douleur de vivre
au temps de l'espoir, prétendraient sur ce point à
autre chose qu'à écouter et à comprendre. » Il est
certain que *l'Homme révolté* ne fait qu'effleurer le
difficile problème des rapports de la mystique révolutionnaire d'une part, de la politique et de l'économie d'autre part. Quel que soit le régime, l'in-
dustrialisation des pays neufs impose de lourds
sacrifices dont on ne sait, en fin de compte, si la
mystique les aggrave ou les allège. Reste que ni
l'électrification dont Lénine faisait un temps le fon-
dement du socialisme, ni aucune autre forme de
transformation de la nature par l'homme ne sauraient justifier, aux yeux de Camus, le mépris sys-
tématique des vies individuelles.

Quoi qu'il en soit, il se refuse à désespérer. Son

œuvre est un pari pour la renaissance, une base pour de nouveaux départs : « s'il y avait quelque chose à conserver dans notre société, je ne verrais aucun déshonneur à être conservateur. Il n'en est malheureusement rien. Nos credos politiques et philosophiques nous ont menés dans une impasse où tout doit être remis en question, depuis la forme de la propriété jusqu'aux orthodoxies révolutionnaires[1]. » L'Homme révolté ne tolérera pas davantage les mystifications sanglantes de l'ordre révolutionnaire que l'oppression larvée d'un capitalisme essoufflé. D'ailleurs le sort du monde ne se joue pas entre eux, répète Camus après Léon Blum[2] : « Leurs fins seront les mêmes ; il se joue entre les forces de la révolte et celles de la révolution césarienne. »

Convient-il donc, pour échapper au totalitarisme révolutionnaire, de rétablir la distinction du profane et du sacré et de donner au peuple la part de mystique dont il manque ? Cette tentation aristocratique, à laquelle Vigny finit par céder, pourrait bien effleurer parfois Camus, mais il y a toutes chances pour qu'il la repousse. Il prétend plus simplement « refaire et recréer la réflexion grecque comme une révolte contre le sacré[3] », c'est-à-dire ramener la politique des hauteurs missionnaires où elle s'était élevée au rang modeste de métier : un métier comme la médecine, où se conjuguent connaissances techniques et bonne volonté.

Quelques règles fixes d'abord : la nature humaine existe, ou plutôt sa plasticité n'est pas infinie : ainsi s'évanouit le mirage de l'homme total. C'est assez

---

1. Lettre au rédacteur en chef d'*Arts*, oct. 1951. *Actuelles*, p. 39.
2. Préface à *l'Ere des Organisateurs* de Burnham.
3. Inédit.

dire que la dialectique, pour autant qu'elle suppo-
serait une solution à l'humaine contradiction, s'apparente au saut existentiel. La dialectique authentique, « pur mouvement qui vise à nier tout ce qui
n'est pas lui-même... n'est pas et ne peut pas être
révolutionnaire ». Toute synthèse est provisoire ;
toute société se décompose à mesure pour renaître
de ses propres cendres ; le poste de radio qui hier
était un luxe est devenu aujourd'hui un besoin et
si haut qu'on puisse porter le niveau de vie l'insatisfaction humaine n'en trouvera pas moins des
raisons de révolte. A l'échelle des siècles et de
l'histoire on peut parler de progrès ; à l'échelle des
générations et des hommes, les progrès sont insensibles et la prospérité n'est jamais qu'un souvenir.

Posons dès lors que, dans le bouleversement
continuel des valeurs, l'une d'elles au moins échappe
au mouvement de l'histoire : la liberté, qui s'éprouve
quotidiennement dans l'action et dans la révolte ;
ses conditions légales ou matérielles sont variables ;
sa permanence témoigne « du refus d'être traité en
chose et d'être réduit à la simple histoire ». Camus
proteste donc contre la condamnation que les mouvements révolutionnaires font peser sur la liberté
pour la punir de l'usage mystificateur qu'en fait
la société bourgeoise. « Il n'y a pas une liberté
idéale qui nous sera donnée un jour d'un coup,
comme on perçoit sa retraite à la fin de sa vie. Il
y a des libertés à conquérir, une à une, péniblement, et celles que nous avons encore sont des
étapes, insuffisantes à coup sûr, mais des étapes
cependant sur le chemin d'une libération concrète [1]. » C'est l'affaire des opprimés de poursuivre
partout et toujours cette lutte : aussi Camus a-t-il

---

1. *Le pain et la Liberté.* Allocution prononcée à Saint-
Etienne le 10 mai 1953.

salué en son temps la révolte des ouvriers de Berlin-
Est [1]. Dira-t-on que choisir la liberté c'est renoncer
à la justice ? Pareille antinomie n'a de sens que
dans une pensée totalitaire. « Il est bien vrai qu'il
n'y a pas de liberté possible pour un homme rivé
au tour toute la journée et qui, le soir venu, s'en-
tasse avec sa famille dans une seule pièce [2]. » Cet
homme n'est pas libre et rien n'est plus injuste.
La solidarité entre la justice et la liberté est donc
étroite, pourvu qu'on en traite avec mesure. L'absolue liberté aboutit au désordre et à l'écrasement
des faibles. La justice totale étouffe toute liberté.
Toutes deux sont folies.

Ces principes modestes et élémentaires font de
l'homme révolté non pas l'homme tout court,
comme le voudrait P. de Boisdeffre, mais un être
profondément conscient de la solidarité historique
et résolu à la maintenir dans la mesure de ses
moyens. « Notre enfer, nous ne saurions en détourner la face... La nostalgie du repos et de la paix
doit elle-même être repoussée ; elle coïncide avec
l'acceptation de l'iniquité... Que ce temps soit loué
au contraire où la misère crie et retarde le sommeil
des rassasiés ! Maistre parlait déjà du sermon terrible que la révolution prêchait aux rois. Elle le
prêche aujourd'hui, et de façon plus urgente encore
aux élites déshonorées de ce temps. Il faut entendre
ce sermon. » La lutte contre la tyrannie et l'injustice n'est qu'une forme du combat contre l'absurde,
et il la faut mener dans l'esprit de Sisyphe. La lucidité nous contraint à l'engagement, non à l'embri-
gadement. Il n'est pas de pouvoir, fût-il prolétarien
dans ses origines, qui, par une pente toute naturelle, ne finisse par peser sur ceux qu'il entendait

---

1. *Témoin :* revue suisse, n° 5. Calendrier de la Liberté.
2. *La Paix et la Liberté,* op. cit.

servir. « On ne peut pas régner innocemment[1]. »
Camus rejoint ici un certain courant anarcho-syn-
dicaliste pour qui les pouvoirs sont un mal nécessaire. Aux prédictions et aux prophéties, qui relèvent
de la nostalgie, il oppose les probabilités raison-
nables comme le relatif à l'absolu ; au règne des
fins la considération des moyens ; car, dit un
essayiste libertaire, « si le socialisme est un éternel
devenir, ses moyens sont sa fin ».

L'homme révolté tentera donc de se libérer sans
tuer ; dédaignant les querelles idéologiques, il exer-
cera une action concrète dans le cadre de la profession selon les traditions du syndicalisme révolutionnaire : en particulier, l'éducation professionnelle et la culture fourniront « les cadres neufs
qu'appelait et qu'appelle encore un monde sans honneur ». Il s'inspirera parallèlement du caractère
pratique et mesuré des socialismes scandinaves ou
britanniques. Quel que soit le régime, le grand problème du monde moderne est celui de l'asservissement du travailleur par la machine, et bientôt, par
la technique et les techniciens : « toute pensée qui
ne fait pas avancer ce problème ne touche qu'à
peine au malheur ouvrier. » Que notre société industrielle découvre et organise la mesure qu'elle porte
immanquablement en elle, en dépit de sa démesure
présente, et l'homme, délivré de l'exclusif souci
de produire, pourra de nouveau songer à créer,
selon sa vocation profonde. Mais ceci est une autre
histoire... Camus qui ne procède ici que par coups
de sonde, ne s'aventure pas plus loin sur le terrain
des économistes et des sociologues. Son livre appelle
sur ce point des développements ultérieurs. Il n'est

---

1. Saint Just. *Idem*, cf. Varlet, cité par Merleau-Ponty.
« Pour tout être qui raisonne, gouvernement et révolution sont incompatibles. »

pas impossible que d'autres penseurs ne les lui
fournissent, puisqu'aussi bien lui-même paraît
décidé à renoncer désormais à toute pensée systé-
matique.

★

Tout beau, dira-t-on ; le nettoyage auquel s'est
livré Camus favorise un nouveau conformisme : ce
n'est pas pour rien que « le centre » conservateur
s'est approprié de longue date le titre de modéré. Il
est vrai que la mesure, comme le bon sens, n'est
souvent que le paravent des privilèges acquis. Pour
tant on a pu écrire des Jacobins qu'ils sont « avec
passion et révolutionnairement les tenants d'une
politique modérée. Ils imposent avec des moyens
extrêmes des solutions de juste-milieu [1]. » Il y a
chez Camus du Jacobin que la Terreur aurait
écœuré. A l'intransigeance des principes, il joint le
sens des limites : tout n'est pas possible. La mesure
n'est qu'une révolte contre les excès mêmes de la
révolte. Sa pensée a quelque chose de volontairement commun et terre-à-terre, comme si tout son
effort était de se garder des illusions et de s'en
tenir à une vue réaliste des possibilités humaines.
Il semblera donc paradoxal de reprocher à Camus
d'introduire le romantisme et la mystique en politique, et d'évoquer tour à tour Tolstoï ou Péguy.
On voit aisément l'origine du grief. Camus transige
sur les buts, et consent aux approximations. Mais
il est intraitable sur les moyens. Il a dit et répété
qu'il ne consentait plus au meurtre en un temps
où l'on n'est pas loin de croire que le poteau d'exécution est la condition première de l'efficacité. Bref,
au romantisme révolutionnaire du « grand soir »
comme au refus des épurations méthodiques il oppo-

---

1. G. Martin : Les Jacobins, p. 86.

serait le romantisme des mains blanches. A s'en
tenir à *l'Homme révolté*, le reproche ne tient pas.
Les syndicalistes révolutionnaires n'ont jamais passé
pour des enfants de chœur et les travaillistes anglais
ou scandinaves pour des lunaires. Pourtant, toute
équivoque n'est pas dissipée. Le livre est fondé sur
une « expérience historique... peut-être trop étrange,
trop particulière, pour être généralisée [1] », celle du
totalitarisme moderne. A ce dernier, Camus oppose
les formes souples d'un socialisme à la façon de
Silone [2]. Mais si demain le danger totalitariste venait
à s'estomper, ne se retournerait-il pas contre celles-ci
par horreur du compromis ? Entre l'anarchie et le
travaillisme, entre la méfiance envers les pouvoirs
constitués et l'utilisation modérée de ceux-ci à des
fins révolutionnaires Camus n'a pas choisi. Il incli-
nerait sans doute naturellement vers une opposition
permanente toujours en garde contre les abus et
capable de contraindre les pouvoirs à tenir compte
des aspirations populaires.

Accorderons-nous enfin à Sartre que la position
de Camus est intenable et d'avance rejetée par
l'histoire ? Ce serait admettre que les millions
d'hommes de tous pays qui aspirent à une politique de progrès, délivrée des prophéties et des camps
de concentration, ont eux aussi renoncé à l'histoire. Ce serait nous enfermer dans une série de
dilemmes qui ne sont qu'apparents : les antinomies
Dieu-histoire, Justice-Liberté, Violence-Non-Violence
n'existent que dans l'absolu ; au contraire, ceux-là
mêmes qui « considèrent l'histoire comme un tout
qui se suffit à lui-même » sont les premiers à s'éloi-

---

1. *Actuelles*, p.155.
2. Ecrivain et homme politique italien, dont on a
récemment publié un court questionnaire avec lequel
Camus se déclare d'accord pour l'essentiel.

gner du réel. Les empires ne sont pas éternels. Au reste, il n'est pas impossible que les événements lui donnent relativement raison et qu'une sorte d'équilibre soit en vue à travers nos déchirements. Certains économistes, comme M. Sauvy, estiment que l'évolution des deux nations géantes actuellement rivales les devrait rapprocher dans leurs structures et leurs méthodes, par une lente dégradation de ce que leurs principes ont de plus virulent. L'utilisation de l'énergie atomique est susceptible d'ouvrir une ère nouvelle où les fondements de l'économie seront tout naturellement remis en cause. Enfin l'équilibre militaire des forces en présence et l'extraordinaire puissance des engins modernes de destruction imposent aux nations en présence la coexistence pacifique. Chacun s'accorde à constater que nous atteignons un tournant de l'histoire. Qu'il s'agisse d'un faux palier ou d'une véritable étape, il était bon que certains, plutôt que de s'épuiser à la suivre dans ses détours, s'en détachent quelque peu pour faire le point et préparer les voies d'une espérance sans illusions.

★

Tout le mal est donc venu d'un excessif désir de pureté universelle et d'un manque d'honnêteté individuelle. « Rien n'est pur, rien n'est pur : voilà le cri qui a empoisonné le siècle[1]. » Ce cri, Caligula l'avait lancé en son temps, puis Maria, puis Paneloux C'était le cri des premiers chrétiens, celui de Kaliayev montant à l'échafaud. *Summum jus, summa injuria*, répondaient les Anciens, pour qui la justice était cet équilibre que symbolise la balance. Il faut concilier la révolte et la mesure, ou plus

---

1. Inédit.

exactement, la révolte permanente doit borner les
ambitions révolutionnaires et purifier les méthodes.
Le marxisme préconise avec raison l'élimination des
obstacles économiques et sociaux qui limitent actuellement la liberté ; le christianisme condamne justement l'homicide. Mais l'un et l'autre succombent
à l'impérialisme qui leur est naturel. Camus voudrait donc jeter un pont entre la notion moderne
de l'ordre juste et celle, antique, de l'homme juste.

C'est ce qu'avec une pieuse nostalgie, il appelle
pensée méditerranéenne. Las ! le qualificatif était
malencontreux. L'un en dénonça le chauvinisme,
l'autre l'intellectualisme, un troisième l'anachro-
nisme. On ne se fit pas faute de rappeler les
déchirements helléniques, la volonté de puissance
romaine, les violences ibériques. Il est vrai que la
mesure et le respect de l'homme semblent s'être
réfugiés en des contrées plus septentrionales :
Grande-Bretagne de l'habeas corpus et Scandinavie
travailliste. Et le choix du mot pourrait laisser à
penser que Camus a gardé, sinon le goût de la violence, du moins celui de la véhémence et de la fière
anarchie. Pourtant la géographie importe peu. Si
Camus veut croire en la renaissance du dialogue
humain comme en une approximative réconciliation, c'est que, pour son compte personnel, il
échappe désormais au nihilisme. Certes notre existence baigne toujours dans l'absurde ; mais ce dernier a trouvé ses limites : rien n'est cohérent, mais
le rationnel et l'irrationnel s'équilibrent ; rien n'est
sûr mais tout est possible et, « à une certaine fron-
tière, le possible aussi mérite le sacrifice... », les
contradictions enfin peuvent se vivre et se dépasser,
au moins momentanément. Nous comparions jusqu'ici la vie à une impasse ; il s'agissait plutôt d'une
de ces pistes sinueuses et mal tracées qui cheminent
indéfiniment par les déserts. Mais s'il n'est pas de

bout de la route, il se rencontre, de-ci, de-là, des oasis.

Pourtant, l'inconfort et le déchirement restent le lot du révolté : « La valeur qui le tient debout ne lui est jamais donnée une fois pour toutes ; il la doit maintenir sans cesse. » Un fier isolement en est la récompense et la rançon. Peut-être même risque-t-il parfois de se laisser prendre aux jeux de l'abstraction contre laquelle il se dresse et de glisser de la révolte au réquisitoire. Mais il faudrait auparavant que l'enfant de la terre algérienne oubliât les leçons d'un soleil qui, de *Noces* à l'ultime page de *l'Homme révolté*, éclaire son œuvre entière d'une lumière impitoyable et tendre. Avec moins d'humour et plus de gravité qu'un Montaigne, moins de nonchalance et plus de frémissante âpreté, les chemins d'Albert Camus sont sans doute ceux d'une sagesse aussi prolétarienne que paysanne, qui, unissant la fidélité à l'insoumission, « refuserait éternellement l'injustice sans cesser de saluer la nature de l'homme et la beauté du monde ».

PÈLERINAGE AUX SOURCES

> Mon âme est un trois-mâts cher-
> chant son Icarie.
>
> BAUDELAIRE

L'Eté est proprement inclassable. Les premiers éléments d'un guide ironique de l'Algérie, les médi-tations sur l'existence, les prises de position morale et l'autocritique littéraire y voisinent avec de véri-tables poèmes en prose. A première lecture, le livre paraît hétérogène, bâti de pièces et de morceaux. Pourtant, en dépit des différences de genres, de ton et d'époque (le premier essai date de 1939 et le dernier de 1953), il n'est pas sans unité.

Il vaut d'abord pour l'historien. *Le Minotaure* prend place dans la lignée des œuvres ironiques. A cette époque, 1939, Camus envisageait de trai-ter le thème de la Peste sur le même mode, comme en témoignent *les Archives de la Peste*. *Les Aman-diers* nous confirment qu'en 1940 Camus n'était nullement l'homme de l'absurde mais déjà celui d'un combat prochain. « La première chose est de ne pas désespérer... il est vain de pleurer sur l'esprit, il suffit de travailler pour lui... qu'on n ou-

blie pas en tout cas la force de caractère... c'est elle
qui, dans l'hiver du monde, préparera le fruit. »
L'Eté constitue donc une mine de documents pour
quiconque s'intéresse à la genèse de l'œuvre. Il permet au lecteur curieux de dissiper ces légendes dont
nous entretient *l'Enigme.*

Plus profondément, *l'Eté* marque la ligne de résistance à l'histoire. Il nous fait pénétrer dans ce jardin secret où Camus n'a cessé d'entretenir, comme
autant de fleurs rares, l'amour et l'innocence. C'est
là qu'il reprend courage dans l'adversité et se repose
des fatigues du jour. *L'Eté* nous découvre la permanence d'une vie intérieure, non pas celle qu'entendent les chrétiens, où se dénouent les scrupules
et les repentirs, où se débattent les drames de
conscience (cela aussi Camus le sait d'expérience)
mais un havre du souvenir. Il y cultive cette innocence des fêtes nuptiales de Tipasa où la morale se
résumait dans l'accomplissement charnel et où il
importait non de vouloir et de choisir, mais simplement d'aimer. Tout ce qui est soustrait à la
société comme à l'histoire est gagné pour le silence
et la vie naturelle.

C'est un monde grec, le monde du cycle où l'été
se prépare au cœur même de l'hiver, où les fleurs
et les bourgeons reparaissent avec le printemps ; le
monde de l'histoire naturelle, délivré des marches
harassantes du progrès et du déferlement de l'humanité conquérante sur les voies du salut. Nous
sommes balancés de midi à minuit, du sens au non-
sens, du oui au non : le cycle des heures et des
jours, en dépit des ans qui s'accumulent et des
rides qui creusent les visages et les œuvres, nous
ramène au temps de *l'Envers et l'Endroit.*

Là, dans cette sorte d'éternité maintenue au
milieu même de la houle du temps, Camus s'est
bâti deux cités, l'une charnelle, l'autre spirituelle.

L'Algérie, déjà célébrée dans *Noces*, inspire successivement *le Minotaure*, le *Petit Guide pour les villes sans passé* et *Retour à Tipasa*. « J'ai ainsi avec l'Algérie une longue liaison qui sans doute n'en finira jamais et m'empêche d'être tout à fait clairvoyant à son égard. » Il y a bien du fétichisme ou, si l'on préfère, du chauvinisme lyrique dans l'amour que Camus porte à sa terre natale.

Camus s'en défend à force d'ironie. Cette jeunesse oranaise dont il partage les jeux, il la raille affectueusement sur ses deux plaisirs essentiels : « se faire cirer les souliers et promener ces mêmes souliers sur les boulevards ». La rivalité d'Alger et d'Oran, concrétisée par le duel homérique des boxeurs Perez et Amar, nous vaut, au temps du *Minotaure*, une scène pittoresque, aux limites du burlesque. On devine l'auteur séduit par ce déchaînement de force brute, séduit mais lointain pourtant. Un temps de recul, une marge d'indifférence lui révèlent les contradictions de la foule, les mécanismes et les naïvetés du spectacle. Sa curiosité le conduit droit, par delà les artifices et les jeux d'ombre, à la signification éternelle de l'événement. Mais ce détachement n'a qu'un temps ; pour plaisanter sur l'Algérie, ses enfantillages et ses laideurs, il faut y vivre. Avec l'exil, l'ironie se fait lasse (*l'Enigme*) ou acide et polémique. Le sourire s'efface, et la passion avivée nous ramène à ce « chant grave et aveugle » du *Retour à Tipasa*.

L'Algérie, n'est-ce pas toute une enfance, la présence d'une mère aussi lointaine que chère, et pour finir cette sorte d'alma mater où Antée reprend force et courage ? Certes Tipasa, gangrenée par la morale, est aujourd'hui réglementée et barbelée, la civilisation a porté jusque-là ses ravages et l'innocence se voit menacée des foudres de la vertu jusque dans ses derniers refuges. Mais le soleil s'obstine à briller, la mer à danser sur les plages et les héliotropes à éclabousser les ruines de leurs couleurs.

Comme l'Italie et Florence en d'autres temps, la Grèce est la patrie de l'âme. Depuis cet été 1939 où s'évanouit le beau rêve d'un périple hellénique, la Grèce inaccessible a conquis une place éminente dans le cœur de Camus. Elle symbolise la conjugaison de la nature et de la beauté, de la beauté et de l'esprit. Hélène, Hélène tant décriée, y resplendit de ses charmes vainqueurs : les Grecs ont combattu pour la beauté. Empédocle l'obscur y côtoie Socrate, et dans sa révolte même, le Prométhée enchaîné définit les limites humaines, le seuil qui ne peut être franchi sans péril : « Les Grecs n'ont jamais dit que la limite ne pouvait être franchie. Ils ont dit qu'elle existe et que celui-là était frappé sans merci qui osait la dépasser. Rien dans l'histoire d'aujourd'hui ne peut le contredire. » La Grèce de Camus a l'éclat d'Aphrodite et la sagesse d'Athéna.

Patries d'autant plus pures qu'elles sont inaccessibles. *Noces* était un présent ; *l'Eté* n'est qu'un espoir ou un souvenir. Si frelaté qu'il soit, Tipasa s'oppose de toutes ses couleurs, de sa lumière, de son exubérance naturelle aux cités modernes. Paris, comme Prague jadis, Lyon et Saint-Etienne, maintient Camus à la surface de lui-même. Il y vit en étranger, emprisonné derrière les vitres pluvieuses, écrasé par les ciels gris. L'enfant de Belcourt se tournera-t-il vers « le monde » ? « Quoi de plus ennuyeux qu'un dîner bien parisien ? » Rien ne l'irrite davantage que cette « dépense d'âme » et ces confidences dont l'eau « coule à petit bruit interminablement parmi les fontaines, les statues et les jardins ». Paris surabonde en esprit et manque finalement de cœur. Les banlieues ouvrières, l'usine ? D'une certaine façon il s'y sentirait plus à l'aise : on y a

davantage de pudeur et moins d'artifices. Mais sans
soleil, tout y est trop froid, trop laid, trop misérable. Par quelque côté qu'on le considère, « Paris
est une admirable caverne, et ses hommes, voyant
leurs propres ombres s'agiter sur la paroi du fond,
les prennent pour la seule réalité. Mais nous avons
appris, loin de Paris, qu'une lumière est dans notre
dos... »

Paris est à l'image de l'Europe entière, mécanisée
et convulsée. Les grandes cités où Hegel voyait le
creuset des civilisations de demain sont pour Camus
la négation d'un véritable humanisme. « Nous
vivons le temps des grandes villes. Délibérément le
monde a été amputé de ce qui fait sa permanence :
la nature, la mer, la colline, la méditation des
soirs. » Héritière tout à la fois du christianisme et
du marxisme, l'Europe s'est lancée dans une interminable aventure. Elle a parié sur le salut, s'est
installée dans l'histoire, tournant le dos à ce que
la terre comporte d'éternel. « Elle recule dans sa
folie les limites éternelles et, à l'instant, d'obscures
Érinnyes s'abattent sur elles et la déchirent. Némésis
veille, déesse de la mesure et non de la vengeance. »

L'Algérie comme la Grèce, les cités modernes
comme l'Europe sont autant de mythes que Camus
charge de sa nostalgie ou de son espoir. Chacun
d'eux porte jugement sur notre époque et nos façons
de vivre. La grande ville, ce sont des milliers
d'hommes amputés de leur part d'air pur, de la
paix des forêts et de l'allégresse du printemps ; ce
sont des murs indéfiniment prolongés où Camus
prisonnier végète. Prisonnier volontaire au reste,
puisque nul autre que lui-même ne le contraint d'y
vivre, sinon la volonté de maintenir, par un travail
régulier, l'indépendance nécessaire à la création.
Sa présence au cœur de Paris est un symbole : une
fois de plus Camus a choisi délibérément l'exil.

L'exil était le lot de Caligula au lendemain de la mort de Drusilla, celui de Martha perdue dans la froidure slave. Pour lui échapper, l'un comme l'autre n'imaginaient rien d'autre que de s'y enfoncer davantage. Mais Jan et Rambert, qui connaissaient tous deux le bonheur, ont choisi l'un de demeurer à Oran en pleine peste, l'autre de rejoindre la Bohême. L'exil est devenu la loi du monde, la condition même de la solidarité. La nature et l'amour sont en effet plus précaires que jamais. « Quelle petite chose ! Sèche comme une plante de rocher, mais agrippée comme elle. Cela dure petitement. De temps en temps une ondée la fait fleurir, ou plutôt simplement respirer, épandre un léger parfum. Et aussitôt, elle se recroqueville. » Ce que Rivière disait de l'amour de Dieu, Camus le pourrait écrire de l'amour du monde. Son œuvre même, il lui a fallu tolérer qu'elle se dessèche au contact de la morale, rongée par le cancer des villes et des civilisations. « Est-ce que je cède au temps avare, aux arbres nus, à l'hiver du monde ? » Les visages ont effacé les paysages ; la verve poétique, rigoureusement canalisée, n'affleure qu'à de rares instants. *L'Eté* prétend remonter à la source.

Difficile effort et souvent artificiel. On ne recrée pas Tipasa ; on le regrette : « nous regrettons parfois l'herbe de tous les temps, la feuille d'olivier que nous n'irons plus voir pour elle-même et les raisins de la liberté ! L'homme est partout, partout ses cris, sa douleur et ses menaces. Entre tant de créatures assemblées, il n'y a plus de place pour les grillons. » Mais peut-être l'exil est-il plus profond que ne le laisserait croire un certain optimisme volontaire. Cesserait-il en terre d'Alger ? On en peut douter. Les hommes ont beaucoup changé là-bas aussi. Où sont les soleils d'antan ? En 1952, Camus découvrait son âge sur les visages des amis d'autrefois. L'Afrique est à son tour en proie aux déchirements politiques et sociaux. Y échapperait-elle, la lumière africaine aurait-elle gardé tout son éclat, que Camus ne pourrait rompre la solidarité qui l'unit à la foule des humiliés.

Par instants, et l'ironie de *l'Énigme* ne saurait nous tromper, il semble que la lassitude l'emporte ; l'amertume est plus grande encore au lendemain des controverses. L'art lui-même serait-il une prison ? On lance un jour une formule, on inaugure l'absurde (le mot, non la réalité) et nous voilà absurde pour jamais. Le plus souvent on se refuse à conclure, mais la critique, la presse et les lecteurs s'en chargent avec désinvolture. Ce qui a coûté des années à écrire est jugé en un moment. Les mots se figent ou pourrissent lentement. On immobilise dans le désespoir ce qui n'était que déchirement provisoire. La légende est plus forte que les faits. Veut-on rétablir les intentions exactes, protester contre les déformations abusives, aussitôt le ton monte, les amitiés se brisent, et pour avoir prétendu dialoguer vous voilà plus seul encore. Toute vérité ne serait-elle plus bonne à entendre ou à dire ?

D'ailleurs, à quoi bon ce combat ? Dans le même temps où Camus se défend d'être l'homme de l'absurde, l'absurde se venge : un voyage en Amérique du Sud, les fatigues, l'ennui des mondanités réveillent le mal endormi. Pour deux ans au moins, il lui faut modérer ses activités et ralentir sa production littéraire. Le malheur, comme *la Peste* le laissait prévoir, resurgit, rompant les digues morales péniblement édifiées, et tout est à reprendre dans le silence. Certes, Camus fait face et s'efforce « d'être égal au meilleur comme au pire » Avec l'aide du souvenir il préserve « au milieu de l'hiver... un été invincible » Mais dans ces conditions, l'existence ressemble à une attente indéfinie. Attente du retour à la lumière et au soleil, attente de la mer, attente d'une histoire pacifiée où la nature aurait repris ses droits ; attente de la solitude parmi la foule exigeante, attente de l'amour au milieu de la solitude. « Voilà pourquoi je souffre, les yeux secs, de l'exil. » Tout ce que *la Peste* enfermait de souffrance contenue éclate dans *la Mer au plus près* : la séparation est de tous les temps.

La Mer au plus près est un poème en prose, le seul que Camus nous ait donné depuis *Noces*. Ces pages ont été écrites dans la fièvre, ébauchées au retour d'Amérique du Sud. Journal de bord, nous dit-on ; journal symbolique du grand périple de l'existence. La première partie est lourde d'impatience refrénée. Tantôt la phrase se fait émerveillée : « J'attends les navires du retour, la maison des eaux, le jour limpide. » Tantôt, elle traîne et se charge d'indifférence : « On me loue, je rêve un peu, on m'offense, je m'étonne à peine. » Bientôt, l'ironie entre en jeu, dénonce cet étranger aveugle et sourd qui n'apporte que sa présence : « C'est aux enterrements que je me surpasse. J'excelle, vraiment. » Le poète va, distrait, habité par une seule image. Des mécanismes le suppléent. « Ce n'est pas moi qui parle. » Comment le pourrait-il, lui qui n'est « rien encore » ?

Brusquement, le ton enfle. Une odeur de mer nous enveloppe. Ce n'était qu'un rêve. « Ensuite, je n'ai pas trop de tout mon art pour cacher ma détresse et l'habiller à la mode. » Pourtant, si amère que soit l'illusion, elle couvre quelque réalité. « Ainsi moi qui ne possède rien, qui ai donné ma fortune, qui campe auprès de toutes mes maisons, je suis pourtant comblé quand je le veux, j'appareille à toute heure, le désespoir m'ignore. » Pouvoir de l'imagination : le rêve, le souvenir peuvent calmer certaines impatiences. Etre séparé, c'est n'être pas tout à fait seul. La vraie vie est absente de nos « banlieues fleuries de ferraille... plantées d'arbres en ciment » et de nos ciels rougis comme des pansements, mais la mer bat inlassablement les plages et les rochers. « Un jour vient, enfin... »

Le poème de l'attente mêle la lassitude au modernisme (« Paris change ! mais rien dans ma mélancolie n'a bougé ! ») Le voyage, par contre, est une sorte de vision, fiévreuse comme le *Bateau ivre* de Rimbaud. Le rythme se fait allègre : le vent est vigoureux, les voiles claquent. Tous les sens sont en éveil : ici, les eaux s'épanouissent en camélias, là elles s'étalent, « lourdes, écailleuses, couvertes de baves fraîches », ailleurs l'écume est « onctueuse, salive des dieux ». Camus s'en saisit avec véhémence. Il la fait grésiller, brûler, fumer sous le soleil. Dans une sorte d'hallucination, nous suivons la course rapide de la lune et du soleil dans le ciel, nous croisons un iceberg sur les Tropiques, puis un troupeau de cerfs nageant dans l'eau mousseuse. En quittant la terre, nous renoncions à nos traditionnelles façons de voir et de sentir. Nous avions gagné un monde sauvage, délivré des lois de la pesanteur, où la mer, bercée par un chant invisible et familier, se couvrait « d'étranges fleurs jaunes ». L'impossible même a cessé de nous être étranger.

Cette succession d'images tantôt bizarres, tantôt familières, n'est nullement gratuite. Le soleil au fond de la mer, les vagues installées dans le ciel, comme au lendemain de quelque bouleversement cosmique, soulignent la fraternité des hommes et leur incompréhension tout à la fois. Les buildings « lézardés sous la poussée de la forêt vierge », qui s'écroulent au milieu des rires des singes de la Tijuca sont pareils à nos orgueilleuses civilisations, mortels comme elles. La mer enfin est un modèle

d'amour, fidèle et fugitive, « long cheminement
jamais commencé, jamais achevé ».

> Elle est retrouvée
> Quoi ? — L'Eternité
> C'est la mer allée
> Avec le soleil.

Elle justifie l'existence : « Grande mer, toujours
labourée, toujours vierge, ma religion avec la nuit !
Elle nous lave et nous rassasie dans ses eaux stériles,
elle nous libère et nous tient debout. » Elle seule
peut excuser la mort. Elle est la paix définitive en
dépit des orages, l'immobilité dans le mouvement,
le silence par delà le battement des eaux. « O lit
amer, couche princière, la couronne est au fond
des eaux. »

C'est une vieille tentation de Camus que le néant.
Dès le *Minotaure*, Çakia Mouni au désert nous invitait au sommeil. Contre les vaines fumées de la
gloire, l'anéantissement est l'ultime refuge : « oui,
tout ce bruit... quand la paix serait d'aimer et de
créer en silence. Mais il faut savoir patienter. Encore
un moment, le soleil scelle les bouches ». Dans le
désert des villes, l'envie le prend « d'aller s'étendre
dans la vallée sous la même lumière » et d'y retrouver le repos. Devant la mer, il s'abandonne à la
fascination des eaux : « un jour vient qui accomplit
tout : il faut se laisser couler alors, comme ceux
qui nagent jusqu'à l'épuisement. » En plein Océan,
il cède à cette « intolérable anxiété, doublée d'un
attrait irrésistible... vivre alors est-ce courir à sa
perte ? A nouveau sans répit courons à notre perte ».
Emporté comme par une sorte de mysticisme morbide, il se complaît dans une voluptueuse angoisse
où se mêlent confusément l'ardeur de vivre et la
douceur de mourir, la recherche de l'équilibre et
l'orgueil du danger. « J'ai toujours l'impression de

vivre en haute mer, menacé, au cœur d'un bonheur
royal. »

★

Gardons-nous d'accorder pourtant une excessive
importance à de pareilles tentations. Toute littérature, qu'elle soit créatrice ou critique, majore immanquablement des sentiments qui, dans la réalité
quotidienne, ne jouent qu'un rôle épisodique. La
poésie plus particulièrement aggrave les émotions et
les déchirements passagers. Pour être objectif, il
eût fallu insister également sur ce que les divers
essais enferment de volonté de vivre et de jouissance.
Mais ne convenait-il pas plutôt de dégager les tona-
lités dominantes, dont certaines, à en juger par le
titre, ont échappé à l'auteur ?

Peut-on en effet parler d'un véritable amour au
sens où l'entendait *Noces* ? L'amour est ici plus un
souvenir ou une nostalgie qu'une réalité. On attendait un chant de la maturité, il ne nous est pas
donné: Camus est obsédé par *Noces*. Revenant à
Tipasa, il risquait de n'y retrouver que des ombres
et de chasser les souvenirs, bref, de se répéter avec
moins d'éclat. Il suffit pour s'en convaincre de
comparer les dernières pages du *Minotaure*, orgueilleuses et frémissantes, aux élans appliqués du *Retour
à Tipasa*. Il a manqué parfois à Camus de consentir
à vieillir.

Ceci pourrait laisser craindre un certain tarisse-
ment de la production poétique. Il est certain que
la plupart des nouvelles ici rassemblées ne nous
apprennent que peu de chose, rien du moins qui
n'ait été développé par ailleurs sur un autre mode.
Le plus souvent la poésie s'y réduit à rien et le
commentaire logique constitue l'essentiel, sans
qu'on retrouve cette imbrication des thèmes poétiques et de la réflexion qui faisait l'originalité de

Noces. Seule, *La Mer au plus près* ouvre des perspectives de renouvellement en dépit de son caractère
exceptionnel. Le mélange visionnaire de réel et de
surréel rend au mythe toute son épaisseur et son
mystère ; les hantises de l'auteur s'y expriment
directement, sans le support des commentaires. Et
ce sont les hantises de l'homme de quarante ans.
La poésie, moins véhémente et plus glacée, s'annexe
la laideur du monde moderne, le cri des machines,
la lassitude de l'exilé et les hallucinations du
malade. Les images y sont renouvelées à la mesure
d'un autre âge : moins d'adjectifs peut-être, moins
de couleurs sûrement, davantage d'images verbales,
plus sèches, plus actives et plus imprévues. La brièveté de chacun des poèmes et leur indépendance
relative offrent à Camus d'importantes possibilités.
Du moins sommes-nous certains que la veine poétique n'est pas morte chez lui. Peut-être même,
comme la fin de *l'Homme révolté* le laissait supposer, prendra-t-elle bientôt sa revanche sur l'essai,
envahissant le domaine de la réflexion pour lui
rendre sa souplesse et sa complexité.

CONCLUSION

Quarante ans d'âge ; vingt ans bientôt de production littéraire ; dix ans de gloire. Deux romans,
appréciés par des publics divers, mais également
loués ; deux essais discutés, mais généralement esti-
més ; quatre pièces de théâtre dont aucune n'est
indifférente en son principe et dont deux encore
semblent s'être acquis quelques droits à la mémoire
littéraire ; de nombreuses chroniques, un talent poétique certain, une forte stature morale et d'impé-
rieuses exigences esthétiques. En voilà assez pour
consolider une renommée et l'étendre de Rome à
Stockholm et de Buenos Aires à Tokio [1].

Mais en littérature, comme dans la vie, rien n'est
jamais acquis. Il faut toujours recommencer, et
d'abord se défendre contre les légendes. Créateur
de mythes lui-même, Camus en a été victime en
retour : l'équivoque est le propre du mythe. Il est
vrai que lecteurs et critiques renchérissent volontiers dans l'erreur, par incapacité à séparer l'auteur
de son livre. N'a-t-on pas souvent prétendu, avec
une constance digne d'un meilleur objet, attribuer

_____

[1]. Cf. Bibliographie.

successivement au créateur chacune des affirmations de ses personnages ? Et les mêmes qui ne sont que tendresse pour une Phèdre ou un Julien Sorel vont s'indignant de la diabolique immoralité d'un Meursault. Les essais eux-mêmes n'ont pas échappé aux sollicitations : le domaine de la morale et de la politique supporte mal l'objectivité ; quant au bonheur et au pessimisme, chacun en juge selon ses humeurs.

Non, Camus n'est pas un esprit bourgeois : trente ans de pauvreté l'ont garanti contre les tentations du confort. Non, le sportif du R.U.A., l'acteur de l'Équipe, le petit employé des services météorologiques, le poète de *Noces* n'est ni un intellectuel ni un saint. *Le Mythe de Sisyphe* n'est pas le livre du désespoir ni *l'Homme révolté* l'aube d'un conformisme. En vérité, de Belcourt à la rue Sébastien-Bottin, Camus est demeuré un simple : pauvre jadis d'une pauvreté matérielle, la moins pénible pour lui ; pauvre à Djemila sous le vent de mort qui rôdait alors, pauvre à Lyon et Saint-Etienne, dans un pays dépouillé par l'ennemi de ses richesses et de ses joies ; pauvre encore à la direction de *Combat*, engagé, les mains nues, dans une lutte inégale ; pauvre sous les feux de Paris, déraciné, coupé de ses deux patries ; pauvre enfin, comme le sont tous les hommes, en dépit des richesses et des possessions, dans un monde où l'amour est fragile, l'amitié incertaine et la mort partout présente.

Le voilà bien notre philosophe, avec ses problèmes tout simples. Métaphysicien, j'y consens, si l'homme est « un animal métaphysique ». Qui ne s'est quelquefois demandé le sens de l'agitation humaine, le pourquoi des choses et de l'existence ? A quoi bon vivre, si toutes nos entreprises et nos affections sont condamnées ? Et pourtant nous vivons. C'est tout le problème du *Mythe de Sisyphe*.

Quel militant, quel simple citoyen ne s'est interrogé
sur la marche de l'histoire ? Le progrès, on aimerait y croire, n'étaient la bombe atomique, les camps
de concentration, la haine, le mensonge et la misère.
Tant d'hommes s'interrogent, se refusent à désespérer, et *l'Homme révolté* formule alors une pro-
position modeste : que les révolutionnaires renoncent
à diviniser l'histoire comme à légitimer le meurtre.

Des idées de tous les jours et de tout le monde,
exposées sans subtilités ni recherche dialectique.
Des sentiments qui courent les rues : on aime le
sport, la mer, le soleil et le théâtre, et parce qu'on
a découvert la mort de plus près, on en parle, pour
se faire une raison. Survient la guerre ; on pourrait
se tenir à l'écart, comme tant d'autres. Mais, à côté
de la beauté et de la solitude, il y a les humiliés.
Et voilà Camus dans la Résistance. Pour un temps,
il consent à choisir. Mais n'en exigez pas davantage : toute sa force, comme toute sa faiblesse, est
dans ce qu'il tait. Finalement, il n'a d'autre morale
que son amour de vivre. Mais l'histoire, là encore,
a son mot à dire. Ici, les peuples s'engourdissent
et sommeillent au pied des volcans ; l'envie vous
prend alors de les secouer : le salut vaut bien une
pointe de scandale. Ailleurs, l'enthousiasme tue :
il faut construire des digues à la hâte et en revenir
à quelques principes élémentaires. Ainsi Camus se
porte-t-il, par une sorte de dialectique vivante, de
l'amour à la morale, pour en revenir à l'amour
quand la morale dessèche. Sans doute se dispense-
rait-il de cette stratégie, de ce continuel va-et-vient
à la recherche d'un équilibre. Mais la vie, n'est-ce
pas cela ? résister à l'indifférence puis à la passion,
au tumulte puis au silence.

Vivre, c'est être déchiré entre des sentiments
contraires, des pensées inconciliables, et s'efforcer
pourtant de les concilier sans tricher ; c'est se sentir

le cœur serré à l'idée de mourir et nier cette
angoisse ; tout ignorer des destinées humaines et
se comporter comme si le problème était résolu ;
passer de la véhémence à la mesure, du vide à la
plénitude ; rêver de pureté et s'en tenir au possible : « il y a ainsi une volonté de vivre sans rien
refuser de la vie qui est la vertu que j'honore le
plus en ce monde[1]. » Son originalité est là, dans
la claire affirmation de ses contradictions : son
langage contrasté (« splendeur aride », « éclat mort
mais insoutenable ») traduit rudement cet effort
vigoureux pour se maintenir à leurs extrémités. Il
se veut fidèle à la pauvreté comme à la richesse
naturelle, solitaire et solidaire, orgueilleusement
révolté et tout à la fois modeste. Pareil à tant
d'autres, mais plus rigoureux seulement, plus exigeant et résolu à faire ce qu'il faut.

C'est le secret de son rayonnement : incapable
de se satisfaire à bon compte, il s'est tenu, dès ses
premières œuvres, à égale distance d'un humanisme
au souffle court et des commodités de la mystique.
Une insatisfaction permanente le maintient en éveil :
son équilibre est un risque perpétuel. D'aucuns, qui
s'obstinent à déceler le désespoir dans l'incertitude,
en concluent au pessimisme. Le mot n'a guère de
sens pour Camus. Il est au contraire de ceux auxquels il est permis de recourir dans le malheur.
Son succès en Allemagne, puis au Japon le prouve :
si l'on consent à toucher le fond de la misère, une
certaine forme d'espoir, humaine et relative, redevient possible. En vérité, par son intransigeante
lucidité, l'œuvre de Camus est un excellent antidote
contre le désespoir total.

La remarque vaut autant pour *Caligula* que pour
l'Homme révolté, pour *Noces* que pour *l'Eté*. L'équi-

---

1. *Retour à Tipasa.*

libre est au commencement. Toute l'œuvre est d'une
rare continuité. De 1937 à 1953, il n'est guère pour
Camus que deux problèmes, le suicide et le meurtre,
qu'on ramènerait aisément à l'unité. Il n'est aussi
que quelques thèmes qui vont par couples : la prison ou l'échafaud et la mer ou le soleil, la solitude
ou l'exil et l'amour ou la fraternité ; la passion et
l'indifférence, l'innocence et la morale, la démesure
et les limites.

Cette incontestable unité- de préoccupations (seuls
l'âge et les événements en modifient la hiérarchie
et le ton) ne se pouvait soutenir sur le plan esthétique que par la diversité des moyens d'expression.
Romans, chroniques, essais, théâtre, Camus multiplie les claviers. Son théâtre même est en continuelle
transformation technique : tantôt il recherche l'effet
de choc ; tantôt il imprime au tragique une allure
quotidienne ; une autre fois, il s'inspire des auto-
sacramentales pour en revenir finalement à la plus
classique des constructions. Chacune de ses pièces
traite du meurtre, mais elles diffèrent profondément
par la forme.

On a beaucoup hésité sur ses romans, et Camus
tout le premier. Il a pu croire un temps que le
roman était l'habit commode d'une philosophie.
Revenu de cette erreur, il a multiplié les commentaires sur la création romanesque. Ce souci de justification trahissait l'incertitude. En réalité, et il
en convient aujourd'hui, *l'Etranger* et *la Peste* sont
moins des romans, au sens traditionnel du mot, que
des témoignages et des œuvres d'art. Le ton y
importe plus que l'intrigue. Les personnages manquent de racines et d'obscurité : on les dirait délivrés du poids de l'inconscient et de la mémoire,
tout entiers ramassés dans leurs gestes ou dans
leurs pensées. La haine, la rancune et la dissimu-
lation en sont quasiment absentes, les privant de

cette part d'ombre et de trouble qui fait le mystère des individus. Camus est un créateur de mythes.

Chaque mythe condense les nostalgies ou les espoirs de l'auteur, ses combats ou ses abandons. Camus ne parle que de lui-même (ses essais mêmes, ne les donne-t-il pas aujourd'hui pour des confidences ?) Finissons-en avec cette légende d'une objectivité qui n'est le plus souvent qu'un paravent pour la moins intellectuelle des œuvres. Il est vrai qu'il s'en tient à celles de ses préoccupations qui ont valeur universelle. L'objectivité, dans ces conditions, joue le rôle de lentille ; elle permet à l'auteur de se faire moraliste sans cesser de parler d'expérience. « Moraliste épique », cette définition que Vigny proposait de lui-même s'appliquerait aisément à Camus pour peu que l'on précisât : une épopée de la banalité et du quotidien, dont Meursault et Grand seraient les héros exemplaires, et Caligula, puis les Justes, les enfants terribles.

Dès l'Envers et l'Endroit, il hésitait visiblement entre deux formes du mythe : le mythe démonstratif ou platonicien, qui habille une abstraction, et le mythe dionysien qui polarise les inquiétudes et les espoirs. Le Malentendu et l'Etat de Siège relèvent pour l'essentiel de la première formule ; Caligula et les Justes de la seconde. La Peste combine étroitement l'un et l'autre. A l'expérience, il apparaît donc que le mythe se prête volontiers à un effort de démystification et condense admirablement les réactions affectives d'un homme ou d'une époque, mais qu'il échoue le plus souvent, en tant qu'œuvre d'art, à définir une conduite. Le mythe est l'art des limites.

Les créateurs de caractères ont une infinie variété de personnages à leur disposition ; le créateur de mythes qui s'attache moins au mystère des individus qu'au mystère humain est plus tôt borné dans son effort. Une fois écartées les préoccupations personnelles impropres aux généralisations, ses thèmes sont limités. Seuls les événements peuvent en modifier les perspectives. En ce sens, Camus a besoin, pour créer, de ces secousses et de ces souffrances qu'il s'efforce, en tant qu'homme, de détourner de lui-même. La condition du créateur de mythes est immanquablement déchirée.

Encore faut-il que les événements soient d'assez forte amplitude pour qu'il vaille la peine de les faire témoigner. Longtemps Camus a été porté par une histoire qui le séduisait et l'inquiétait tout à la fois. Il se peut que des bouleversements historiques lui imposent une vision renouvelée du monde et de ses problèmes. Mais en l'état actuel des choses, *la Peste* paraît résumer son sentiment. La seule suite logique de *l'Homme révolté* serait une étude économique ou politique dans la ligne de la Pensée de Midi, qu'il ne faut pas s'attendre à lui voir jamais entreprendre, ne serait-ce que par respect des compétences. L'histoire ne peut plus guère lui inspirer que des chroniques « actuelles » (dont il serait dommage que nous soyons privés[1]) ou des réflexions éparses qui constituent autant de repères et de directions de pensée. Camus en a sans doute fini pour un temps avec les développements méthodiques.

Si l'on en croit les projets dont il fait état[2], la signification éternelle du mythe prendrait le pas sur sa signification contemporaine. *Don Juan, le Premier Homme* et les *Nouvelles d'Exil* nous ramènent aux préoccupations de l'avant-guerre. D'où Camus tirera-t-il la substance d'un nouveau départ ?

---

1. La récente rentrée de Camus dans la vie journalistique répond à ce vœu.
2. *Gazette de Lausanne*, 28 mars 1954.

La vie parisienne a des servitudes que ne connaissait pas l'auteur de *Caligula* ; elle prête à l'analyse psychologique ou à la caricature plus qu'au mythe. Mais, dira-t-on, les grands problèmes sont dans la rue : encore faudrait-il avoir le temps d'y flâner. C'est à la source première, à *l'Envers et l'Endroit*, que Camus compte alimenter son inspiration. Le caractère subjectif et confidentiel de son œuvre pourrait bien s'en trouver accusé.

Préparons-nous donc, prévenus que nous sommes par la parution de *l'Eté*, à une réaction « opportuniste » contre le moralisme et l'abstraction, auxquels les nécessités de la lutte l'avaient contraint. L'explosion vertueuse de la Résistance et de ses lendemains a fait son temps. Par un de ces mouvements qui font l'originalité et l'authenticité de sa révolte, Camus entend échapper au manichéisme où l'on prétendait l'enfermer, et redécouvrir l'existence dans sa complexité vivante. Les principes posés par *l'Homme révolté* demandent à être mis à l'épreuve de la vie quotidienne et de « ce pauvre et terrible amour » qui est le pain des hommes. Soyons du moins assurés que, demain comme hier, Camus n'aura d'autre parti pris que de servir la vie, sans jamais séparer la mer et les prisons.

BIBLIOGRAPHIE

BIBLIOGRAPHIE

I. ROMANS ET ESSAIS

L'Envers et l'Endroit, essais. Charlot, 1937. Ecrit en 1935-1936. Cinq récits : l'Ironie, Entre oui et non, La mort dans l'âme, Amour de vivre et l'Envers et L'Endroit. Une réédition très limitée, complétée par une importante préface, doit sortir sous peu.

Noces, essais poétiques. Charlot, 1938. Réédité en 1947 par Gallimard. Ecrits en 1936 et 1937.

Le Minotaure ou la Halte d'Oran, fin 1939, publié en 1950 par Charlot. Repris dans l'Eté (infra).

L'Etranger, récit. Terminé en mai 1940. Publié par Gallimard en 1942.

Le Mythe de Sisyphe, essai, achevé en février 1941. Publié par Gallimard en 1942.

La Peste, chronique, Gallimard, 1947. Pour ses origines cf. infra : Les Archives de la Peste.

L'Homme révolté, essai, Gallimard, 1951.

L'Eté, Gallimard, 1954, rassemble ses écrits de dates très diverses et de caractère fort différent.

La Femme adultère, nouvelle, parue à Alger en novembre 1954 avec illustrations de Clairin en édition limitée. Elle sera reprise dans un recueil de nouvelles à paraître.

II. THÉÂTRE

La révolte dans les Asturies, 4 actes. « Pour les Amis du théâtre du Travail », Charlot 1936. Essai de création collective, dédié aux victimes de répression. Sa représentation fut interdite par la Municipalité d'Alger. Albert Camus est aujourd'hui incapable de préciser la part qui lui revient dans cet ouvrage, que son caractère collectif lui rend cher.

CALIGULA, écrit en 1938. Gallimard, 1944.

LE MALENTENDU, écrit en 1942-1943, Gallimard, 1944.

L'ETAT DE SIÈGE, Gallimard, 1948. Texte entier d'Albert Camus. Indications et principes scéniques établis en collaboration avec Jean-Louis Barrault.

LES JUSTES, 1948-1949. Gallimard, 1950.

adaptations :

Les Esprits, de Pierre de Larivey.

La Dévotion à la Croix, de Calderon.

Un Cas intéressant, de Dino Buzzatti.

III. CHRONIQUES

A signaler la collaboration d'Albert Camus à *Alger-Républicain*, en particulier une analyse de *la Nausée* de J.-P. Sartre, en octobre 1938. Autres articles sur Barrès, Gide, Nizan, Giraudoux, etc.

Dans le même journal, 4 juin 1939 et sq., un important reportage sur la Kabylie. Ce témoignage prend fréquemment l'allure d'un réquisitoire modéré.

En 1943-1944, Camus participe à la rédaction de *Combat* clandestin dont *Actuelles* reproduit les éditoriaux des 24, 25 et 30 août 1944.

LETTRES A UN AMI ALLEMAND, Gallimard, 1945. La première a paru dans *la Revue libre*, 1943, la seconde dans les *Cahiers de la Libération*, début 1944. Les deux autres étaient restées inédites.

ACTUELLES I. Chroniques 1944-1948. Gallimard, 1950. Rassemble des éditoriaux de *Combat* de 1944-1945 et de février à mars 1947 ;

— une importante série d'articles, publiés en un ensemble par *Caliban*, n° 11, « Ni Victimes ni Bourreaux » essentiels à la compréhension de la pensée politique de Camus ;

— deux réponses à Emmanuel d'Astier de la Vigerie (*Caliban*, n° 16. *La Gauche*, octobre 1948) ;

— L'Incroyant et les chrétiens, fragments d'un exposé fait au couvent des dominicains de Latour-Maubourg en 1948 ;

— trois interviews :

la *Revue du Caire*, 1948 ; (sur le problème du mal).

« Dialogue pour le dialogue » in *Défense de l'homme*, revue anarchiste, juillet 1949 (sur la paix).

Interview non publiée.

— « Pourquoi l'Espagne ? « *Combat* 1948. Réponse à Gabriel Marcel (à propos de l'*Etat de Siège* et de la dictature franquiste).

— « Le témoin de la liberté », allocution à un meeting international d'écrivains, de novembre 1948, et publié par la *Gauche*, organe du Rassemblement Démocratique Révolutionnaire en décembre 1948.

ACTUELLES II. Gallimard, 1953 ;

rassemble quelques préfaces ou lettres-préfaces à :
— *Laissez passer mon peuple*, ouvrage de J. Méry sur Israël, 1948 ;
— *Devant la mort*, souvenirs de résistance de J. Héon-Canonne, juin 1951 ;
— *Moscou au temps de Lénine*, d'A. Rosmer, 1953 (Rosmer fut un des pionniers de la Révolution russe) ;

des allocutions :
— « l'Espagne et la culture », 30 novembre 1952 à la salle Wagram, protestation contre l'entrée de l'Espagne à l'Unesco ;
— « le Pain et la Liberté », 10 mai 1953 à la Bourse du Travail de Saint-Etienne, sur les rapports de l'artiste et des travailleurs manuels ;

des interviews :
— *Progrès de Lyon*, 1951. Sur la haine et le mensonge politiques ;
— « l'Artiste et son temps », réponse à des questions posées à la radio ou dans des journaux étrangers ;

un article écrit dans *Franc-Tireur*, décembre 1952, sur l'affaire Henri Martin ;

un ensemble de lettres sur la Révolte, parues dans :
— *Arts*, 19 octobre 1951, en réponse à André Breton ;
— id., 18 novembre 1951, id. ;
— *Dieu Vivant*, 28 mai 1952, en réponse à Marcel Moré ;
— *L'Observateur*, hebdomadaire, juin 1952, en réponse à Pierre Lebar et à Pierre Hervé ;
— *Le Libertaire*, en réponse à Gaston Leval, mai 1952 ;
— *Les Temps Modernes* : Lettre à Monsieur le Directeur, en réponse à l'article de Francis Jeanson, de mai 1952. Parue en août 1952 avec une « Réponse à

Albert Camus » de J.-P. Sartre et « Pour tout vous
dire... » de Francis Jeanson.
Toutes ces lettres éclairent la polémique suscitée par
l'Homme révolté.

A noter encore :
— une lettre au *Monde* sur les fusillades du 14
juillet 1953, à Paris, dénonçant le « racisme hon-
teux » des autorités et de la police ;
— in *Témoins*, revue suisse, n° 5, printemps 1954,
sous le titre « Calendrier de la Liberté », un article
commémorant le 19 juillet 1936, date du soulève-
ment franquiste et stigmatisant l'attitude des démocraties devant le drame espagnol ;
un second article reprend l'allocution prononcée à
la Mutualité au lendemain des fusillades du 17 juin
1953 à Berlin-Est.

PRÉFACES

Outre les trois préfaces déjà citées :
— Chamfort, *Maximes et Anecdotes*, introduction,
Monaco, 1944. Importante étude sur le roman et la
tradition des moralistes français.
— André Salvet, *le Combat Silencieux*, ouvrage
consacré à la Résistance. Courte lettre d'A. Camus
1945.
— Pierre-Eugène Clairin. Dix estampes originales,
1946. La présentation constitue une réflexion sur
l'art et la révolte.
— René Leynaud. Poésies posthumes, 1947. Poète
catholique, fusillé le 13 juin 1944, près de Ville-
neuve.
— René Char : préface à une édition allemande de
ses poèmes qui définit une poésie d'amour et de
révolte.
— Oscar Wilde, *la Ballade de la Geôle de Reading*,
1952. L'avant-propos, « l'Artiste en prison » (des
fragments sont parus dans *Arts*) définit l'esthétique
de Camus et les rapports de l'art avec la souffrance.
— Hermann Melville.
— Le refus de la haine : préface à « l'Allemagne
vue par les écrivains de la Résistance française » de
Konrad Bieber, reproduite par *Témoins*, printemps
1955.

ARTICLES DE REVUES

Pratiquement, Camus n'écrit pas pour les revues. Il
leur confie seulement, sous forme d'articles, la première
ébauche de tel ou tel chapitre de son prochain livre.
C'est le cas de :

— La remarque sur la Révolte, in *l'Existence*, 1945,
qui préfigure le chapitre I de *l'Homme révolté* p. 25
et sq.

— Archives de la Peste, avril 1947, Cahiers de la
Pléiade.

    Le discours de la Peste à ses administrés a été
    repris p. 94 de *l'Etat de Siège*.

    L'exhortation aux médecins de la Peste, reprise
    par le Club du Meilleur Livre, constitue une
    ébauche très ancienne, dans le style ironique de
    Moby Dick ; l'idée en est antérieure à la guerre.

— Les Meurtriers Délicats, in *La Table Ronde*. Premier état de *l'Homme révolté*, p. 206 et sq.

— L'exil d'Hélène in *Permanence de la Grèce*,
Cahiers du Sud, 1948. Repris dans *l'Eté*.

— Le Meurtre et l'Absurde. *Empédocle* n° 1, avril
1949 ; premier état de l'introduction à *l'Homme
révolté*.

— Nietszche et le Nihilisme, août 1951. *Temps
Modernes*, premier état de *l'Homme révolté*, p. 88
et sq.

— Retour à Tipasa, 1953, dans *Terrasses*. Avant-
dernier texte de *l'Eté*.

— La Mer au Plus Près. Essai poétique, janvier 1954.
Nouvelle N. R. F. Dernier texte de *l'Eté*.

Font exception :

— La Présentation de la revue *Rivages* (1939, Alger),
au sommaire de laquelle se retrouvent les noms
d'Audisio, Roblès, etc.

— « L'Intelligence et l'Echafaud », n° spécial de
Confluences, juillet-août 1943, consacré à l'esthétique du roman français classique.

— « Réflexions sur le Christianisme » dans *la Vie
Intellectuelle*, 1er décembre 1946. Il s'agit là du
compte rendu d'un débat public sur les rapports
du chrétien et de l'histoire ; une pensée toute proche
de celle-là se trouve développée dans « l'Incroyant
et les chrétiens », in *Actuelles*.

— Lettre à Roland Barthes sur *la Peste* dans

« Club », février 1955. On y trouve précisés par l'auteur et le sens de *la Peste* et sa conception de l'engagement historique.

INTERVIEWS

Aux six interviews reproduites dans *Actuelles* I et II s'ajoutent celles :
— du 15 novembre 1945, *Nouvelles Littéraires* ;
— de décembre 1945, *Servir*, revue de Lausanne (où Camus définit ses rapports avec l'existentialisme, la philosophie en général et l'absurde en particulier) ;
— du 10 mai 1951, *Gazette des Lettres*, qui précise l'influence de divers écrivains sur sa réflexion et son œuvre ;
— du 28 mars 1954, *Gazette de Lausanne*, où Camus expose ses projets et revient sur le rôle de l'artiste dans le monde moderne.

TRADUCTIONS

L'œuvre d'Albert Camus a suscité un vif intérêt dans le monde entier, ou plus précisément, chez tous les peuples qui ont fait place aux modes de pensée et de vie européens. Depuis une dizaine d'années, les traductions se sont multipliées sous toutes les latitudes, faisant de son œuvre l'une des plus universellement connues.

Les luttes et les déchirements dont le monde a été et demeure le théâtre expliquent le rayonnement d'une œuvre profondément enracinée dans l'époque. Il n'est guère de pays qui, ces vingt dernières années, n'aient eu à souffrir de la Peste et n'aient découvert dans le fracas des armes et le flamboiement des incendies l'étrangeté de l'homme et de sa condition ; partout la révolution a posé ses problèmes en termes de violence et de renaissance à la fois, et l'esprit de révolte, européen en son principe, a, porté par la technique, gagné l'Amérique du Sud tout comme le Japon. Partout la mer et partout les prisons.

On ne s'étonnera guère de ne trouver dans la liste des traductions ni l'Inde ni la Chine, par exemple : la première est trop étrangère encore à l'esprit européen comme à son rythme de vie ; la seconde n'en est qu'à l'aube de ses transformations : elle se découvre une nouvelle jeunesse et ne veut connaître que l'enthousiasme et la fièvre des conquêtes. Les peuples qui entrent dans l'histoire ou qui y reparaissent ne pourraient apprendre chez Camus que la modestie et la tolérance, qui, au regard d'une adolescence mystique, sont les pires des vertus. Ceux, par contre, dont l'histoire est chargée de souvenirs sanglants, qui ont éprouvé le vertige de la puissance et parfois même atteint aux limites de l'orgueil humain, y peuvent rechercher le sens de la mesure au cœur même d'une insatisfaction permanente.

L'art de Camus devait également favoriser la diffusion de ses œuvres : si datés soient-ils, ses livres échappent aux circonstances qui les ont vus naître ; pour africains que soient *l'Etranger* et *la Peste*, l'Afrique qu'ils nous peignent n'est pour finir qu' « un canton détourné » de l'humanité. Bref, ce que le mythe enlève d'épaisseur aux personnages, il le leur restitue sous forme d'universalité. Par delà les mœurs et les coutumes, les régimes politiques et les religions, l'œuvre de Camus demeure un ferment d'inquiétude et de confiance mêlées.

Une classification géographique permettra de mieux juger des zones de pénétration de l'œuvre et du caractère de son influence.

Pays de langue anglaise :

CALIGULA. — LE MALENTENDU	Hamilton (Angleterre)	1946
L'ETRANGER	Hamilton (Angleterre)	1945
L'ETRANGER	Knopf (U. S. A.)	1945
LA PESTE	Hamilton (A)	1947
LA PESTE	Knopf (U. S. A.)	1947
LE MYTHE DE SISYPHE	Hamilton	1954
LE MYTHE DE SISYPHE	Knopf	1954
L'HOMME RÉVOLTÉ	Hamilton	1953
	Knopf	1952

Une édition universitaire de *l'Etranger* (U. S. A.) est précédée d'une introduction nouvelle.

On notera que la pénétration s'est faite au lendemain de la guerre par le théâtre et le roman, les essais ne venant que beaucoup plus tard.

Pays de langue allemande :

L'ETRANGER	Rauch (Allemagne)	1948
THÉÂTRE	Rauch (Allemagne)	1948

LA PESTE	Rauch (Allemagne)	1948
	Abendland (Autriche)	1948
LE MYTHE DE SISYPHE	Rauch	1948
L'HOMME RÉVOLTÉ	Rowhohlt	1952
NOCES	Die Arche (Suisse)	1952
L'ETÉ	Die Arche (Suisse)	1954
L'ETAT DE SIÈGE	Rauch	1955

L'Allemagne a fait un accueil chaleureux aux œuvres de Camus aux environs de 1948.

Italie :

L'ETRANGER	Bompiani	1945
LE MYTHE DE SISYPHE	Bompiani	1945
CALIGULA. — LE MALENTENDU	Bompiani	1946
LA PESTE	Bompiani	1947
L'HOMME RÉVOLTÉ (en préparation)	Bompiani	1955

Pays Nordiques :

L'ETRANGER	Danemark	1943
	Suède	1945
	Norvège	1946
	Hollande — Finlande	1947
	Islande	1948
CALIGULA	Danemark	1947
	Suède	1948
LA PESTE	Danemark	1947
	Hollande — Finlande	1947
	Norvège	1947
	Suède	1947
LE MYTHE DE SISYPHE	Suède	1946
	Danemark	1948
	Norvège	1953
L'HOMME RÉVOLTÉ	Suède	1952

Dans l'ensemble les traductions se limitent à la période 1947-1948

Pays hispanisants :

L'ETRANGER	Argentine	1947
LA PESTE	Argentine	1948
CALIGULA. — LE MALENTENDU	Argentine	1948
LE MYTHE DE SISYPHE	Argentine	1953
L'HOMME RÉVOLTÉ	Argentine	1953
L'ETÉ	Argentine	1954

Le succès considérable de Camus a été concrétisé en Amérique du Sud par le voyage qu'il y fit en 1949.

On peut noter sans surprise l'absence totale de traductions en Espagne même. Par contre, le Portugal a traduit tout récemment *l'Etranger* et *la Peste* (1954).

Pays d'Europe Orientale :

Ils se sont limités à la traduction de *l'Etranger* :

Tchécoslovaquie	1945
Pologne	1946
Hongrie	1947

Depuis 1947, année qui vit s'amorcer la soviétisation de ces pays, Camus y est *persona non grata*.

Par contre, la Yougoslavie, depuis sa rupture avec l'U. R. S. S., a imprimé *l'Etranger* (1951), et *la Peste* (1952).

Japon :

Il a réservé, depuis la traduction de *la Peste*, un accueil enthousiaste à l'ensemble de l'œuvre :

La Peste	1949
L'Etranger	1951
L'Homme révolté	1952
Actuelles I	1952
Actuelles II	1954
Lettres a un Ami Allemand	1952
L'Etat de Siège, Les Justes	1952
L'Eté	1954

Il semble que l'œuvre politique et morale ait plus particulièrement intéressé les éditeurs.

Notons pour finir :

Hollande :

L'Etranger	1947
La Peste	1947

Israël :

La Peste	1950

Juin 1955.

TABLE

TABLE

DU MÊME AUTEUR
nrf

LA SOCIÉTÉ DE 1960
ET L'AVENIR POLITIQUE DE LA FRANCE

LA MER ET LES PRISONS

essai sur albert camus

par Roger Quilliot

Largement diffusée en France comme à l'étranger, l'œuvre d'Albert Camus n'avait pas fait jusqu'à ce jour l'objet d'une étude d'ensemble où fussent analysées concurremment la création littéraire, la réflexion de l'essayiste et l'action du journaliste. Le présent livre s'attache à établir le bilan de vingt années de productions diverses. Camus est-il un romancier, un philosophe ou un homme de théâtre? Quelle est la portée de son action journalistique et politique? Autant de questions qu'il convenait de traiter.

Camus n'est ni un intellectuel, ni un saint, mais un homme que sa passion de vivre conduit à prendre en charge tout à la fois la beauté et la mort, la solitude et la fraternité, la splendeur du monde et la souffrance des hommes. De ses contacts avec l'histoire, Camus a tiré la conclusion que si la révolte est nécessaire, la modestie ne l'est pas moins. Au milieu des fanatismes et des conformismes son œuvre est une leçon d'insatisfaction autant que de tolérance : « Apprendre à vivre et à mourir et, pour être homme, refuser d'être dieu ». Mais comme, pour lui, l'honneur est un tout, il l'a mis à bien dire autant qu'à bien vivre.

●

Roger Quilliot est né en 1925, d'une famille d'instituteurs. Son enfance s'est passée principalement dans les régions minières. Il a fait ses études au collège de Béthune, et sa classe de première supérieure au lycée Louis-le-Grand. Agrégé de grammaire depuis 1949, il est actuellement professeur au lycée David-d'Angers à Angers. Il s'occupe de Ciné-club pour les jeunes et est conseiller municipal. Cet ouvrage est le premier qu'il publie.

9,70 F (+ t. l.)
10 F T.L.